S0-BBX-797

ENSAYISTAS DE NUESTRA AMÉRICA

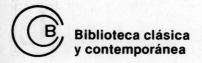

**Biblioteca clásica
y contemporánea**

ANDRÉS BELLO • LUCAS ALAMAN • JUAN BAUTISTA AL-
BERDI • EUGENIO M. DE HOSTOS • JUAN MONTALVO •
JOSÉ MARTÍ • ENRIQUE JOSÉ VARONA • RUBÉN DARÍO •
FRANCISCO BILBAO • JOSÉ ENRIQUE RODÓ • CLORINDA
MATTO DE SURNER • MANUEL GONZÁLEZ PRADA

ENSAYISTAS DE NUESTRA AMÉRICA

TOMO II

ESTUDIO PRELIMINAR, SELECCIÓN
Y NOTAS SOBRE LOS AUTORES:
SUSANA ROTKER

Editorial Losada, S. A.
Buenos Aires

BIBLIOTECA CLÁSICA Y CONTEMPORÁNEA

1ª edición: octubre 1994

© Editorial Losada S. A.
Moreno 3362,
Buenos Aires

Tapa: Gustavo Macri

ISBN (general, tomos I y II): 950-03-0488-0
ISBN: 950-03-0489-9
Queda hecho el depósito que marca la ley 11.723
Marca y características gráficas registradas en la
Oficina de Patentes y Marcas de la Nación
Impreso en Argentina
Printed in Argentina

1
Andrés Bello
Gramática de la lengua castellana
destinada al uso de los americanos
[1847]
(Prólogo)

*Andrés Bello (1781-1865) es el arquetipo del edu-
cador y del poeta civil del siglo XIX latinoamericano.
De formación neoclásica, este venezolano nacido en
Caracas pasó parte de su vida desmintiendo acusacio-
nes que se demostraron infundadas: cargó siempre con
la sospecha de que había denunciado a las autoridades
españolas la conspiración criolla de 1810 y luego, en
un enfrentamiento entre románticos y clasicistas desa-
tado por la lucha generacional, Sarmiento y Lastarria
lo acusaron duramente de hispanizante.*

*Gran parte de su vida fue un malentendido: comi-
sionado como negociador ante Londres, junto a Bolívar y López Méndez, terminó desterrado en esa ciudad
sin poder regresar a Caracas durante 19 años. Fue
primero diplomático, pero las idas y vueltas de las
guerras independentistas lo dejaron sin empleo; pese a
haber sido uno de los maestros de Bolívar, no contó
nunca con su apoyo para obtener un cargo ni en su
país ni en el exterior por razones no del todo claras.
Llegó a Chile como última alternativa: tenía ya 48*

años y se sentía al final de la vida; la suerte le cambió a tal punto que, pese a la polémica con los jóvenes, fue alto funcionario del Ministerio de Asuntos Exteriores por el resto de su vida, primer rector de la Universidad de Chile, miembro de las más importantes comisiones jurídicas y educativas.

De sus años de formación puede decirse que estudió a fondo los clásicos y los escritores del Siglo de Oro. En Caracas, donde completó sus estudios universitarios, participó de salones literarios y tuvo uno de los más importantes encuentros de su vida con Alexander Von Humboldt, a quien acompañó en varias expediciones. De esta experiencia sacaría su interés por los estudios científicos y el acercamiento a la naturaleza que caracterizaría a su poesía; fue traductor y comentador de partes de la obra de Humboldt. En Londres entró en contacto con los principales intelectuales ingleses y españoles; allí participó de las dos grandes revistas americanistas de la época: la Biblioteca Americana *(1823) y el* Repertorio Americano *(1826-1827) y escribió* Alocución a la poesía *(1823) y "Silva a la agricultura de la zona tórrida" (1826). En estos poemas desarrolla —con visión continental— su canto a la emancipación cultural americana, a los trabajos campestres, a las guerras de la independencia, a los frutos y flores propios de la zona tórrida.*

En su etapa chilena, además de numerosos artículos sobre educación , historiografía y crítica literaria, publicó Principio del derecho de Gentes *(1832),* Filosofía del entendimiento *(de aparición póstuma, en 1881),* Principios de Ortolojía i Métrica de la Lengua Castellana *(1835),* Análisis ideológico de los tiempos de la conjugación castellana *(1841),* Gramática de la lengua castellana destinada al uso de los americanos *(1847),* Código civil de la República de Chile *(1855) y varios poemas, entre los que se cuentan sus burlas contra los románticos ("La moda", "Diálogo entre la amable Isi-*

dora y un poeta del siglo pasado" de 1846 y "El cóndor y el poeta" de 1849).

Sus ideas sobre la educación son ineludibles. Y también lo son sus ensayos sobre la lengua: de todos los que abogaron por un español para los americanos, Andrés Bello fue el que elaboró el cuerpo teórico más orgánico. Se debe decir, no obstante, que si bien entre los defensores de la "apropiación" de la lengua hubo figuras tan poderosas como Sarmiento y el mismo Bello, antes de fin de siglo las Academias de la Lengua nacionales restituyeron las normas dictadas por la Real Academia de Madrid, respetadas hasta hoy. Como texto, sin embargo, es una muestra perfecta de la conciencia que había de la relación entre la letra, la cultura y el poder.

GRAMÁTICA DE LA LENGUA CASTELLANA, DEDICADA AL USO DE LOS AMERICANOS

Prólogo

Aunque en esta Gramática hubiera deseado no desviarme de la nomenclatura y explicaciones usuales, hay puntos en que me ha parecido que las prácticas de la lengua castellana podían representarse de un modo más completo y exacto. Lectores habrá que califiquen de caprichosas alteraciones que en esos puntos he introducido, o que las imputen a la pretensión extravagante de decir cosas nuevas: las razones que alego probarán, a lo menos, que no las he adoptado sino después de un maduro examen. Pero la prevención más desfavorable, por el imperio que tiene aún sobre personas bastante instruidas, es la de aquellos que se figuran que en la gramática las definiciones inadecuadas, las clasificaciones mal hechas, los conceptos falsos, carecen de inconveniente, siempre que por otra parte se expongan con fidelidad las reglas a que se conforma el buen uso. Yo creo, con todo, que esas dos cosas son inconciliables; y que el uso no puede exponerse con exactitud y fidelidad sino analizando, desenvolviendo los principios verdaderos que lo dirijen; que una lógica severa es indispen-

11

sable requisito de toda enseñanza; y que, en el primer ensayo que el entendimiento hace de sí mismo es en el que más importa no acostumbrarle a pagarse de meras palabras.

El habla de un pueblo es un sistema artificial de signos, que bajo muchos respectos se diferencia de los otros sistemas de la misma especie: de que se sigue que cada lengua tiene su teoría particular, su gramática. No debemos, pues, aplicar indistintamente a un idioma los principios, los términos, las analogías en que se resumen bien o mal las prácticas de otro. Esta misma palabra *idioma** está diciendo que cada lengua tiene su genio, su fisonomía, sus giros; y maldesempeñaría su oficio el gramático que explicando la suya se limitara a lo que ella tuviese de común con otra, o (todavía peor) que supusiera semejanzas donde no hubiese más que diferencias, y diferencias importantes, radicales. Una cosa es la gramática general, y otra la gramática de un idioma dado: una cosa comparar entre sí dos idiomas, y otra considerar un idioma como es en sí mismo. ¿Se trata, por ejemplo, de la conjugación del verbo castellano? Es preciso enumerar las formas que toma, y los significados y usos de cada forma, como si no hubiese en el mundo otra lengua que la castellana; posición forzada respecto del niño, a quien se exponen las reglas de la sola lengua que está a su alcance, la lengua nativa. Este es el punto de vista en que he procurado colocarme, y en el que ruego a las personas inteligentes, a cuyo juicio someto mi trabajo, que procuren también colocarse, descartando, sobre todo, las reminiscencias del idioma latino.

En España, como en otros países de Europa, una admiración excesiva a la lengua y literatura de los ro-

---

*   En griego *peculiaridad, naturaleza propia, índole característica*.

manos dio un tipo latino a casi todas las producciones del ingenio. Era ésta una tendencia natural de los espíritus en la época de la restauración de las letras. La mitología pagana siguió suministrando imágenes y símbolos al poeta; y el período ciceroniano fue la norma de la elocución para los escritores elegantes. No era, pues, de extrañar que se sacasen del latín la nomenclatura y los cánones gramaticales de nuestro romance.

Si como fue el latín el tipo ideal de los gramáticos, las circunstancias hubiesen dado esta preeminencia al griego, hubiéramos probablemente contado cinco casos en nuestra declinación en lugar de seis, nuestros verbos hubieran tenido no sólo voz pasiva, sino voz media, y no habrían faltado aoristos y paulo-post-futuros en la conjugación castellana.*

Obedecen, sin duda, los signos del pensamiento a ciertas leyes generales, que derivadas de aquellas a que está sujeto el pensamiento mismo, dominan a todas las lenguas y constituyen una gramática universal. Pero si se exceptúa la resolución del razonamiento en proposiciones, y de la proposición en sujeto y atributo; la existencia del sustantivo para expresar directamente los objetos, la del verbo para indicar los atributos y la de otras palabras que modifiquen y determinen a los sustantivos y verbos a fin de que, con un número limitado de unos y otros, puedan designarse todos los objetos posibles, no sólo reales sino intelectuales, y todos los atributos que percibamos o imaginemos en ellos; si exceptuamos esta armazón fundamental de las lenguas, no veo nada que estemos obligados a reconocer como ley universal de que a ninguna sea dado eximirse. El número de las partes de la oración pudiera ser mayor o menor de lo

* Las declinaciones de los latinizantes me recuerdan el proceder artístico del *pintor de hogaño*, que, por parecerse a los antiguos maestros, ponía golilla y ropilla a los personajes que retrataba.

que es en latín o en las lenguas romances. El verbo pudiera tener géneros y el nombre tiempos. ¿Qué cosa más natural que la concordancia del verbo con el sujeto? Pues bien; en griego era no sólo permitido sino usual concertar el plural de los nombres neutros con el singular de los verbos. En el entendimiento dos negaciones se destruyen necesariamente una a otra y así es casi siempre en el habla; sin que por eso deje de haber en castellano circunstancias en que dos negaciones no afirman. No debemos pues, trasladar ligeramente las afecciones de las ideas a los accidentes de las palabras. Se ha errado no poco en filosofía suponiendo a la lengua un trasunto fiel del pensamiento; y esta misma exagerada posición ha extraviado a la gramática en dirección contraria: unos argüían de la copia al original; otros del original a la copia. En el lenguaje lo convencional y arbitrario abraza mucho más de lo que comúnmente se piensa. Es imposible que las creencias, los caprichos de la imaginación y mil asociaciones casuales, no produjesen una grandísima discrepancia en los medios de que se valen las lenguas para manifestar lo que pasa en el alma; discrepancia que va siendo mayor y mayor a medida que se apartan de su común origen.

Estoy dispuesto a oír con docilidad las objeciones que se hagan a lo que en esta gramática pareciere nuevo; aunque, si bien se mira, se hallará que en eso mismo algunas veces no innovo, sino restauro. La idea, por ejemplo, que yo doy de los casos en la declinación, es la antigua y genuina; y en atribuir la naturaleza de sustantivo al infinito, no haga más que desenvolver una idea perfectamente enunciada en *Prisciano*: "Vim nominis habet verbum infinitum; dico enim *bonum* est legere, ut si dicam *bona est lectio*". No he querido, sin embargo, apoyarme en autoridades, porque para mí la sola irrecusable en lo tocante a una lengua es la lengua misma. Yo no me creo autorizado para dividir lo que ella constantemente une, ni para identificar lo que ella distingue. No miro las analogías de otros idiomas sino como pruebas accesorias. Acepto las prácticas como la lengua las presenta; sin imaginarias elipsis, sin otras explicaciones que las que se reducen a ilustrar el uso por el uso.

Tal ha sido mi lógica. En cuanto a los auxilios de que he procurado aprovecharme, debo citar especialmente las obras de la Academia española y la gramática de D. Vicente Salvá. He mirado esta última como el depósito más copioso de los modos de decir castellanos; como un libro que ninguno de los que aspiran a hablar y escribir correctamente nuestra lengua nativa debe dispensarse de leer y consultar a menudo. Soy también deudor de algunas ideas al ingenioso y docto D. Juan Antonio Puigblanch en las materias filológicas que toca por incidencia en sus Opúsculos. Ni fuera justo olvidar a Garcés, cuyo libro, aunque sólo se considere como un glosario de voces y frases castellanas de los mejores tiempos, ilustradas con oportunos ejemplos, no creo que merezca el desdén con que hoy se le trata.

Después de un trabajo tan importante como el de Salvá, lo único que me parecía echarse de menos era una teoría que exhibiese el sistema de la lengua en la generación y uso de sus inflexiones y en la estructura de sus oraciones, desembarazado de ciertas tradiciones latinas que de ninguna manera le cuadran. Pero cuando digo *teoría* no se crea que trato de especulaciones metafísicas. El señor Salvá reprueba con razones aquellas abstracciones ideológicas que, como las de un autor que cita, se alegan para legitimar lo que el uso proscribe. Yo huyo de ellas, no sólo cuando contradicen al uso, sino cuando se remontan sobre la mera práctica del lenguaje. La filosofía de la gramática la reduciría yo a representar el uso bajo las fórmulas más comprensivas y simples. Fundar estas fórmulas en otros procederes intelectuales que los que real y verdaderamente guían al uso, es un lujo que la gramática no ha menester. Pero

15

los procederes intelectuales que real y verdaderamente le guían, o en otros términos, el valor preciso de las inflexiones y las combinaciones de las palabras, es un objeto necesario de averiguación; y la gramática que lo pase por alto no desempeñará cumplidamente su oficio. Como el diccionario da el significado de las raíces, a la gramática incumbe exponer el valor de las inflexiones y combinaciones, y no sólo el natural y primitivo, sino el secundario y el metafórico, siempre que hayan entrado en el uso general de la lengua. Este es el campo que privativamente deben abrazar las especulaciones gramaticales, y al mismo tiempo el límite que las circunscribe. Si alguna vez he pasado este límite, ha sido en brevísimas excursiones, cuando se trataba de discutir los alegados fundamentos ideológicos de una doctrina, o cuando los accidentes gramaticales revelaban algún proceder mental curioso: trasgresiones, por otra parte, tan raras, que sería demasiado rigor calificarlas de importunas.

Algunos han censurado esta gramática de difícil y oscura. En los establecimientos de Santiago que la han adoptado, se ha visto que esa dificultad es mucho mayor para los que, preocupados por las doctrinas de otras gramáticas, se desdeñan de leer con atención la mía y de familiarizarse con su lenguaje, que para los alumnos que forman por ella sus primeras nociones gramaticales.

Es, por otra parte, una preocupación harto común la que nos hace creer llano y fácil el estudio de una lengua, hasta el grado en que es necesario para hablarla y escribirla correctamente. Hay en la gramática muchos puntos que no son accesibles a la inteligencia de la primera edad; y por eso he juzgado conveniente dividirla en dos cursos, reducido el primero a las nociones menos difíciles y más indispensables, y extensivo el segundo a aquellas partes del idioma que piden un entendimiento algo ejercitado. Los he señalado con diverso tipo y comprendido los dos en un solo tratado, no sólo para evitar repeticiones, sino para proporcionar a los profesores del primer curso el auxilio de las explicaciones destinadas al segundo, si alguna vez las necesitaren. Creo, además, que esas explicaciones no serán enteramente inútiles a los principiantes, porque, a medida que adelanten, se les irán desvaneciendo gradualmente las dificultades que para entenderlas se les ofrezcan. Por este medio queda también al arbitrio de los profesores el añadir a las lecciones de la enseñanza primaria todo aquello que de las del curso posterior les pareciere a propósito, según la capacidad y aprovechamiento de los alumnos. En las notas al pie de las páginas llamo la atención a ciertas prácticas viciosas del habla popular de los americanos para que se conozcan y eviten, y dilucido algunas doctrinas con observaciones que requieren el conocimiento de otras lenguas. Finalmente, en las notas que he colocado al fin del libro me extiendo sobre algunos puntos controvertibles, en que juzgué no estarían de más las explicaciones para satisfacer a los lectores instruidos. Parecerá algunas veces que se han acumulado profusamente los ejemplos; pero sólo se ha hecho cuando se trataba de oponer la práctica de escritores acreditados a novedades viciosas, o de discutir puntos controvertidos, o de explicar ciertos procederes de la lengua a la que creía no haberse prestado atención hasta ahora.

He creído también que en una gramática nacional no debían pasarse por alto ciertas formas y locuciones que han desaparecido de la lengua corriente ya porque el poeta y aun el prosista no dejan de recurrir alguna vez a ellas, y ya porque su conocimiento es necesario para la perfecta inteligencia de las obras más estimadas de otras edades de la lengua. Era conveniente manifestar el uso impropio que algunos hacen de ellas, y los conceptos erróneos con que otros han querido explicarlas; y si soy yo el que ha padecido error, sirvan mis desaciertos de estímulo a escritores más competentes, para emprender el mismo trabajo con mejor suceso.

No tengo la pretensión de escribir para los castellanos. Mis lecciones se dirigen a mis hermanos, los habitantes de Hispano-América. Juzgo importante la conservación de la lengua de nuestros padres en su posible pureza, como un medio providencial de comunicación y un vínculo de fraternidad entre las varias naciones de origen español derramadas sobre los dos continentes. Pero no es un purismo supersticioso lo que me atrevo a recomendarles. El adelantamiento prodigioso de todas las ciencias y las artes, la difusión de la cultura intelectual y las revoluciones políticas, piden cada día nuevos signos para expresar ideas nuevas, y la introducción de vocablos flamantes, tomados de las lenguas antiguas y extranjeras, ha dejado ya de ofendernos, cuando no es manifiestamente innecesaria, o cuando no descubre la afectación y mal gusto de los que piensan engalanar así lo que escriben. Hay otro vicio peor, que es el prestar acepciones nuevas a las palabras y frases conocidas, multiplicando las anfibologías de que por la variedad de significados de cada palabra adolecen más o menos las lenguas todas, y acaso en mayor proporción las que más se cultivan, por el casi infinito número de ideas a que es preciso acomodar un número necesariamente limitado de signos. Pero el mayor mal de todos, y el que si no se ataja, va a privarnos de las inapreciables ventajas de un lenguaje común, es la avenida de neologismos de construcción, que inunda y enturbia mucha parte de lo que se escribe en América, y alterando la estructura del idioma, tiende a convertirlo en una multitud de dialectos irregulares, licenciosos, bárbaros; embriones, de idiomas futuros, que durante una larga elaboración reproducirían en América lo que fue en la Europa en el tenebroso período de la corrupción del latín. Chile, el Perú, Buenos Aires, México, hablarían cada uno su lengua, o por mejor decir, varias lenguas, como sucede en

España, Italia y Francia, donde dominan ciertos idiomas provinciales, pero viven a su lado otros varios, oponiendo estorbos a la difusión de las luces, a la ejecución de las leyes, a la administración del Estado, a la unidad nacional. Una lengua es como un cuerpo viviente: su vitalidad no consiste en la constante identidad de elementos, sino en la regular uniformidad de las funciones que éstos ejercen, y de que proceden la forma y la índole que distinguen al todo.

Sea que yo exagerare o no el peligro, él ha sido el principal motivo que me ha inducido a componer esta obra, bajo tantos respectos superior a mis fuerzas. Los lectores inteligentes que me honren leyéndola con alguna atención, verán el cuidado que he puesto en demarcar, por decirlo así, los linderos que respeta el buen uso de nuestra lengua, en medio de la soltura y libertad de sus giros, señalando las corrupciones que más cunden hoy día, y manifestando la esencial diferencia que existe entre las construcciones castellanas y las extranjeras que se les asemejan hasta cierto punto, y que solemos imitar sin el debido discernimiento.

No se crea que recomendando la conservación del castellano sea mi ánimo tachar de vicioso y espurio todo lo que es peculiar de los americanos. Hay locuciones castizas que en la Península pasan hoy por anticuadas y que subsisten tradicionalmente en Hispano-América, ¿por qué proscribirlas? Si según la práctica general de los americanos es más analógica la conjugación de algún verbo, ¿por qué razón hemos de preferir la que caprichosamente haya prevalecido en Castilla? Si de raíces castellanas hemos formado vocablos nuevos, según los procederes ordinarios de derivación que el castellano reconoce, y de que se ha servido y se sirve continuamente para aumentar su caudal, ¿qué motivos hay para que nos avergoncemos de usarlos? Chile y Venezuela tienen tanto derecho como Aragón y Andalucía para que se toleren sus accidentales divergencias, cuando las patrocina la costumbre uniforme y auténtica de la gente educada. En ellas se peca mucho menos contra la pureza y corrección del lenguaje, que en las locuciones afrancesadas, de que no dejan de estar salpicadas hoy día aun las obras más estimadas de los escritores peninsulares.

He dado cuenta de mis principios, de mi plan y de mi objeto, y he reconocido, como era justo, mis obligaciones a los que me han precedido. Señalo rumbos no explorados, y es probable que no siempre haya hecho en ellos las observaciones necesarias para deducir generalidades exactas. Si todo lo que propongo de nuevo no pareciere aceptable, mi ambición quedará satisfecha con que alguna parte lo sea, y contribuya a la mejora de un ramo de enseñanza, que no es ciertamente el más lúcido, pero es uno de los más necesarios.

INDICACIONES SOBRE LA CONVENIENCIA DE SIMPLIFICAR Y UNIFORMAR LA ORTOGRAFÍA EN AMÉRICA

Uno de los estudios que más interesan al hombre es el del idioma que se habla en su país natal. Su cultivo y perfección constituyen la base de todos los adelantamientos intelectuales. Se forman las cabezas por las lenguas, dice el autor del *Emilio*, y los pensamientos se tiñen del color de los idiomas.

Desde que los españoles sojuzgaron el nuevo mundo, se han ido perdiendo poco a poco las lenguas aborígenes; y aunque algunas se conservan todavía en toda su pureza entre las tribus de indios independientes, y aun entre aquellos que han empezado a civilizarse, la lengua castellana es la que prevalece en los nuevos estados que se han formado de la desmembración de la monarquía española, y es indudable que poco a poco hará desaparecer todas las otras.

El cultivo de aquel idioma ha participado allí de todos los vicios del sistema de educación que se seguía; y aunque sea ruboroso decirlo, es necesario confesar que en la generalidad de los habitantes de América no se encontraban cinco personas en ciento que poseyesen gramaticalmente su propia lengua, y apenas una que la escribiese correctamente. Tal era el efecto del plan adoptado por la corte de Madrid respecto de sus posesiones coloniales, y aun la consecuencia necesaria del atraso en que se encontraba la misma España.

Entre los medios no sólo de pulir la lengua, sino de extender y generalizar todos los ramos de ilustración, pocos habrá más importantes que el simplificar su ortografía, como que de ella depende la adquisición más o menos fácil de los dos artes primeros, que son como los cimientos sobre que descansa todo el edificio de la literatura y de las ciencias: leer y escribir. La ortografía, dice la Academia Española, es la que mejora las lenguas, conserva su pureza, señala la verdadera pronunciación y significado de las voces, y declara el legítimo sentido de lo escrito, haciendo que la escritura sea un fiel y seguro depósito de las leyes, de las artes, de las ciencias, y de todo cuanto discurrieron los doctos y los sabios en todas profesiones, y dejaron por este medio encomendado a la posteridad para la universal instrucción y enseñanza.* De la importancia de la ortografía se sigue la necesidad de simplificarla; y el plan o método que haya de seguirse en las innovaciones que se introduzcan para tan necesario fin, va a ser el objeto del presente artículo.

No tenemos la temeridad de pensar que las reformas que vamos a sugerir se adopten inmediatamente. Demasiado conocemos cuánto es el imperio de la preocupación y de los hábitos; pero nada se pierde con in-

---

* Ortografía de la lengua castellana, 1820.

21

dicarlas y someterlas desde ahora a la discusión de los inteligentes, o para que se modifiquen, si pareciere necesario, o para que se acelere la época de su introducción y se allane el camino a los cuerpos literarios que hayan de dar en América una nueva dirección a los estudios.

A fin de motivar las reformas que apuntamos, examinaremos, por la última edición de 1820 del tratado de ortografía castellana, los distintos sistemas de varios escritores y de la Academia misma; y deduciremos de todos ellos el nuestro.

Antonio de Nebrija sentó por principio para el arreglo de la ortografía que cada letra debía tener un sonido distinto, y cada sonido debía representarse por una sola letra. He aquí el rumbo que deben seguir todas las reformas ortográficas. Mateo Alemán, llevando adelante la idea de aquel doctísimo filólogo, adoptó por única norma de la escritura la pronunciación, excluyendo el uso y el origen. Juan López de Velasco echó por otro camino. Creyendo que la pronunciación no debía dominar sola, y siguiendo el consejo de Quintiliano, *Nisi quod consuetudo obtinuerit, sic scribendum quidque judico quomodo sonat*, establece que la lengua debe escribirse sencilla y naturalmente como se habla, pero sin introducir novedad ofensiva. Gonzalo Correas, empero, despreciando, como era razón, este usurpado dominio de la costumbre, quiso enmendar el alfabeto castellano en una de sus más incómodas irregularidades sustituyendo la *k* a la *c fuerte* y a la *q*. Otros escritores antiguos y modernos han aconsejado otras reformas: todos han convenido en el fin de hacer uniforme y fácil la escritura castellana; pero en los medios ha habido variedad de opiniones.

En cuanto a la Academia Española, nosotros ciertamente miramos como apreciabilísimos sus trabajos. Al comparar el estado de la escritura castellana, cuando la Academia se dedicó a simplificarla, con el que hoy tiene, no sabemos qué es más de alabar, si el espíritu de liberalidad (bien diferente del que suele animar tales cuerpos) con que la Academia ha patrocinado e introducido ella misma las reformas útiles, o la docilidad del público en adoptarlas, tanto en la Península como fuera de ella.

Su primer trabajo de esta especie, según dice ella misma, fue en los proemiales del tomo primero del gran *Diccionario*; y desde entonces ha procedido de escalón en escalón, simplificando la escritura en las varias ediciones de su *Ortografía*. No sabemos si hubiera convenido introducir todas las alteraciones de un golpe, llevando el alfabeto al punto de perfección de que es susceptible, y conformándole en un todo a los principios anteriormente citados de Nebrija y Mateo Alemán; lo que ciertamente hubiera sido de desear es que todas ellas hubieran seguido un plan constante y uniforme, y que en cada innovación se hubiese dado un paso efectivo hacia el término que se contemplaba, sin caminar por rodeos inútiles. Pero debemos tener presente que las operaciones de un cuerpo de esta especie no pueden ser tan sistemáticas, ni tan fijos sus principios, como los de un individuo; así que, dando a la Academia las gracias que merece por lo que ha hecho de bueno, y por la dirección general de sus trabajos, será justo al mismo tiempo considerar las imperfecciones de los resultados como inherentes a la naturaleza de una sociedad filológica.

En 1754 añadió la Academia (según dice ella misma) algunas letras propias del idioma, que se habían omitido hasta entonces y faltaban para su perfección; e hizo en otras la novedad que tuvo por conveniente para facilitar la práctica sin tanta dependencia de los orígenes.

En la tercera edición, de 1763, señaló las reglas de los acentos, y excusó la duplicación de la *s*.

En las cuatro ediciones sucesivas de 1770, 75, 79 y

92, no hizo más que aumentar la lista de voces de dudosa ortografía.

En 1803, dio lugar en el alfabeto a las letras *ll* y *ch*, como representantes de los sonidos con que se pronuncian en *llama, chopo*, y suprimió la *ch* cuando tenía el valor de *k*, como en *christiano, chimera*, sustituyéndole, según los diferentes casos, *c* o *q*, y excusando la capucha o acento circunflejo, que por vía de distinción solía ponerse sobre la vocal siguiente. Desterró también la *ph* y la *k*; y para hacer más dulce la pronunciación, omitió algunas letras en ciertas voces en que el uso indicaba esta novedad, como la *b* en *substancia, obscuro*; la *n* en *transponer*, etc., sustituyendo en otras la *s* a la *x*, como en *extraño, extranjero*.

La edición de 1815 (igual en todo a la de 1820) añadió otras importantes reformas, como la de emplear exclusivamente la *c* en las combinaciones que suenan *ca, co, cu*, dejándose a la *q* solamente las combinaciones *que, qui*, en que es muda la *u*, y resultando por tanto superflua la crema, que se usaba por vía de distinción en *eloqüencia, qüestión*, y otros vocablos semejantes. Esta novedad fue un gran paso (bien que no sabemos si hubiera sido preferible suprimir la *u* muda en *quema, quiso*); pero la de omitir la *x* áspera solamente en principio o medio de dicción como *xarabe, xefe, exido*, y conservarla en el fin, como *almoradux, relox*, donde tiene el mismo valor, nos parece inconsecuente y caprichoso. 7 Lo peor de todo es el sustituirle la letra *g* antes de las vocales *e, i* solamente; y en las demás ocasiones la *j*. ¿Para qué esta variedad gratuita de usos? ¿Por qué no se ha de sustituir a la *x* áspera antes de todas las vocales la *j*, letra tan cómoda por su unidad de valor, en vez de la *g*, signo equívoco y embarazoso, que suena unas veces de una manera, y otras de otra? El sistema de la Academia propende manifiestamente a suprimir la *g* misma en los casos que equivale a la *j*; por consiguiente, la nueva práctica de escribir *gerga, gíca-*

ra, es un escalón superfluo, un paso que pudo excusarse, escribiendo de una vez *jerga, jícara*. Las otras alteraciones fueron desterrar el acento circunflejo en las voces *examen, existo, etc.*, por consecuencia de la unidad de valor que en esta situación empezó a tener la *x*; y escribir (con algunas excepciones que no nos parecen necesarias) *i* en lugar de *y* cuando esta letra era vocal, como en *ayre, peyne*.

Observa la Academia que es un grande obstáculo para la perfección de la ortografía la irregularidad con que se pronuncian las combinaciones y sílabas de la *c* y la *g* con otras vocales; y que por esto tropiezan tanto los niños cuando aprenden a silabar; también los extranjeros, y aún más los sordos mudos. Pero, con todo, no corrige semejante anomalía. Antonio de Nebrija quería dejar privativamente a la *c* el sonido y oficio de la *k* y de la *q*; Gonzalo Correas pretendió darlo a la *k* con exclusión de las otras dos; y otros escritores han procurado dar a la *g* el sonido menos áspero en todos los casos, remitiendo a la *j* toda la pronunciación gutural fuerte; con lo que se evitaría el uso de la *u* cuando es muda, como en *guerra* (*gerra*), y la nota llamada *crema* en los otros casos, como en *vergüenza* (*verguenza*). La Academia, sin embargo, nos dice que, en reforma de tanta trascendencia, ha preferido dejar que el uso de los doctos abra camino para autorizarla con acierto y mejor oportunidad.

Este sistema de circunspección es tal vez inseparable de un cuerpo celoso de conservar su influjo sobre la opinión del público; un individuo se halla en el caso de poder aventurar algo más; y cuando su práctica coincide con el plan progresivo de la Academia, autorizado ya por el consentimiento general, no se puede decir que esta libertad introduce confusión; al contrario, ella prepara y acelera la época en que la escritura uniformada de España y de las naciones americanas presentará un grado de perfección desconocida hoy por el mundo.

La Academia adoptó tres principios fundamentales para la formación de las reglas ortográficas: pronunciación, uso constante y origen. De éstos, el primero es el único esencial y legítimo; la concurrencia de los otros dos es un desorden, que sólo la necesidad puede disculpar. La Academia misma, que los admite, manifiesta contradicción en más de una página de su tratado. Dice en una parte, que ninguno de éstos es tan general que pueda señalarse por regla invariable; que la pronunciación no siempre determina las letras con que se deben escribir las voces; que el uso no es en todas ocasiones común y constante; que el origen muchas veces no se halla seguido. En otra, que la pronunciación es un principio que merece mayor atención, porque siendo la escritura una imagen de las palabras, como éstas lo son de los pensamientos, parece que *las letras y los sonidos debieran tener entre sí la más perfecta correspondencia, y, consiguientemente, que se había de escribir como se habla y pronuncia.* Sienta en un lugar que la escritura española padece mucha variedad, nacida principalmente de que por viciosos hábitos, y por resabios de la mala enseñanza o de la inexacta instrucción en los principios, se confunden en la pronunciación algunas letras, como la *b* con la *v*, y la *c* con la *q*, siendo también unísonas la *j* y la *g*; y en otros pasajes dice que por la pronunciación no se puede conocer si se ha de escribir *vaso* con *b* o con *v*; y que atendiendo a la misma, pudieran escribirse con *b* las voces *vivir, vez.* De las palabras tomadas de distintos idiomas, unas (según la Academia) se han mantenido con los caracteres propios de sus orígenes, otras los han dejado y tomado los de la lengua que las adoptó, y aun las mismas voces antiguas han experimentado también su mudanza. Dice asimismo que el origen muchas veces no puede ser regla general, especialmente en el estado presente de la lengua, porque ha prevalecido la suavidad de la pronunciación o la fuerza del uso. Por último, agrega que son muchas las dificultades que para escribir correctamente se presentan, porque no basta la pronunciación, ni saber la etimología de las voces, sino que es preciso también averiguar si hay *uso común y constante* en contrario, pues habiéndole (añade) *ha de prevalecer, como árbitro de las lenguas.* Pero estas dificultades se desvanecen en gran parte, y el camino que debe seguirse en las reformas ortográficas se presentará por sí mismo a la vista si recordamos cuál es el oficio de la escritura y el objeto de la ortografía.

El mayor grado de perfección de que la escritura es susceptible, y el punto a que por consiguiente deben conspirar todas las reformas, se cifra en una cabal correspondencia entre los sonidos elementales de la lengua y los signos o letras que han de representarlos, por manera que a cada sonido elemental corresponda invariablemente una letra, y a cada letra corresponda con la misma invariabilidad un sonido.

Hay lenguas a quienes tal vez no es dado aspirar a este grado último de perfección en su ortografía; porque admitiendo en sus sonidos transiciones, y, si es lícito decirlo así, medias tintas (que en sustancia es componerse de un gran número de sonidos elementales), sería necesario, para que perfeccionasen su ortografía, que adoptaran un gran número de letras nuevas, y se formaran otro alfabeto diferentísimo del que hoy tienen; empresa que debe mirarse como imposible. A falta de este arbitrio, se han multiplicado en ellas los valores de las letras, y se han formado lo que suele llamarse diptongos impropios, esto es, signos complejos que representan sonidos simples. Tal es el caso en que se hallan las lenguas inglesa y francesa.

Afortunadamente una de las dotes del castellano es el constar de un corto número de sonidos elementales, bien separados y distintos. Él es quizá el único idioma de Europa que no tiene más sonidos elementales que letras. Así el camino que deben seguir sus reformas ortográficas es obvio y claro: *si un sonido es representado por dos o más letras, elegir entre* éstas la que represente aquel sonido solo, y sustituirla en él a las *otras*.

La etimología es la gran fuente de la confusión de los alfabetos de Europa. Uno de los mayores absurdos que han podido introducirse en el arte de pintar las palabras es la regla que nos prescribe deslindar su origen para saber de qué modo se han de trasladar al papel. ¿Qué cosa es contraria a la razón que establecer como regla de la escritura de los pueblos que hoy existen, la pronunciación de los pueblos que existieron dos o tres mil años ha, dejando, según parece, la nuestra para que sirva de norte a la ortografía de algún pueblo que ha de florecer de aquí a dos o tres mil años? Pues el consultar la etimología para averiguar con qué letra debe escribirse tal o cual dicción, no es, si bien se mira, otra cosa. Ni se responda que eso se verifica sólo cuando el sonido deja libre la elección entre dos o más letras que lo representan. Destiérrese, replica la sana razón, esa superflua multiplicidad de signos, dejando de todos ellos aquél solo que por su unidad de valor merezca la preferencia.

Y demos de barato que supiésemos siempre la etimología de las palabras de varias escrituras para indicarla en ellas. Aun entonces la práctica que se recomienda con el origen carecería de semejante apoyo. Los que viendo escrito *philosophía* creyesen que los griegos escribían así esta dicción, se equivocarían de medio a medio. Los griegos señalaban el sonido *ph* con una letra simple, de que tal vez procedió la *f*; de manera que escribiendo *filosofía* nos acercamos en realidad mucho más a la forma original de esta dicción, que no del modo que los romanos se vieron obligados a adoptar por el diferente sonido de su *f*. Lo mismo decimos de la práctica de escribir *Achêos, Achîtes, Melchîsedech.* Ni los griegos ni los hebreos escribieron tal *ch*, porque representaban este sonido con una sola letra, destinada expresamente a ello. ¿Qué fundamento tienen, pues, en la etimología los que aconsejan escribir las voces hebreas o griegas a la romana? En cuanto al uso, cuando éste se opone a la razón y la conveniencia de los que leen y escriben, le llamamos *abuso.* Decláranse algunos contra las reformas tan obviamente sugeridas por la naturaleza y fin de esta arte, alegando que *parecen feas, que ofenden a la vista,* que *chocan.* ¡Cómo si una misma letra pudiera parecer hermosa en ciertas combinaciones, y disforme en otras! Todas esas expresiones, si algún sentido tienen, sólo significan que la práctica que se trata de reprobar con ellas es *nueva.* ¿Y qué importa que sea nuevo lo que es útil y conveniente? ¿Por qué hemos de condenar a que permanezca en su ser actual lo que admite mejoras? Si por nuevo se hubiera rechazado siempre lo útil, ¿en qué estado se hallaría hoy la escritura? En vez de trazar letras, estaríamos divertidos en pintar jeroglíficos, o anudar quipos.

Ni la etimología ni la autoridad de la costumbre deben repugnar la sustitución de la letra que más natural o generalmente representa un sonido, siempre que la nueva práctica no se oponga a los valores establecidos de las letras o de sus combinaciones. Por ejemplo, la *j* es el signo más natural del sonido con que empiezan las dicciones *jarro, genio, giro, joya, justicia,* como que esta letra no tiene otro valor en castellano; circunstancia que no puede alegarse en favor de la *g* o la *x.* ¿Por qué, pues, no hemos de pintar siempre este sonido con la *j* ? Para los ignorantes, lo mismo es escribir *genio* que *jenio.* Los doctos sólos extrañarán la novedad; pero será para aprobarla, si reflexionan lo que contribuye a simplificar el arte de leer, y a fijar la escritura. Ellos saben que los romanos escribieron *genio,* porque pronunciaban *guenio;* y confesarán que nosotros, habiendo variado el sonido, debiéramos haber variado también el signo que lo representa. Pero aún no es tarde para hacerlo, pues la sustitución de la *j* a la *g* en tales casos

29

nada tiene contra sí sino la etimología, que pocos conocen, y el uso particular de ciertos vocablos, que deben someterse al uso más general de la lengua.

Lo mismo decimos de la *z* respecto del sonido con que empiezan las dicciones *zalema, cebo, cinco, zorro, zumo*. Pero, aunque la *c* es en castellano el signo más natural del sonido consonante con que empiezan las dicciones *casa, quema, quinto, copla, cuna*, no por eso creemos que se puede sustituirla a la combinación *qu*, que cuando es muda la *u*, como sucede antes de la *e* o la *i*; porque este nuevo valor de la *c* pugnaría con el que ya le ha asignado el uso antes de dichas vocales; y así el escribir *arrance, escilmo*, en lugar de *arranque, esquilmo*, no podría menos de producir confusión.

Nos parecería, pues, lo más conveniente empezar por hacer exclusivo a la *z* el sonido suave que le es común con la *c*; y cuando ya el público (especialmente el público iliterato, que es con quien debe tenerse contemplación) esté acostumbrado a dar la *c* en todos casos el valor de la *k*, será tiempo de sustituirla a la combinación *qu*; a menos que se prefiera (y quizá hubiera sido lo más acertado) desterrar enteramente la *c*, sustituyéndole la *q* en el sonido fuerte, y la *z* en el suave.

Asimismo la *g* es el signo natural del sonido *ga, gue, gui, go, gu*; mas no por eso podemos sustituirla a la combinación *gu*, siendo muda la *u*, porque lo resiste el valor de *j* que todavía se acostumbra dar a aquella consonante cuando precede a las vocales *e, i*. Convendrá, pues, empezar por no usar la *g* en ningún caso con el valor de *j*.

Otra reforma hacedera es la supresión del *h* (menos, por supuesto, en la combinación *ch*); la de la *u* muda que acompaña a la *q*; la sustitución de la *i* a la *y* en todos los casos que la última no es consonante; y la de representar siempre con *rr* el sonido fuerte *rrazón, prórroga*, reservando a la *r* sencilla el suave que tiene en las voces *arar, querer*.

Otra reforma, aunque de aquellas que es necesario preparar, es el omitir la *u* muda que sigue a la *g* antes de las vocales *e, i*.

Observemos de paso cuánto ha variado con respecto a estas letras el uso de la lengua. Los antiguos (con cuyo ejemplo queremos defender lo que ellos condenaban, en vez de llevar adelante las juiciosas reformas que habían comenzado) casi habían desterrado el *h* de las dicciones donde no se pronuncia, escribiendo *ombre, ora, onor*. Así, el rey don Alonso el Sabio, que empezó cada una de las siete partidas con una de las letras que componen su nombre (Alfonso), principia la cuarta con la palabra *ome* (que por inadvertencia de los editores, según observó don Tomás Antonio Sánchez, se escribió después *home*). Pero vino luego la pedantería de las escuelas, peor que la ignorancia; y en vez de imitar a los antiguos acabando de desterrar un signo superfluo, en vez de consultarse como ellos con la recta razón, y no con la vanidad de lucir su latín, restablecieron el *h* aun en voces donde ya estaba de todo punto olvidada.

Nosotros hemos hecho de la *y* una especie de *i* breve, empleándola como vocal subjuntiva de los diptongos (*ayre, peyne*) y en la conjunción *y*. Los antiguos, al contrario, empiezan con ella frecuentemente las dicciones, escribiendo *yba, yra*; de donde tal vez viene la práctica de usarla como *i* mayúscula en lo manuscrito. Es preciso confesar que esta práctica de los antiguos era bárbara; pero en nada es mejor la que los modernos sustituyeron.

Por lo que toca a la *rr* inicial, no vemos por qué haya de condenarse. Los antiguos no duplicaron ninguna consonante en principio de dicción; tampoco nosotros. La *rr*, doble a la vista, representa en realidad un sonido que no puede partirse en dos, y debe mirarse como un carácter simple, no de otro modo que la *ch*, la *ñ*, la *ll*. Si los que reprobasen esta innovación hubiesen

31

vivido cinco o seis siglos ha, y hubiese estado en ellos, hoy escribiríamos *levar, lamar, lorar,* a pretexto de no duplicar una consonante en principio de dicción, y les debería nuestra escritura un embarazo más.

Sometamos ahora nuestro proyecto de reformas a la parte ilustrada del público americano, presentándolas en el orden sucesivo con que creemos será conveniente adoptarlas.

EPOCA PRIMERA

1.   Sustituir la *j* a la *x* y a la *g* en todos los casos en que estas últimas tengan el sonido gutural árabe.

2.   Sustituir la *i* a la *y* en todos los casos en que ésta haga las veces de simple vocal.

3.   Suprimir el *h*.

4.   Escribir con *rr* todas las sílabas en que haya el sonido fuerte que corresponde a esta letra.

5.   Sustituir la *z* a la *c* suave.

6.   Desterrar la *u* muda que acompaña a la *q*.

EPOCA SEGUNDA

7.   Sustituir la *q* a la *c* fuerte.

8.   Suprimir la *u* muda que en algunas dicciones acompaña a la *g*.

No faltará quien extrañe que no comprendamos en estas innovaciones el sustituir a la *x* los signos simples de los dos sonidos que se dice representar, escribiendo *ecsordio, ecsamen,* o *eqsordio, eqsamen*; pero nosotros no tenemos por seguro que la *x* se resuelva o parta exactamente ni en los sonidos *cs,* como afirman casi todos, ni en los sonidos *gs,* como (quizá acercándose más a la verdadera pronunciación) piensan algunos. Si hemos de estar por el informe de nuestros oídos, diremos que en la *x* comienzan ya a modificarse mutuamente los dos sonidos elementales; y que en especial el primero es mucho más suave que el de la *c*, *k*, o *q* ordinaria, y se acerca bastante al de la *g*. Verdad es que antiguamente la *x* valía tanto como la *cs*; pero también antiguamente la *z* valía tanto como *ds*; la *z* se ha suavizado hasta el punto de degenerar en un sonido que no presenta rastro de composición; la *x*, si no padecemos error, ha empezado a suavizarse de un modo semejante. La ortografía, pues, cuyo objeto no es corregir la pronunciación común, sino representarla fielmente, debe, si no nos engañamos, conservar esta letra. Pero éste es un punto que sometemos gustosos, no a los doctos, sino a los buenos observadores, que no den más crédito a sus preocupaciones que a sus oídos.

Creemos que llegada la época de adoptar este sistema en toda su extensión, sería conveniente reducir las letras de nuestro alfabeto, de veintisiete que señala la Academia en la edición ya citada, a veintiséis, variando sus nombres del modo siguiente:

A, B, CH, D, E, F, G, I, J, L, LL, M, N,
a, be, che, de, e, fe, gue, i, je, le, lle, me, ne,
Ñ, O, P, Q, R, RR, S, T, U, V, X, Y, Z.
ñe, o, pe, cu, ere, rre, se, te, u, ve, exe, ye, ze.

Quedarían así desterradas de nuestro alfabeto las letras *c* y *h*, la primera por ambigua, la segunda porque no tiene significado alguno; se excusaría la *u* muda, y el uso de la crema; se representarían los sonidos *r* y *rr con* la distinción y claridad conveniente; y en fin, las consonantes *g*, *x*, *y*, tendrían constantemente un mismo valor. No quedaría, pues, más campo a la observancia de la etimología y del uso que en la elección de la *b* y de la *v*, la cual no es propiamente de la jurisdicción de la ortografía, sino de la ortoepía; porque a ésta toca exclusivamente señalar la buena pronunciación, que es el oficio de aquélla representar.

Para que esta simplificación de la escritura facilitase, cuanto es posible, el arte de leer, se haría necesario variar los nombres de las letras como lo hemos hecho; porque, dirigiéndose por ellos los que empiezan a silabar, es de suma importancia que el nombre mismo de cada letra recuerde el valor que debe dársele en las combinaciones silábicas. Además, hemos desatendido en estos nombres la usual diferencia de mudas y semivocales, que para nada sirve, ni tiene fundamento alguno en la naturaleza de los sonidos, ni en nuestros hábitos. Nosotros llamamos *be, che, fe, lle,* etc. (sin *e* inicial) las consonantes que pueden estar en principio de dicción, y sólo *ere* y *exe* (con *e* inicial) las que nunca pueden empezar dicción, ni por consiguiente sílaba; de que se deduce que, cuando se hallan en medio de dos vocales, forman sílaba con la vocal precedente, y no con la que sigue. En efecto, la separación natural de las sílabas en *corazón, arado, exordio,* es *cor-a-zón, ar-a-do, ex-or-dio*; y por tanto, los silabarios no deben tener las combinaciones *ra, re, ri, ro, ru,* ni las combinaciones *xa, xe, xi, xo, xu,* dificultosísimas de pronunciar, porque verdaderamente no las hay en la lengua.

Nos hemos ya extendido demasiado; aunque sobre un punto concerniente a la educación general, y que lleva la mira a facilitar y difundir el arte de leer en países donde por desgracia es tan raro, se debe tolerar más que en ningún otro la prolijidad. Nos hubiera sido fácil dar un artículo más entretenido a nuestros lectores; pero la propagación de las artes, conocimientos e inventos útiles, sobre todo los más adecuados y necesarios al estado de la sociedad en nuestra América, es el principal objeto de este periódico.

Las innovaciones ortográficas que hemos adoptado en él son pocas. Sustituir la *j* a la *g* áspera; la *i* a la *y* vocal; la *z* a la *c* en las dicciones cuya raíz se escribe con la primera de estas dos letras; y referir la *r* suave y la *x* a la vocal precedente en la división de los renglones; he aquí todas las reformas que nos hemos atrevido a introducir por ahora. Sobre los acentos, letras mayúsculas, abreviaturas y notas de puntuación, expondremos nuestro modo de pensar más adelante.

Nos lisonjeamos de que toda persona que se dedique a examinar nuestros principios con ojos despreocupados, convendrá en que deben desterrarse de nuestro alfabeto las letras superfluas; fijar las reglas para que no haya letras unísonas; adoptar por principio general el de la pronunciación, y acomodar a ella el uso común y constante sin cuidarse de los orígenes. Este método nos parece el más sencillo y racional; y si acaso estuviéremos equivocados, esperamos que la indulgencia de nuestros compatriotas disculpará un error que nace solamente de nuestro celo por la propagación de las luces en América; único medio de radicar una libertad racional, y con ella los bienes de la cultura civil y de la prosperidad pública.

2
Lucas Alamán
Historia de México
[1849-1852]
(Selección)

Lucas Alamán (1792-1853) fue el líder de los conservadores mexicanos durante cerca de 30 años y una de las plumas más inteligentes del continente. Defensor de un gobierno centralizado y fuerte que se demostrara capaz de industrializar el país, expandir la educación y modernizar la agricultura, terminó sirviendo a gobiernos que se destacaron por su corrupción. Lograda la independencia de México, Alamán fue Ministro del Exterior en el gobierno de Guadalupe Victoria (1824-29), luego jefe del gabinete de Anastasio Bustamante; al caer el presidente, todo el gabinete fue enjuiciado y Alamán terminó absuelto. Decidió ausentarse de la política por más de una década e iniciar así la escritura de su obra histórica.

Como historiador, fue fundador del Museo Nacional y el Archivo General de México, además de autor de las Disertaciones sobre la historia de la república mejicana *(3 volúmenes) y de* Historia de México, *(5 volúmenes). Conservador medular, Alamán buscaba restituir el orden a la sociedad; su obra sostiene que la In-*

dependencia fue la causa de la sucesión de catástrofes de la sociedad mexicana. Para él, lo peor que pudo pasarle al país fue la cancelación del pacto colonial, por el cual los blancos católicos mantenían una estructura de sujeción de los indígenas. El epítome del mal es el cura Hidalgo, quien cometió la locura de atizar la hostilidad popular criolla contra los "gachupines" y sublevar a indígenas y mestizos dándoles por insignia la Virgen de la Guadalupe. He allí la raíz de todo lo negativo de la sociedad mexicana, mientras que el plan de Iguala representó una posibilidad frustrada de reencauzar al país en el orden. Su balance final incluye un verdadero programa de reformas políticas; lo curioso es que, si bien el pragmatismo fue característico del pensamiento conservador, su industrialismo terminó resultando utópico. Su escritura puede resultar fascinante, entre otras cosas, por las tensiones que sugiere con la imagen popular y mestiza que ha proyectado siempre la nación mexicana.

a) REFLEXIONES SOBRE
LA REVOLUCIÓN DE HIDALGO

¿Cómo, pues, se preguntará con razón, contando con tantos y tan poderosos medios de acción, con una opinión favorablemente preparada, y con tal débil resistencia de parte del enemigo con que había de combatir, en vez de obtener un pronto triunfo, Hidalgo, que había llegado hasta las puertas de la capital, acaba por perder todas las provincias que había ocupado, tiene que huir hacia un país extranjero y sorprendido en su fuga, muere miserablemente en un patíbulo con todos sus compañeros? El sistema atroz, impolítico y absurdo que Hidalgo siguió, satisface completamente a esta pregunta y la contestación se funda en los varios e inconexos elementos que, como en su lugar se vio, componen la masa de la población mexicana. Hidalgo sublevó contra la parte de la raza española nacida en Europa, la parte de esta misma raza nacida en América, especialmente a los numerosos individuos de ella que careciendo de propiedad, industria u otro honesto modo de vivir, pretendían hallarlo en la posesión de los empleos y llamó en su auxilio a las castas y a los indios, excitando a unos y a otros con el cebo del saqueo de los europeos y a los últimos en especial con el atractivo de la distribución de tierras. No es extraño pues que los prosélitos corriesen a ofrecerse a millares, como Hidalgo dijo en sus declaraciones, por donde quiera que sus comisionados se presentaban, proclamando el saqueo de los españoles, que siendo los comerciantes y parte más acaudalada del reino, quería decir el saqueo de casi todas las tiendas y de multitud de casas y de fincas rústicas. Para Hidalgo este sistema asolador fue no sólo un modo fácil de propagar la revolución, sublevando a las clases proletarias contra las poseedoras, sino un medio de salvación y seguridad para él mismo y sus compañeros. Descubierta en Querétaro la conspiración que tramaban, cuando apenas comenzaba a formarse contando todavía con poquísimos medios de ejecución, los conspiradores se veían en el riesgo inminente de ser presos y castigados: "Somos perdidos, dijo Hidalgo a sus compañeros: aquí no hay más recurso que ir a coger gachupines"; la idea fue adoptada a pesar de la oposición de Aldama, y en el mismo instante se empezó a ejecutar con los españoles residentes en Dolores. Esta fue la voz, la divisa de la revolución, pues el haber agregado a ella la impía invocación de la Virgen de Guadalupe, asociación que cierto escritor encuentra sublime por haber unido en una misma causa un objeto tan venerado del culto de los mexicanos con el que lo era de su odio, excitando a un tiempo las dos pasiones más capaces de conmover el corazón humano, el fanatismo religioso y la venganza y rivalidades políticas, fue una cosa accidental que para nada había entrado en el primer designio de la revolución.

Mas si este atractivo del saqueo formaba de pronto partidarios en gran número, hacía también enemigos de los que de otra manera hubieran sido amigos, o se hubieran mantenido indiferentes. Así sucedió que generalizándose el robo a toda clase de propietarios, los europeos a quienes Calleja acusaba de mantenerse fríos espectadores de la lucha y los criollos a cuyas haciendas había alcanzado ya el pillaje, se vieron en la necesidad de hacer armas para defenderse y unirse al gobierno, aun los que profesaban opiniones independientes, para buscar una protección que les era necesaria y la guerra vino a ser no ya la lucha entre los que querían la independencia y los que la resistían, sino la defensa natural de los que no querían dejarse despojar de sus bienes, contra los que, siguiendo el impulso que Hidalgo había dado a la revolución, no tenían más objeto que robar a todos, en son de proclamar la independencia. "Hidalgo y los que le sucedieron, siguiendo su ejemplo, —dice D. Agustín Iturbide— desolaron el país, destruyeron las fortunas, radicaron el odio entre europeos y americanos, sacrificaron millares de víctimas, obstruyeron las fuentes de las riquezas, desorganizaron el Ejército, aniquilaron la industria, hicieron de peor condición la suerte de los americanos, excitando la vigilancia de los españoles a vista del peligro que les amenazaba, corrompieron las costumbres y lejos de conseguir la independencia, aumentaron los obstáculos que a ella se oponían. Si tomé las armas en aquella época, no fue para hacer la guerra a los americanos, sino a los que infestaban el país" y esto mismo fue lo que otros muchos hicieron.

• •

Si, pues, el desorden y la anarquía habían sido un medio fácil de propagar la revolución, lisonjeando las más ruines propensiones de la muchedumbre, este depravado medio era un obstáculo para consolidar y dar una forma regular a lo que se había hecho. Se habían puesto en insurrección a la verdad en brevísimo tiempo, las más pobladas y florecientes provincias del reino; a la voz de "viva la virgen de Guadalupe y mueran los gachupines", la multitud había corrido a echarse sobre los bienes y personas de éstos y sin haber indicado un objeto político, un fin racional para tan gran movimiento, pues no se empezó a hablar de independencia hasta después de ocupada Guadalajara, cuyo resultado sólo lo entreveían los más advertidos, la revolución parecía consumada, sin saber todavía para qué se había hecho. Pero en medio de estas rápidas y aparentes ventajas, no se había formado un ejército; se había desorganizado sí el que había y una muchedumbre de generales, ignorantes, cobardes e ineptos, guiaba una masa informe, sin instrucción, incapaz de todo movimiento estratégico y pronta a huir a los primeros tiros. Las provincias más florecientes, no eran otra cosa que ruinas; el comercio, la minería, la industria, todo había sido destruido. Multitud de familias antes acomodadas y entonces sumergidas en la miseria, lloraban en la orfandad y el abandono la muerte de un padre, de un marido, de un protector. Hoy que esta escena de desolación está ya lejos de nuestra vista y que quedan pocos de los que la presenciaron, no produce la simple relación el efecto doloroso que causaba el ver las familias ausentándose de sus hogares, para seguir a los europeos que les pertenecían, a los puntos a donde los conducían presos, o retirándose después del asesinato de éstos a solicitar de la caridad y beneficencia un sustento, que antes les procuraba la actividad y laboriosidad de aquéllos; no hallar por todas partes más que haciendas saqueadas, casas robadas, minas y negociaciones de toda clase paralizadas. ¡No! Si la independencia no podía promoverse por otros medios, nunca hubiera debido intentarse, pues además de que por los que se emplearon nunca se habría llegado a efectuar, siendo ella materia de pura conveniencia, no podía esperarse ninguna mejora con respecto al estado de prosperidad en que el país estaba, comenzando por destruirlo.

• •

No fueron sólo del momento las consecuencias funestas del atroz sistema de Hidalgo: su trascendencia ha sido larga y no menos perniciosa en lo sucesivo. La destrucción de la parte europea de la casta o clase hispanoamericana, se consumó después de hecha la independencia por los dos primeros presidentes de la república, que formados en la escuela de la insurrección, hicieron salir del país a todos los españoles que habían escapado al cuchillo de Hidalgo y sus compañeros, causando, aunque sin derramamiento de sangre, la misma destrucción de familias, la misma ruina de capitales o la emigración de éstos, que fueron perdidos para la nación. Pero la parte mexicana de esta clase de la población, presumió demasiado de sí misma, cuando creyó que podía impunemente contribuir a la destrucción de la parte europea y que bastaba a llenar el hueco que los españoles dejaban. Privada por la falta de éstos de la refacción continua de capitales que ellos creaban y de la renovación de familias que formaban, la casta hispanoamericana camina aceleradamente a una ruina inevitable. Se arrancó el comercio de las manos de los españoles, pero no fue para ser ejercido en su lugar por manos mexicanas, sino que éste y todas las industrias que aquéllos practicaban, han pasado a extranjeros de diversas naciones, que sin arraigo ninguno en este suelo, sin considerarlo más que como un lugar de mansión pasajera, no tratan de otra cosa que enriquecerse pronto por toda especie de medios, aún los más destructivos para el país, para volver al suyo. Los españoles que han quedado, o que han ido de nuevo viniendo, considerados como extranjeros, hacen por lo general lo mismo que éstos, careciendo de aquéllos lazos de afecto que antes les hacían ver este país como suyo y la casta hispanoamericana, hundiéndose en la miseria a medida que van acabándose las pocas fortunas que quedan heredadas de sus padres, pues raras son las que de nuevo se han formado, más bien por la casualidad de las bonanzas de las minas o por negocios con el gobierno que por otras artes o industrias, no busca otros medios de subsistencia que los empleos o la abogacía.

Los primeros en consecuencia se han aumentado extraordinariamente en la magistratura, en el ejército, en la administración; todas las rentas de la nación no bastan para pagar sueldos de funcionarios, que en lo general sirven muy mal en sus puestos; las gabelas se multiplican para cubrir aquéllos, oprimiendo y consumiendo a la clase productiva, bien poco numerosa por otra parte, y como en la época de Hidalgo y repitiendo lo que él hizo, los generales se han contado a centenares, sin que haya quien haga frente al enemigo, con muy pocas y honrosas excepciones. Las revoluciones han menudeado para ganar en ellas y no en el campo de batalla contra el enemigo extranjero, las bandas y los bordados y el ejemplo dado en la insurrección por las tropas de las provincias internas, de hacer traición al gobierno para pasarse al bando opuesto y hacer otra traición al partido que acababan de abrazar para ganar el favor del contrario, ha sido cosa tan usual y frecuente, que ni aun siquiera llama la atención.

• •

b) ESTADO DEL PAÍS DESPUÉS DE LA INDEPENDENCIA

El efecto de las ideas que han ido prevaleciendo desde el siglo pasado, ha sido destruir toda desigualdad heráldica o administrativa. Cuando las distinciones nobiliarias o las que procedían de los empleos públicos eran tenidas en mucho, un nombre ilustre, una cruz al pecho, una toga, una canonjía, una divisa de coronel y aun de capitán con una moderada fortuna o mediano sueldo, daban lugar a los que las poseían, entre las más distinguidas clases del Estado; por esto se afanaban los hombres por adquirirlas con grandes servicios, exponiendo su vida en la campaña, o por el medio más fácil de las pretensiones palaciegas y a costa de dinero, pues todavía en México, cuando todo lo demás había desaparecido, conservando sólo el Ejército cierto brillo, se compraron algunos grados en él, mientras hubo facultades extraordinarias para concederlos, aunque fueron anulados por un decreto del congreso. La sociedad es también, a lo menos en la América española, muchos menos dispendiosa. Los hombres más acaudalados, se distinguían poco en su trato doméstico, especialmente los españoles, de los de mediana fortuna y de aquí vemos que con un género de vida frugal, reuniesen grandes caudales, con los que en una ocasión de honor, servían al soberano teniéndoseles por mérito para obtener aquellas mismas condecoraciones que tanto se apreciaban y que en último resultado se invertían en esas fundaciones piadosas, de las cuales muchas se conservan y con ellas la memoria de los que supieron hacer de sus caudales un uso tan noble.

Todo esto cayó a esfuerzos de la filosofía irreligiosa y antisocial del siglo 18; no quedó ya otra distinción que el dinero; buscarlo es el único fin de los esfuerzos de todos; ganarlo por cualesquiera medios se tiene por lícito y como no se invierte en las distinciones que antes se compraban, cuando no se merecían por otros títulos; como nadie se cree obligado a servir a su país con su fortuna, pues cuando un gobierno de prestigio necesita en las mayores angustias de la nación auxilios pecuniarios, no encuentra más que corazones endurecidos y bolsillos cerrados que sólo se abren con condiciones tanto más duras cuanto más urgente es la necesidad; cuando hombres como Basoco y Yermo, como Meave Aldaco, serían tenidos por unos insensatos, no quedando otra inversión posible a las grandes fortunas más que los goces materiales, obtener esto es todo el objeto de la ambición. Por esto son infieles los empleados, por esto se cometen abusos en la administración de los negocios públicos y por esto no tienen estabilidad alguna los gobiernos. La base que se ha querido dar a éstos con el nombre de sistema representativo, ha sido de interés individual, que por beneficio propio se supone hará esfuerzo para establecer y conservar el mejor orden posible, de cuyo principio se quiere sacar la consecuencia, que todos estos hombres armados forman la guardia nacional, que el marqués de Lafayette llamaba la opinión armada de la nación, habrán de sostener unas instituciones que protejen su bienestar. Pero no se ha reflexionado, que siendo el principio fundamental de la sociedad moderna el egoísmo, éste no puede ser base de ninguna institución política; que hombres que sólo aspiran a gozar conforme a las doctrinas de la filosofía de Epicuro, no pueden comprometer su opinión en las deliberaciones de una asamblea, porque esto puede menoscabar sus goces, ni aventurar su vida en los peligros del servicio militar; que una y otra cosa suponen trabajo, esfuerzo de espíritu, abandono de sus comodidades y estas comodidades son el único blanco de sus deseos; que por consiguiente esa sociedad debe caer y caer tanto y tan prontamente, cuanto que otros muchos que pretenden disfrutar los mismos goces y no pueden o no quieren aspirar a obtenerlos por medio de un trabajo honrado, lo buscan por medio de las revoluciones, que son tanto más fáciles de hacer, cuanto que se ha privado a los gobiernos de toda consideración y respeto y se han destruido todas las instituciones que debían sostenerlos y consolidarlos, mientras que la clase acomodada, indiferente a todo lo que no llega a sus intereses personales, sólo despierta al estruendo de una revolución que la amenaza con una ruina inmediata y entonces para salvarse del naufragio, se echa, como ha sucedido en Francia, en brazos del primero que le dice: "Venid acá que yo os protegeré".

Basta lo dicho para explicar fácilmente el origen de los males sociales de la época presente y siendo materia de que se han ocupado y ocupan los más célebres escritores de Europa, no debe detenernos por más tiempo, faltándonos examinar el punto más importante de nuestra situación particular, que puede considerarse como el objeto esencial de toda esta obra. *Iter hujus sermonis quod sit, vides: ad respublicas firmandas et ad stabiliendas vires, sanandos populos omnis nostra pergit oratio.* "Echase de ver —decía Cicerón en su admirable tratado de las Leyes— cuál es el objeto de este discurso. Todos nuestros esfuerzos se dirigen a afirmar la república, establecer sus fuerzas y remediar los males de los pueblos"; si no puedo lisonjearme de proponer el medio con que se logre curarlos, habré por lo menos manifestado con claridad y verdad en qué consisten, para que otros tengan la gloria de acertar a reformarlos. Y desde luego se viene a los ojos esta cuestión: hemos manifestado que en medio de tantos contrastes, el bienestar en la república mexicana es general; que la riqueza ha aumentado; que las minas y la agricultura prosperan; que las artes de lujo han llegado a un punto antes desconocido; que todo lo que supone abundancia, como carruajes, diversiones, comodidades de toda especie, es mayor en la capital de la república que en otras ciudades de Europa y América, en proporción de su población; ¿cómo es, pues, que habiendo todos estos elementos de prosperidad, el gobierno carece de recursos para cubrir los gastos de la administración, aún muy reducidos y para pagar los dividendos de la deuda extranjera? ¿Cómo no hay los medios de defensa necesarios para la seguridad de este mismo país? ¿Por qué la existencia de esta nación es tan incierta?

A estas y otras muchas preguntas de igual naturaleza que pudieran hacerse, se puede contestar clara y demostrativamente con un ejemplo tomado de lo que pasa a la vista de todos los habitantes de la capital de la república, que todos palpan y experimentan por sí mismos, aunque acaso pocos llegan a conocer todo lo que él significa. Hemos dicho que la ciudad de México se ha engrandecido y hermoseado con magníficas casas, en cuyos almacenes se ostentan las alhajas más costosas y todos los artículos del lujo más refinado; ¡pues las calles en que están construidos estos suntuosos palacios, en que brillan tantos diamantes y sederías, tienen un empedrado en que apenas pueden rodar los soberbios carruajes con hermosos caballos que por ellas transitan, y muchas son depósitos de inmundicias que forman el más chocante y triste contraste con la hermosura de las casas que en ellas hay! Estas casas y estas calles presentan en compendio el estado de la república; todo lo que ha podido ser obra de la naturaleza y de los esfuerzos de los particulares ha adelantado; todo aquello en que debía conocerse la mano de la autoridad pública ha decaído; los elementos de la prosperidad de la nación existen y la nación como cuerpo social está en la miseria. La consecuencia que de estos antecedentes incontestables se deduce y que tiene todo el rigor de una demostración matemática es esta: *las instituciones políticas de esta nación no son las que requiere para su prosperidad;* es, pues, indispensable reformarlas, y esta reforma es urgente y debe ser el asunto más importante para todo buen ciudadano.

• •

Muy lejos, pues, de persuadirme por estas razones que no hay remedio; que la posición es desesperada; me atrevo a pensar todo lo contrario y a creer que el remedio deseado es fácil, con tal que se aplique oportunamente y atendiendo a la naturaleza del mal. Afortunadamente, no es éste tan grande como debiera ser, según los medios que se han empleado para causarlo; la raza española empeñada en destruirse a sí misma, no ha conseguido sublevar contra sí a las que ha estado excitando con declamaciones injustas e imprudentes; la depravación en materias religiosas, no ha pasado todavía de algunos individuos de la clase artesana de la capital y de algunas otras ciudades grandes; el pueblo, tranquilo y moderado nada pide y contento con que se le dejen sus fiestas y regocijos, con que no se le grave con excesivas contribuciones, no tiene las pretensiones que escritos seductores han inspirado a algunos pueblos de Europa, a quienes se ha excitado a la sedición y para que sólo saquen tristes desengaños y vengan a caer bajo un dominio más absoluto que el que sacudieron. Todos esos elementos de los grandes males de la sociedad moderna, no han echado raíces entre nosotros; los malos periódicos son detestados y no son otra cosa que motivo de escándalo y horror para la población en general; ésta conserva fuerte adhesión a las doctrinas religiosas que recibió de sus antepasados y este profundo sentimiento religioso que no sólo no se ha debilitado, sino que por el contrario se ha corroborado ilustrándose, es el lazo de unión que queda a los mexicanos cuando todos los demás han sido rotos y es el único preservativo que los ha librado de todas las calamidades a que han querido precipitarlos los que han intentado quebrantarlo. Existen, pues, todos los medios de hacer a una nación feliz: ¿cómo ha de ser imposible hallar remedio eficaz para los males que la nuestra padece? Tenemos riqueza agrícola, minera y fabril; tenemos un pueblo dócil y bien inclinado; ese pueblo produce excelentes soldados, valientes en la ocasión, sufridores más que ningunos otros de todos los trabajos y privaciones de la campaña; esos soldados son los que tanto se distinguieron en aquellos bizarros cuerpos que con los nombres de Columna de granaderos, Corona, México, Fieles del Potosí y tantos otros, formaron el ejército que militó con gloria bajo las banderas de España y que bajo las de la independencia ha combatido con valor, cuando ha sido bien dirigido. Veamos pues cuáles son los motivos que impiden que nos aprovechemos de todos estos medios de prosperidad; examinemos en la historia de nuestros errores las causas que nos han hecho cometerlos; séanos útil la experiencia de lo pasado y busquemos con esta luz el camino para conducirnos con mejor acierto en lo venidero, reformando las actuales instituciones, teniendo para esto a la vista lo que en ellas haya bueno y conveniente y variando todo lo que un período de treinta años y tan repetidas revoluciones han hecho reconocer que es impracticable, defectuoso, débil o perjudicial.

• •

De estas inclinaciones que han echado hondas raíces en el espíritu público, una de las más preponderantes y que ha contribuido mucho al origen, restablecimiento y conservación del sistema federal, es la adhesión a las localidades, o lo que se llama provincialismo, la cual reducida a justos y prudentes límites, debe producir el buen resultado, de que se administren con más cuidado los intereses particulares de cada población y de cada Estado y es a la que se debe que se haya fomentado en ellos la instrucción y que se hayan hecho algunas obras útiles de comodidad y ornato y aun de mera ostentación. Esta afición al lugar en que cada uno nació, está radicado o tiene sus propiedades, se echa de ver en algunos conatos de revolución en que también se distingue el respeto y adhesión a la antigua capital de la nación; así vimos separarse a Colina de Guadalajara en 1823, para depender del gobierno de México como territorio de la federación; esto mismo han solicitado Orizaba, Mazatlán, Aguascalientes y otras poblaciones y es a lo que propenden otras muchas, resultando de aquí, que si se dividiesen ahora los actuales Estados, en tantos cuantos son los departamentos o distritos que los componen, se haría una cosa muy bien recibida por todos estos departamentos y que por sí solo con las extensas consecuencias que tendría, bastaría para salir de todas las dificultades en que la nación se halla, estableciéndose en ella un orden sencillo, simétrico, uniforme y poco costoso en todas sus partes. Antes de explicar estos puntos, debo decir, que ésta no es una novedad, sino el restablecimiento del antiguo sistema de gobierno de la Nueva España, antes que se creasen las intendencias que después vinieron a ser Estados y que el principio no es de tal manera general, que no deba sufrir excepciones con respecto a aquellos Estados de corta superficie y población, como Chiapas, Nuevo León, Querétaro y Tabasco, que no admiten mayor división, pero que con el hecho de ejecutarla en los de más extensión y número de habitantes, tomando cuando el caso lo pida, alguna parte de los unos para agregarla a otros, vendrían a quedar todos con la igualdad necesaria, como se practicó en Francia, cuando se hizo la división de los antiguos Estados y provincias en departamentos: división que tan benéfica ha sido a aquel país, que han conservado todos los gobiernos que se han sucedido desde la Asamblea Nacional y que está hoy ligada con todo el sistema administrativo de aquella nación.

• •

Adóptese la idea que propongo: divídase el Estado de México en cinco Estados, formándolos México con todo el valle, Toluca, Cuernavaca, Tulacingo y Tula; hágase lo mismo con el de Veracruz, separando los de Veracruz, Jalapa y Orizaba; con este solo hecho cesaron todas las dificultades que hemos tocado ligeramente; cesó la guerra civil que hoy se ha encendido en el segundo de dichos Estados y si éste fuese lugar oportuno para ello, sería muy fácil manifestar, que otro tanto,

51

uno por uno, sucede en todos los demás. Mas si esta ventaja resulta a cada uno de ellos en particular, es mucho mayor todavía la que consigue la nación en general, pues este es el único modo de evitar sin violencia la desmembración que ha sufrido Guatemala y a que está igualmente expuesta la república mexicana, porque estas fracciones menores, no pueden tener ni los motivos ni las pretensiones que las grandes y siendo más adecuadas para la prosperidad peculiar de cada una de ellas, en manera alguna son peligrosas para la generalidad de la república.

. . . .

Establecido este principio, todas las funciones gubernativas son ya una consecuencia fácil y natural de él. Siendo general el sistema de hacienda, cada Estado ha de administrar la suya conforme a éste, contribuyendo con la parte que se le señale para el erario nacional y como lo restante ha de quedar en su beneficio y los gastos de administración han de ser moderados, podrán emplearse sumas considerables en obras públicas y en los ramos de fomento, con lo que al mismo tiempo que la nación contará con lo que necesita para cubrir sus atenciones, los adelantos en todas partes serán grandes, debiendo sujetarse a un plan sistemático las obras que redunden en bien común o en el de varios Estados y todos ellos percibirán los benéficos efectos de un sistema que se dirige al bien universal, propagándose en todos las luces y el bienestar de los habitantes.

El ejército se formará del número de cuerpos o compañías que cada Estado debe levantar, vestir y armar según su población y recursos, bajo el plan adoptado por el gobierno español para los cuerpos provinciales, no debiendo ser menos de sesenta mil hombres el total de fuerzas de la república, pero sin tener sobre las armas más que el número preciso para el servicio en tiempo de paz, desapareciendo las distinciones de permanentes, activos y cívicos que a veces han degenerado en rivalidades odiosas, así como también las de cuerpos interiores y guardacostas, pues cada uno será lo que requiera su localidad, volviendo a cobrar lustre y aprecio la carrera de las armas y siendo honroso el título de soldado mexicano.

El congreso se debería componer de una cámara formada por los diputados nombrados uno por cada Estado, estableciendo por una ley las condiciones que deben tener los electores y los diputados, con lo que suprimido un grado en las elecciones y acaso pudiendo hacerse directas tanto las de diputados como la de presidente de la república, se evitarán las intrigas que hoy hacen ilusorio el derecho electoral y el congreso ganaría en dignidad, lo que perdiese en número de diputados, sin que por esto hubiese de proceder con menor acierto en sus deliberaciones, pues no contribuye a él el número, sino la calidad de los individuos y hemos visto en algunos Estados, como en el de México, obrar con más tino y decoro veinte diputados, que son los que lo forman, que los cientos del congreso general. En cuanto a otra cámara, si se juzgase necesaria, podría formarse por otro género de elección, con menor número de individuos y éstos con otras calidades o condiciones que los diputados.

Las funciones propias del congreso habrían de reducirse, a examinar y aprobar las cuentas presentadas anualmente por el gobierno, decretar los gastos de un año para otro y el modo de cubrirlos, declarar la guerra y aprobar los tratados de paz, establecer las bases de los aranceles de las aduanas marítimas, representar sobre los males que se notasen en la nación proponiendo su remedio y hacer en la constitución las variaciones que el transcurso del tiempo hiciese conocer ser necesarias. Esto es a lo que pueden extenderse las facultades de un congreso y lo único que puede desempeñar con acierto y puntualidad. Por haberse dado demasiada latitud a estas facultades, quedan desatendidos los ramos principales que son propios del conocimiento de este género de cuerpos y para que en su origen fueron establecidos y así vemos hace muchos años que no se forman, examinan y aprueban los presupuestos y cuentas de inversión y que el gobierno gasta todo cuanto quiere, sin pedir siquiera autorización para ello. Estos cuerpos han caído en un grado de ridiculez tal, que es imposible librarlos de él sino dándoles otra forma y atribuciones. Con las que han tenido desde la junta provisional, esto es, desde el principio mismo de la independencia, ningún bien han hecho, ningún mal han excusado; alternativamente sediciosos, apáticos o condescendientes, han dejado dilapidar la hacienda nacional sin haber sabido o podido evitarlo y como estos mismos males se han sentido en otros países que han adoptado este género de instituciones, ha llegado ya a dudarse, si ellas son susceptibles de reducirse a práctica en los países de la lengua latina o si están reservadas para los que proceden de origen teutónico.

Estas variaciones en las facultades del poder legislativo, conducen necesariamente a otras en las del ejecutivo. Si éste necesita mayor acción, también requiere medios auxiliares para hacer uso con acierto de las que se le asignen y restricciones eficaces para impedirle abusar de ellas, especialmente en el manejo de caudales y nombramiento de empleados, en que los desaciertos suelen conducir a gravísimas consecuencias. Por desgracia, y es menester confesarlo con tanto sentimiento como franqueza, el desconcierto que se ha experimentado en la administración de los fondos públicos, no ha sido en muchos casos por falta de capacidad, sino de probidad y en esta parte todo cuanto se solía referir de los pocos virreyes que en el reinado de Carlos IV dejaron triste reputación de su conducta, se queda muy atrás de lo que hemos visto después de la independencia, siendo los mexicanos los que peor han tratado a la patria a quien debieron el ser y a cuyo servicio estaban obligados a consagrarse, la que parece han considerado algunos como país de conquista, o como un real enemigo tomado por asalto, sin que por esto hayan faltado hombres, cuya honradez haciéndoles mucho honor, han puesto de manifiesto que no se carece de ellos cuando se quieren emplear. Pero puesto que las restricciones hasta ahora establecidas, no han podido impedir los abusos, sea por insuficientes o por mal observadas, preciso es buscar el remedio por otro camino. Es menester que, como se ha hecho en la actual república francesa, la responsabilidad recaiga sobre el presidente y no sobre los ministros, los cuales deben ser responsables al presidente, así como éste debe serlo a la nación, y para que esta responsabilidad sea efectiva y no impracticable como lo será en la república que acabamos de citar, es menester establecer el medio de impedir durante el período de gobierno de un presidente, el efecto de una providencia ilegal, dejando la calificación y castigo del crimen para un juicio de residencia bien establecido, que debe hacerse cuando haya dejado el ejercicio de la autoridad.

• •

De esta manera se establecerá un orden de cosas adecuado al estado de la nación, simétrico y uniforme en todas sus partes, económico en sus gastos, conforme con las opiniones y propensiones que se han creado y los principios de la federación, no sólo se conservarán, "sublato jure nocendi", "quitándole el derecho de hacer daño", sino que se multiplicarán todos los medios de hacer el bien, generalizándose cuanto puede tener de útil este sistema. La acción del gobierno, sin hacerse casi sentir, será más eficaz no encontrando contradicciones y la de los congresos y gobiernos de los Estados, reducida a proporcionar el beneficio y adelantos de éstos, se verá como el efecto de una autoridad paternal, sin que pueda decaer en represiva, como ha sucedido actualmente en algunos, lo que la ha hecho aborrecible, excitando el descontento y la revolución. La clase propietaria tomará más parte en los asuntos públicos, por lo mismo que éstos tocan de más cerca a sus intereses y como es condición esencial para el goce perfecto de un bien, la seguridad de gozarlo siempre, se ocupará con empeño en afianzarlo, cuando vea que esto depende de ella misma. Esto hará nacer el espíritu público, ahora enteramente apagado, y restablecerá el carácter nacional que ha desaparecido. Los mexicanos volverán a tener un nombre que conservar, una patria que defender y un gobierno a quien respetar, no por el temor servil del castigo, sino por los beneficios que dispense, el decoro que adquiera y la consideración que merezca. Para obtener estos títulos, no es preciso que el poder recaiga en hombres de gran capacidad; decoro y probidad es todo lo que se necesita. A estas calidades se debió el acierto con que gobernaron aquellos virreyes, dechados de virtudes, que en el siglo pasado sacaron a la Nueva España del estado de desorden y decadencia a que se hallaba reducida en los últimos reinados de los monarcas de la dinastía austríaca y no sólo dejaron arreglados todos los ramos de la administración, sino también previnieron las mejoras que podían hacerse en adelante: el duque de Linares, el marqués de Casafuerte, Bucareli, Revilla Gigedo, no tuvieron otro secreto; Apodaca, sin otros medios que éstos, restableció la hacienda en circunstancias mucho más difíciles que las presentes; sus principios eran los de la moral cristiana, y cuando servían fielmente a su rey, su lealtad estribaba en la firme persuación, de que de esta manera servían también a Dios. Sobre las mismas máximas se formó aquella clase respetable de empleados, que no aspiraban a otra cosa que a ascender en su carrera cumpliendo con sus obligaciones y a cuyo celo e inteligencia se debió el arreglo que había en las oficinas; delinquían, es verdad, abusaban a veces, porque eran hombres, pero estos hombres cuando estaban penetrados como el duque de Linares, de que "la residencia más rigurosa, es la que se ha de tomar al virrey en su juicio particular por la Majestad divina", no era posible que cayesen en los excesos a que se precipitan los que no tienen esta convicción.

• •

En vista de estos antecedentes, convendría que se nombrase una comisión que no excediese de tres o cinco individuos, encargada de constituir a la nación, la cual se entendería haberla facultado a este efecto, a lo que no se opone el corto número de estos individuos, pues en la ficción del sistema representativo, tanto se puede considerar representada por cinco como por ciento. Esta comisión tendría la facultad de nombrar todas las que creyese necesarias para la organización de cada uno de los ramos, según el plan general que ella propusiese, y todas las autoridades y oficinas de la república estarían obligadas a auxiliar sus trabajos y a franquearle cuantos datos y noticias pudiese necesitar, de suerte que al cabo de un año, cuando más, todo estuviese concluido, sin perjuicio de ir poniendo en ejecución cada parte, según se fuese terminando. Este es el único modo posible de poner en completo y simultáneo arreglo todos los ramos de la administración; mas como en materia tan delicada no es de esperar se acierte en todo desde el principio y la experiencia a poco andar hace notar inconvenientes que no pudieron preverse antes de poner en práctica un sistema político, al cabo de dos años se debería revisar todo él, teniendo a la vista las observaciones que se hubiesen hecho sobre cada una de sus partes, para enmendar y rectificar lo que se hubiese reconocido necesitarlo, quedando ya después al congreso hacer aquellas variaciones que el curso de los tiempos fuese demandando.

• •

Todos los ciudadanos que puedan ser considerados útiles, deben ser llamados a trabajar en esta obra grandiosa. Ella debe fijar su suerte, estableciendo un sistema de gobierno que tendrá la ventaja sobre lo que existe, por lo menos de ser una cosa definida. En la actualidad, es tal la confusión que se ha introducido, que aunque al orden presente de cosas se le llama federación, en realidad no existe cosa alguna a que pueda darse un nombre conocido. Hay elecciones populares, pero estas elecciones a nada conducen, porque en su resultado definitivo los gobernadores de los Estados y el gobierno general a su vez, hacen nombrar a quienes les parece para congresos y ayuntamientos, atropellando hasta la apariencia de libertad; hay congreso, más éste no hace nada de lo que debería hacer; en vano se le pone a la vista todos los años el estado de la nación en las Memorias de los ministros, que han venido a ser una especie de piezas académicas costosísimas y completamente inútiles, pues nunca se ve que se tomen en consideración, y acaso no son ni leídas por los que debían buscar en ellas la norma de sus operaciones; la responsabilidad es un arma de partido, no un medio legal de contener la arbitrariedad; las disposiciones de los tribunales no se acatan , siendo tan dudosa su jurisdicción, que un pleito ruidoso que hace años se sigue con grandes gastos, no se sabe todavía cual es el tribunal que ha de conocer de él, y la administración de la Hacienda Pública camina sin presupuestos ni cuentas, al arbitrio del gobierno. Dar el nombre de sistema constitucional a tal desorden, es violentar la significación de las palabras, y gobernar al acaso, dictando providencias aisladas según las circunstancias, no es lo que puede hacer la felicidad de una nación, siendo al mismo tiempo incierto y poco seguro para el gobierno mismo, que no puede contar con un apoyo firme, ni hacerse de un partido en que pueda poner su confianza.

• •

3
Juan Bautista Alberdi
Bases y puntos de partida para
la organización de la República Argentina
[1852]
(Selección)

*Su historia es la del destiempo y la del destierro:
nacido en San Miguel de Tucumán, Juan Bautista Alberdi (1810-1884) produjo una obra axiomática para
los constitucionalistas y básica para la definición del
proyecto nacional argentino; pero su época no supo reconocer en el momento la importancia de sus publica-
ciones. Alberdi vivió en el exilio más de 40 años y allí
murió, pobre y sin cargos políticos, enemistado para
siempre con Sarmiento con quien polemizó con acritud
extrema en las* Cartas quillotanas, *a las que Sarmiento
respondió, con igual virulencia, en* Las ciento y una.

*Vista en perspectiva histórica, esa enemistad es pa-
radojal, porque las* Bases *de Alberdi compendian como
ningún otro texto el ideario de progreso nacional enun-
ciado en el* Facundo.

*Abogado y periodista, fundador del Salón Literario
junto a Echeverría, Juan María Gutiérrez y Marcos
Sastre, publica ya en 1837* El fragmento preliminar al
estudio del Derecho y Doble armonía, *entre el objeto de
esta institución con una exigencia de nuestro desarrollo*

61

social; y de esta exigencia con otra general del espíritu humano; *luego da a conocer* La Revolución de Mayo, crónica dramática en cuatro partes *(1839) y* El gigante Amapolas y sus formidables enemigos o sea fastos dramáticos de una guerra memorable *(1842). Además de sus artículos de costumbres, en los 30 años siguientes escribe abundante literatura, crónicas y ensayos sobre legislación, entre los que se cuentan:* Memoria sobre la conveniencia y objeto de un Congreso General Americano, Sistema económico y rentístico de la Confederación, De la integridad nacional de la República Argentina, bajo todos sus gobiernos, El Imperio del Brasil ante las democracias de América, Palabras de un ausente en que explica a sus amigos del Plata los motivos de su alejamiento y Peregrinación de Luz del Día o viajes y aventuras de la Verdad en el Nuevo Mundo *(1844-1874).*

En la obra de Alberdi se cimentan los principios de la filosofía americana, importante para la consolidación del estado democrático liberal. Ni la filosofía ni la estética estaban desligadas de la realidad política; más bien las explicaciones debían provenir de la observación de la realidad y de la experiencia. Formado en la lectura de los iluministas, los liberales, los románticos franceses y los eclécticos alemanes, Alberdi es también una referencia central para la historiografía: sostenía que el estudio de la historia era esencial para descubrir las leyes que regulan los acontecimientos humanos. Como Sarmiento y Echeverría y, en general, como los autores románticos, su obra se pregunta sobre el espíritu de la nacionalidad, la búsqueda de las raíces y la determinación de lo propio de cada pueblo.

En sus escritos tempranos, Alberdi demostró una sensibilidad popular y antiaristocrática que lo llevó a declamar, dentro del espíritu de 1810: "Desde entonces la palabra plebe no tiene sentido entre nosotros. O todo el mundo es plebe, o nadie es plebe en este país".

Y, como si se hiciera eco de las denuncias del venezola-
no Simón Rodríguez, denuncia la traición que la Repú-
blica hizo contra las masas de combatientes en las gue-
rras por la Independencia:

¿Y por qué estos hombres no son gentes, no son
nada, no merecen sentarse en las mesas de un café?
Porque son ellos, los hombres de color, los que han
dejado sus huesos y su sangre en los campos de
Ituazaingó y Chacabuco, a fin de tener esta patria,
esta bandera, esta libertad, esta dignidad que tenemos todos, menos ellos. ¡Pobres hombres de color!
¡Ellos lo han hecho todo, y ni siquiera las puertas
del teatro y del café se les abren para gozar un instante de la paz que ellos nos han conquistado!
("Plebe", *El Nacional*, 18 de enero de 1839).

Esta defensa de "hasta el hombre de piel más
negro" fue, aún en este artículo ocasional en la prensa,
bastante menos expansiva con el indio y el mestizo
(mucho más significativos numéricamente). Aún con
estos "matices", Alberdi proclamaba la igualdad de
derechos entre los hombres sin importar el color: lo
esencial era elevar a la plebe a través de la educación.
Con los años, su discurso adquirió expresiones tan des-
pectivas como: "¿Quién conoce caballero entre noso-
tros que haga alarde de ser indio neto? ¿Quién casaría
a su hermana o a su hija con un infanzón de la Arauca-
nia, y no mil veces con un zapatero inglés?" (Bases).
Bases y puntos de partida para la organización de la
República Argentina *(1852) intenta definir la identidad*
nacional a través de una filosofía que vincule a la Ar-
gentina con leyes históricas universales. Su ejemplo
para garantizar las libertades civiles y el equilibrio
entre las diferencias partidarias es la Constitución de
los Estados Unidos; además dibuja aquí un proyecto de
país que es síntesis de la federación unitaria, donde se

fomenta la inmigración sajona, la libertad de cultos, de navegación y de comercio, los ferrocarriles y la educación. La inmigración es el argumento central para modificar los hábitos del pueblo argentino, incapaz debido a la herencia española y la influencia del clima y la geografía. Alberdi propone la universalización de las libertades civiles y la restricción de las libertades políticas: hay que purificar el sufragio universal a través de elecciones dobles o triples que eviten el sufragio directo hasta que el pueblo esté educado.

La tesis de Alberdi y Sarmiento sobre la degradación del pueblo latinoamericano fue reforzada más adelante por el discurso científico positivista y retomada por otros ensayistas argentinos como Carlos O. Bunge con Nuestra América (que sostiene la tesis opuesta a la de "Nuestra América" *de José Martí), José María Ramos Mejía en* La multitudes argentinas *y José Ingenieros en* Sociología argentina.

BASES
XIV
Acción civilizadora
de la Europa en las
Repúblicas de Sudamérica

Las Repúblicas de la América del Sur son producto
y testimonio vivo de la acción de la Europa en América. Lo que llamamos América independiente no es más
que la Europa establecida en América; y nuestra revolución no es otra cosa que la desmembración de un
poder europeo en dos mitades, que hoy se manejan por
sí mismas.

Todo en la civilización de nuestro suelo es europeo;
la América misma es un descubrimiento europeo. La
sacó a luz un navegante genovés, y fomentó el descubrimiento una soberana de España. Cortés, Pizarro,
Mendoza, Valdivia, que no nacieron en América, la po-
blaron de la gente que hoy la posee, que ciertamente no
es indígena.

No tenemos una sola ciudad importante que no
haya sido fundada por europeos. Santiago fue fundada
por un extranjero llamado Pedro Valdivia, y Buenos
Aires por otro extranjero que se llamó Pedro de Mendoza.

Todas nuestras ciudades importantes recibieron

nombres europeos de sus fundadores extranjeros. El nombre mismo de *América* fue tomado de uno de esos descubridores extranjeros —Américo Vespucio, de Florencia.

Hoy mismo, bajo la independencia, el indígena no figura ni compone mundo en nuestra sociedad política y civil.

Nosotros, los que nos llamamos americanos, no somos otra cosa que europeos nacidos en América. Cráneo, sangre, color, todo es de fuerza.

El indígena nos hace justicia; nos llama *españoles* hasta el día. No conozco persona distinguida de nuestras sociedades que lleve apellido *pehuenche* o *araucano*. El idioma que hablamos es de Europa. Para humillación de los que reniegan de su influencia, tienen que maldecirla en lengua extranjera. El idioma español lleva su nombre consigo.

Nuestra religión cristiana ha sido traída a América por los extranjeros. A no ser por la Europa, hoy la América estaría adorando al sol, a los árboles, a las bestias, quemando hombres en sacrificio, y no conocería el matrimonio. La mano de la Europa plantó la cruz de Jesucristo en la América antes gentil. ¡Bendita sea, por esto sólo la mano de la Europa!

Nuestras leyes antiguas y vigentes fueron dadas por reyes extranjeros, y al favor de ellos tenemos hasta hoy Códigos civiles, de comercio y criminales. Nuestras leyes patrias son copias de leyes extranjeras.

Nuestro régimen administrativo en Hacienda, impuestos, rentas, etc., es casi hoy la obra de la Europa. ¿Y qué son nuestras Constituciones políticas sino adopción de sistemas europeos de gobierno? ¿Qué es nuestra gran revolución, en cuanto a ideas, sino una faz de la Revolución de Francia?

Entrad en nuestras Universidades, y dadme ciencia que no sea europea; en nuestras bibliotecas, y dadme un libro útil que no sea extranjero.

Reparad en el traje que lleváis, de pies a cabeza, y será raro que la suela de vuestro calzado sea americana. ¿Qué llamamos buen tono sino lo que es europeo? ¿Quién lleva la soberanía de nuestras modas, usos elegantes y cómodos? Cuando decimos *confortable*, conveniente, *bien comme il faut*, ¿aludimos a cosas de los araucanos?

¿Quién conoce caballero entre nosotros que haga alarde de ser indio neto? ¿Quién casaría a su hermana o a su hija con un infanzón de la Araucanía, y no mil veces con un zapatero inglés?

En América todo lo que no es europeo, es bárbaro; no hay más división que ésta: primero, el indígena, es decir, el salvaje; segundo, el europeo, es decir, nosotros, los que hemos nacido en América y hablamos español, los que creemos en Jesucristo y no en Pillan (dios de los indígenas).

No hay otra división del hombre americano. La división en hombres de la ciudad y hombres de las campañas es falsa, no existe; es reminiscencia de los estudios de Niebuhr sobre la historia primitiva de Roma. Rosas no ha dominado con gauchos, sino con la ciudad. Los principales *unitarios* fueron hombres del campo, tales como Martín Rodríguez, los Ramos, los Miguens, los Díaz Vélez; por el contrario, los hombres de Rosas, los Anchorenas, los Medranos, los Dorregos, los Arana, fueron educados en las ciudades. La mazorca no se componía de *gauchos*.

La única subdivisión que admite el hombre americano español es en *hombre del litoral* y *hombre de tierra adentro o mediterráneo*. Esta división es real y profunda. El primero es fruto de la acción civilizadora de la Europa de este siglo, que se ejerce por el comercio y por la inmigración en los pueblos de la costa. El otro es obra de la Europa del siglo XVI, de la Europa del tiempo de la conquista, que se conserva intacto como en un recipiente, en los pueblos interiores de nuestro continente, donde lo colocó la España, con el objeto de que se conservase así.

De Chuquisaca a Valparaíso hay tres siglos de distancia; y no es el instinto de Santiago el que ha creado esta diferencia en favor de esta ciudad. No son nuestros pobres colegios los que han puesto el litoral de Sudamérica trescientos años más adelante que las ciudades mediterráneas. Justamente carece de Universidades el Litoral. A la acción viva de la Europa actual, ejercida por medio del comercio libre, por la inmigración y por la industria, en los pueblos de la margen, se debe su inmenso progreso respecto de los otros.

En Chile no han salido del Instituto los Portales, los Rengifo, y los Urmeneta, hombres de Estado que han ejercido alto influjo. Los dos Egañas, organizadores ilustres de Chile, se inspiraron en Europa de sus fecundos trabajos. Más de una vez los jefes y los profesores del Instituto han tomado de Valparaíso sus más brillantes y útiles inspiraciones de gobierno.

Desde el siglo XVI hasta hoy no ha cesado la Europa un solo día de ser el manantial y origen de la civilización de este continente. Bajo el antiguo régimen, la Europa desempeñó ese rol por conducto de la España. Esta nación nos trajo la última expresión de la Edad Media, y el principio del renacimiento de la civilización en Europa.

Con la revolución americana acabó la acción de la Europa española en este continente; pero tomó su lugar la acción de la Europa anglosajona y francesa. Los americanos de hoy somos europeos que hemos cambiado de maestros: a la iniciativa española a sucedido la inglesa y francesa. Pero siempre es la Europa la obrera de nuestra civilización. El medio de acción ha cambiado, pero el producto es el mismo. A la acción oficial o gubernamental ha sucedido la acción social, de pueblo, de raza. La Europa de estos días no hace otra cosa en América que completar la obra de la Europa de la Edad

Media, que se mantiene embrionaria, en la mitad de su formación. Su medio actual de influencia no será la espada, no será la conquista. Ya la América está conquistada, es europea y, por lo mismo, inconquistable. La guerra de conquista supone civilizaciones rivales, Estados opuestos —el salvaje y el europeo, verbigracia—. Este antagonismo no existe; el salvaje está vencido, en América no tiene dominio ni señorío. Nosotros, europeos de raza y de civilización, somos los dueños de la América.

Es tiempo de reconocer esta ley de nuestro progreso americano, y volver a llamar en socorro de nuestra cultura incompleta a esa Europa que hemos combatido y vencido por las armas en los campos de batalla: pero que estamos lejos de vencer en los campos del pensamiento y la industria.

Alimentando rencores de circunstancias, todavía hay quienes se alarmen con el solo nombre de la Europa; todavía hay quienes abriguen temores de perdición y esclavitud.

Tales sentimientos constituyen un estado de enfermedad en nuestros espíritus sudamericanos, sumamente aciago a nuestra prosperidad, y digno por lo mismo de estudiarse.

Los reyes de España nos enseñaron a odiar bajo el nombre de *extranjero* a todo el que no era *español*. Los libertadores de 1810, a su turno, nos enseñaron a detestar, bajo el nombre de *europeo*, a todo el que no había nacido en América. La España misma fue comprendida en este odio. La cuestión de guerra se estableció en estos términos: *Europa y América*; el viejo mundo y el mundo de Colón. Aquel odio se llamó *lealtad* y éste *patriotismo*. En su tiempo, esos odios fueron resortes útiles y oportunos; hoy son preocupaciones aciagas a la prosperidad de estos países.

La Prensa, la instrucción, la Historia, preparadas para el pueblo, deben trabajar para destruir las preocupaciones contra el extranjerismo, por ser obstáculo que lucha de frente con el progreso de este continente. La aversión al extranjero es barbarie en otras naciones; en las de América del Sur es algo más, es causa de ruina y de disolución de la sociedad de tipo español. Se debe combatir esa tendencia ruinosa con las armas de la credulidad misma y de la verdad grosera que están al alcance de nuestras masas. La Prensa de iniciación y propaganda del verdadero espíritu de progreso debe preguntar a los hombres de nuestros pueblos si se consideran de raza indígena, si se tienen por indios *pampas* o *pehuenches* de origen, si se creen descendientes de salvajes y gentiles, y no de las razas extranjeras que trajeron la religión de Jesucristo y la civilización de la Europa a este continente, en otro tiempo patria de gentiles.

Nuestro apostolado de civilización debe poner de bulto y en toda su desnudez material, a los ojos de nuestros buenos pueblos envenenados de prevención contra lo que constituye su vida y progreso, los siguientes hechos de evidencia histórica. Nuestro santo Papa Pío IX, actual jefe de la Iglesia católica, es un extranjero, un italiano, como han sido extranjeros cuantos Papas le han precedido, y lo serán cuantos le sucedan en la Santa Silla. Extranjeros son los santos que están en nuestros altares, y nuestro pueblo creyente se arrodilla todos los días ante esos beneméritos santos extranjeros, que nunca pisaron el suelo de América, ni hablaron castellano los más.

San Eduardo, Santo Tomás, San Galo, Santa Úrsula, Santa Margarita y muchos otros santos católicos eran ingleses, eran extranjeros a nuestra nación y a nuestra lengua. Nuestro pueblo no los entendería si los oyese hablar en inglés, que era su lengua, y los llamaría *gringos* tal vez.

San Ramón Nonnato era catalán, San Lorenzo, San Felipe Benicio, San Anselmo, San Silvestre eran italianos, iguales en origen a esos extranjeros que nuestro pueblo apellida con desprecio *carcamanes*, sin recordar que tenemos infinitos *carcamanes* en nuestros altares. San Nicolás era un suizo, y San Casimiro era húngaro.

Por fin, el Hombre-Dios, Nuestro Señor Jesucristo, no nació en América, sino en Asia, en Belén, ciudad pequeña de Judá, país dos veces más distante y extranjero de nosotros que la Europa. Nuestro pueblo, escuchando su divina palabra, no le habría entendido, porque no hablaba castellano; le habría llamado extranjero, porque lo era en efecto; pero ese divino extranjero, que ha suprimido las fronteras y hecho de todos los pueblos de la tierra una familia de hermanos, ¿no consagra y ennoblece, por decirlo así, la condición del extranjero, por el hecho de ser la suya misma?

Recordemos a nuestro pueblo que la patria no es el suelo. Tenemos suelo hace tres siglos, y sólo tenemos patria desde 1810. La patria es la libertad, es el orden, la riqueza, la civilización organizados en el suelo nativo, bajo su enseña y en su nombre. Pues bien; esto se nos ha traído por la Europa; es decir, la Europa nos ha traído la noción del orden, la ciencia de la libertad, el arte de la riqueza, los principios de la civilización cristiana. La Europa, pues, nos ha traído la patria, si agregamos que nos trajo hasta la población que constituye el personal y el cuerpo de la patria.

Nuestros patriotas de la primera época no son los que poseen ideas más acertadas del modo de hacer prosperar esta América, que con tanto acierto supieron sustraer al poder español. Las nociones del patriotismo, el artificio de una causa puramente americana de que se valieron como medio de guerra conveniente a aquel tiempo, los dominan y poseen todavía. Así, hemos visto a Bolívar hasta 1826 provocar ligas para contener a la Europa, que nada pretendía, y al General San Martín aplaudir en 1844 la resistencia de Rosas a reclamaciones accidentales de algunos Estados europeos. Después de haber representado una necesidad real y grande de la

América de aquel tiempo, desconocen hoy hasta cierto punto las nuevas exigencias de este continente. La gloria militar, que absorbió su vida, los preocupa todavía más que el progreso.

Sin embargo, a la necesidad de gloria ha sucedido la necesidad de provecho y de comodidad, y el heroísmo guerrero no es ya el órgano competente de las necesidades prosaicas del comercio y de la industria, que constituyen la vida actual de estos países.

Enamorados de su obra, los patriotas de la primera época se asustan de todo lo que creen comprometerla.

Pero nosotros, más fijos en la obra de la civilización que en la del patriotismo de cierta época, vemos venir sin pavor todo cuanto la América puede producir en acontecimientos grandes. Penetrados de que su situación actual es de transición, de que sus destinos futuros son tan grandes como desconocidos, nada nos asusta y en todo fundamos sublimes esperanzas de mejora. Ella no está bien; está desierta, solitaria, pobre. Pide población, prosperidad.

¿De dónde le vendrá esto en lo futuro? Del mismo origen de que vino antes de ahora: de la Europa.

XV

De la inmigración como medio de progreso
y de cultura para la América del Sur.— Medios
de fomentar la inmigración.— Tratados extranjeros.—
La inmigración espontánea y no la artificial.—
Tolerancia religiosa.— Ferrocarriles.—
Franquicias.— Libre navegación fluvial.

¿Cómo, en qué forma vendrá en lo futuro el espíritu vivificante de la civilización europea a nuestro suelo? Como vino en todas las épocas: la Europa nos traerá su espíritu nuevo, sus hábitos de industria, sus prácticas de civilización, en las inmigraciones que nos envíe.

Cada europeo que viene a nuestras playas, nos trae más civilizaciones en sus hábitos, que luego comunica a nuestros habitantes, que muchos libros de filosofía. Se comprende mal la perfección que no se ve, toca ni palpa. Un hombre laborioso es el catecismo más edificante.

¿Queremos plantar y aclimatar en América la libertad inglesa, la cultura francesa, la laboriosidad del hombre de Europa y de Estados Unidos? Traigamos pedazos vivos de ellas en las costumbres de sus habitantes y radiquémoslas aquí.

¿Queremos que los hábitos de orden, de disciplina y de industria prevalezcan en nuestra América? Llenémosla de gente que posea hondamente esos hábitos. Ellos son comunicativos; al lado del industrial europeo pronto se forma el industrial americano. La planta de la civilización no se propaga de semilla. Es como la viña: prende de gajo.

Este es el medio único de que la América, hoy desierta, llegue a ser un mundo opulento en poco tiempo. La reproducción por sí sola es medio lentísimo. Si queremos ver agrandados nuestros Estados en corto tiempo, traigamos de fuera sus elementos ya formados y preparados.

Sin grandes poblaciones no hay desarrollo de cultura, no hay progreso considerable; todo es mezquino y pequeño. Naciones de medio millón de habitantes pueden serlo por su territorio; por su población serán provincias, aldeas; y todas sus cosas llevarán siempre el sello mezquino de provincia.

Aviso importante a los hombres de Estado sudamericanos: las escuelas primarias, los Liceos, las Universidades son, por sí solos, pobrísimos medios de adelanto sin las grandes empresas de producción, hijas de las grandes porciones de hombres.

La población —necesidad sudamericana que representa todas las demás— es la medida exacta de la capacidad de nuestros Gobiernos. El ministro de Estado que no duplica el censo de estos pueblos cada diez años ha perdido su tiempo en bagatelas y nimiedades.

Haced pasar el *roto*, el *gaucho*, el *cholo*, unidad elemental de nuestras masas populares, por todas las transformaciones del mejor sistema de instrucción; en cien años no haréis de él un obrero inglés, que trabaja, consume, vive digna y confortablemente. Poned el millón de habitantes, que forma la población media de estas Repúblicas, en el mejor pie de educación posible, tan instruido como el cantón de Ginebra, en Suiza, como la más culta provincia de Francia; ¿tendréis con eso un grande y floreciente estado? Ciertamente que no; un millón de hombres en territorio cómodo para cincuenta millones, ¿es otra cosa que una miserable población?

Se hace este argumento: educando nuestras masas, tendremos orden; teniendo orden vendrá la población de fuera.

Os diré que invertís el verdadero método de progreso. No tendréis orden ni educación popular, sino por el influjo de masas introducidas con hábitos arraigados de ese orden y buena educación.

Multiplicad la población seria, y veréis a los vanos agitadores, desairados y solos, con sus planes de revueltas frívolas, en medio de un mundo absorbido por ocupaciones graves.

¿Cómo conseguir todo esto? Más fácilmente que gastando millones en tentativas mezquinas de mejoras interminables.

Tratados extranjeros— Firmad Tratados con el extranjero, en que déis garantías de que sus derechos naturales de propiedad, de libertad civil, de seguridad, de adquisición y de tránsito, les serán respetados. Esos Tratados serán la más bella parte de la Constitución; la

74

parte exterior, que es llave del progreso de estos países, llamados a recibir su acrecentamiento de fuera. Para que esa rama del Derecho público sea inviolable y duradera, firmad Tratados por término indefinido o prolongadísimo. No temáis encadenaros al orden y a la cultura.

Temer que los Tratados sean perpetuos es temer que se perpetúen las garantías individuales en nuestro suelo. El Tratado argentino con la Gran Bretaña ha impedido que Rosas hiciera de Buenos Aires otro Paraguay.

No temáis enajenar el porvenir remoto de nuestra industria a la civilización, si hay riesgo de que la arrebaten la barbarie o la tiranía interiores. El temor a los Tratados es resabio de la primera época guerrera de nuestra revolución; es un principio viejo y pasado de tiempo, o una imitación indiscreta y mal traída de la política exterior que Washington aconsejaba a los Estados Unidos en circunstancias y por motivos del todo diferentes a los que nos cercan.

Los Tratados de amistad y comercio son el medio honorable de colocar la civilización sudamericana bajo el protectorado de la civilización del mundo. ¿Queréis, en efecto, que nuestras Constituciones y todas las garantías de industria, de propiedad y libertad civil, consagradas por ellas, vivan inviolables bajo el protectorado del cañón de todos los pueblos, sin mengua de nuestra nacionalidad? Consignad los derechos y garantías civiles, que ellas otorgan a sus habitantes, en Tratados de amistad, de comercio y de navegación con el extranjero. Manteniendo, haciendo él mantener los Tratados, no hará sino mantener nuestra Constitución. Cuántas más garantías déis al extranjero, mayores derechos asegurados tendréis en vuestro país.

Tratad con todas las naciones, no con algunas; conceded a todas las mismas garantías, para que ninguna pueda subyugaros, y para que las unas sirvan de obstáculo contra las aspiraciones de las otras. Si la Francia hubiera tenido en el Plata un Tratado igual al de Inglaterra, no habría existido la emulación oculta bajo el manto de una alianza, que por diez años ha mantenido el malestar de las cosas del Plata, obrando a medias y siempre con la segunda mira de conservar ventajas exclusivas y parciales.

Plan de inmigración.— La inmigración espontánea es la verdadera y grande inmigración. Nuestros Gobiernos deben provocarla, no haciéndose ellos empresarios, no por mezquinas concesiones de terreno habitable por osos, en contratos falaces y usurarios, más dañinos a la población que al poblador; no por puñaditos de hombres, por arreglillos propios para hacer el negocio de algún especulador influyente; eso es la mentira, la farsa de la imaginación fecunda; sino por el sistema grande, largo y desinteresado, que ha hecho nacer a la California en cuatro años por la libertad prodigada, por franquicias que hagan olvidar su condición al extranjero, persuadiéndole de que habita su patria; facilitando, sin medida ni regla, todas las miras legítimas, todas las tendencias útiles.

Los Estados Unidos son un pueblo tan adelantado porque se componen y se han compuesto incesantemente de elementos europeos. En todas épocas han recibido una inmigración abundantísima de Europa. Se engañan los que creen que ella sólo data desde la época de la Independencia. Los legisladores de los Estados propendían a eso muy sabiamente; y uno de los motivos de su rompimiento perpetuo con la Metrópoli fue la barrera o dificultad que la Inglaterra quiso poner a esta inmigración, que insensiblemente convertía en colosos sus colonias. Este motivo está invocado en la acta misma de la declaración de la independencia de los Estados Unidos. Véase, según eso, si la acumulación de extranjeros impidió a los Estados Unidos conquistar su independencia y crear una nacionalidad grande y poderosa.

Tolerancia religiosa.— Si queréis pobladores morales y religiosos, no fomentéis el ateísmo. Si queréis familias que formen las costumbres privadas, respetad su altar a cada creencia. La América española, reducida al catolicismo con exclusión de otro culto, representa un solitario y silencioso convento de monjes. El dilema es fatal: o católica exclusivamente y despoblada, o poblada y próspera y tolerante en materia de religión. Llamar la raza anglo-sajona y las poblaciones de la Alemania, de Suecia y de Suiza, y negarles el ejercicio de su culto, es lo mismo que no llamarlas sino por ceremonia, por hipocresía de liberalismo.

Esto es verdadero a la letra: excluir los cultos disidentes de la América del Sur, es excluir a los ingleses, a los alemanes, a los suizos, a los norteamericanos, que no son católicos; es decir, a los pobladores de que más necesita este continente. Traerlos sin su culto, es traerlos sin el agente que los hace ser lo que son; a que vivan sin religión, a que se hagan ateos.

Hay pretensiones que carecen de sentido común, y es una de ellas querer población, familias, costumbres, y al mismo tiempo rodear de obstáculos el matrimonio del poblador disidente, es pretender aliar la moral y la prostitución. Si no podéis destruir la afinidad invencible de los sexos, ¿qué hacéis con arrebatar la legitimidad a las uniones naturales? Multiplicar las concubinas en vez de las esposas; destinar a nuestras mujeres americanas a ser escarnio de los extranjeros; hacer que los americanos nazcan manchados; llenar toda nuestra América de guachos, de prostitutas, de enfermedades, de impiedad, en una palabra. Eso no se puede pretender en nombre del catolicismo sin insulto a la magnificencia de esta noble Iglesia, tan capaz de asociarse a todos los progresos humanos.

Querer el fomento de la moral en los usos de la vida y perseguir Iglesias que enseñan la doctrina de Jesucristo, ¿es cosa que tenga sentido recto?

Sosteniendo esta doctrina no hago otra cosa que el elogio de una ley de mi país que ha recibido la sanción de la experiencia. Desde Octubre de 1825 existe en Buenos Aires la libertad de cultos, pero es preciso que esa concesión provincial se extienda a toda la República Argentina por su Constitución, como medio de extender al interior el establecimiento de la Europa inmigrante. Ya lo está por el Tratado con la Inglaterra, y ninguna Constitución local, interior, debe ser excepción o derogación del compromiso nacional contenido en el Tratado de 2 de Febrero de 1825.

La España era sabia en emplear por táctica el exclusivismo católico como medio de monopolizar el poder de estos países, y como medio de civilizar las razas indígenas. Por eso el *Código de Indias* empezaba asegurando la fe católica de las colonias. Pero nuestras Constituciones modernas no deben copiar en eso la legislación de Indias, porque es restablecer el antiguo régimen de monopolio en beneficio de nuestros primeros pobladores católicos, y perjudicar las miras amplias y generosas del nuevo régimen americano.

Inmigración mediterránea.— Hasta aquí la inmigración europea ha quedado en los pueblos de la costa, y de ahí la superioridad del litoral de América, en cultura, sobre los pueblos de tierra adentro.

Bajo el Gobierno independiente ha continuado el sistema de la legislación de Indias, que excluía del interior al extranjero bajo las más rígidas penas. El título 27 de la Recopilación Indiana contiene 38 leyes destinadas a cerrar herméticamente el interior de la América del Sur al extranjero no peninsular. La más suave de ellas era la ley 7ª, que imponía la pena de muerte al que trataba con extranjeros. La ley 9ª mandaba *limpiar* la tierra de extranjeros, en obsequio del mantenimiento de la fe católica.

¿Quién no ve que la obra secular de esa legislación se mantiene hasta hoy latente en las entrañas del nuevo régimen? ¿Cuál otro es el origen de las resistencias que hasta hoy halla el extranjero en el interior de nuestros países de Sudamérica?

Al nuevo régimen le toca intervenir el sistema colonial, y sacar al interior de su antigua clausura, desbaratando por una legislación contraria y reaccionaria de la de Indias el espíritu de reserva y de exclusión que había formado ésta en nuestras costumbres.

Pero el medio más eficaz de elevar la capacidad y cultura de nuestros pueblos de situación mediterránea a la altura y capacidad de las ciudades marítimas es aproximarlos a la costa por decirlo así, mediante un sistema de vías de transporte grande y liberal, que los ponga al alcance de la acción civilizante de la Europa.

Los grandes medios de introducir la Europa en los países interiores de nuestro continente en escala y proporciones bastante poderosas para obrar un cambio portentoso en pocos años, son el ferrocarril, la libre navegación interior y la libertad comercial. La Europa viene a estas lejanas regiones en alas del comercio y de la industria, y busca la riqueza en nuestro continente. La riqueza, como la población, como la cultura, es imposible donde los medios de comunicación son difíciles, pequeños y costosos.

Ella viene a la América al favor de la facilidad que ofrece el Océano. Prolongad el Océano hasta el interior de este continente por el vapor terrestre y fluvial, y tendréis el interior tan lleno de inmigrantes europeos como el litoral.

Ferrocarriles.— El ferrocarril es el medio de dar vuelta al derecho lo que la España colonizadora colocó al revés en este continente. Ella colocó las cabezas de nuestros Estados donde deben estar los pies. Para sus miras de aislamiento y monopolio fue sabio ese sistema; para las nuestras de expansión y libertad comercial, es funesto. Es preciso traer los capitales a las costas, o bien llevar el litoral al interior del continente. El ferro-

79

carril y el telégrafo eléctrico, que son la supresión del espacio, obran este portento mejor que todos los potentados de la tierra. El ferrocarril innova, reforma y cambia las cosas más difíciles, sin decretos ni asonadas.

El hará la unidad de la República Argentina mejor que todos los Congresos. Los Congresos podrán declararla *una e indivisible*; sin el camino de hierro que acerque sus extremos remotos, quedará siempre divisible y dividida contra todos los decretos legislativos. Sin ferrocarril no tendréis unidad política en países donde la distancia hace imposible la acción del Poder central. ¿Queréis que el Gobierno, que los legisladores, que los Tribunales de la capital litoral, legislen y juzguen los asuntos de las provincias de San Juan y Mendoza, por ejemplo? Traed el litoral hasta esos parajes por el ferrocarril, o viceversa; colocad esos extremos a tres días de distancia por lo menos. Pero tener la Metrópoli o capital a veinte días, es poco menos que tenerla en España, como cuando regía el sistema antiguo, que destruimos por ese absurdo especialmente. Así, pues, la unidad política debe empezar por la unidad territorial, y sólo el ferrocarril puede hacer de dos parajes, separados por quinientas leguas, un paraje único.

Tampoco podréis llevar hasta el interior de nuestros países la acción de la Europa por medio de sus inmigraciones, que hoy regeneran nuestras costas, sino por vehículos tan poderosos como los ferrocarriles. Ellos son o serán a la vida local de nuestros territorios interiores lo que las grandes arterias a los extremos inferiores del cuerpo humano: manantiales de vida. Los españoles lo conocieron así, y en el último tiempo de su reinado en América se ocuparon seriamente en la construcción de un camino carril interoceánico, al través de los Andes y del desierto argentino. Era eso un poco más audaz que el canal de los Andes, en que pensó Rivadavia, penetrado de la misma necesidad. ¿Por qué llamaríamos utopía la creación de una vía que preocupó al mismo Gobierno español de otra época, tan positivo y parsimonioso en sus grandes trabajos de mejoramiento?

El virrey Sobremonte, en 1804, restableció en antiguo proyecto español de canalizar el río Tercero, para acercar los Andes al Plata; y en 1813, bajo el gobierno patrio, surgió la misma idea. Con el título modesto de la *navegación del río Tercero*, escribió entonces el coronel D. Pedro Andrés García un libro que daría envidia a Mr. Miguel Chevalier, sobre vías de comunicación como medios de gobierno, de comercio y de industria.

Para tener ferrocarriles abundan medios en estos países. Negociad empréstitos en el extranjero, empeñad vuestras rentas y bienes nacionales para empresas que los harán prosperar y multiplicarse. Sería pueril esperar a que las rentas ordinarias alcancen para gastos semejantes; invertid ese orden, empezad por los gastos, y tendréis rentas. Si hubiésemos esperado a tener rentas capaces de costear los gastos de la guerra de la independencia contra España, hasta hoy fuéramos colonos. Con empréstitos tuvimos cañones, fusiles, buques y soldados, y conseguimos hacernos independientes. Lo que hicimos para salir de la esclavitud, debemos hacer para salir del atraso que es igual a la servidumbre: la gloria no debe tener más títulos que la civilización.

Pero no obtendréis préstamos si no tenéis crédito nacional, es decir, un crédito fundado en las seguridades y responsabilidades unidas de todos los pueblos del Estado. Con créditos de cabildos o provincias, no haréis caminos de hierro ni nada grande. Uníos en cuerpo de nación, consolidad la responsabilidad de vuestras rentas y caudales presentes y futuros, y tendréis quien os preste millones para atender a vuestras necesidades locales y generales; porque si no tenéis plata hoy, tenéis los medios de ser opulentos mañana. Dispersos y reñidos, no esperéis sino pobreza y menosprecio.

Franquicias, privilegios. — Proteged, al mismo

81

tiempo, empresas particulares para la construcción de ferrocarriles. Colmadlas de ventajas, de privilegios, de todo el favor imaginable, sin deteneros en medios. Preferid este expediente a cualquier otro. En Lima se ha dado todo un convento y noventa y nueve años de privilegio al primer ferrocarril entre la capital y el litoral; la mitad de todos los conventos allí existentes habría sido biendada, siendo necesario. Los caminos de hierro son en este siglo lo que los conventos eran en la Edad Media; cada época tiene sus agentes de cultura. El pueblo de la Caldera se ha improvisado alrededor de un ferrocarril, como en otra época se formaban alrededor de una iglesia; el interés es el mismo: aproximar al hombre de su Criador por la perfección de su naturaleza.

¿Son insuficientes nuestros capitales para estas empresas? Entregadlas entonces a capitales extranjeros. Dejad que los tesoros de fuera, como los hombres, se domicilien en nuestro suelo. Rodead de inmunidad y de privilegios el tesoro extranjero, para que se naturalice entre nosotros.

Esta América necesita de capitales tanto como de población. El inmigrante sin dinero es un soldado sin armas. Haced que inmigren los pesos en estos países de riqueza futura y pobreza actual. Pero el peso es un inmigrado que exige muchas concesiones y privilegios. Dádselos, porque el capital es el brazo izquierdo del progreso de estos países, es el secreto de que se valieron los Estados Unidos y la Holanda para dar impulso mágico a su industria y comercio. Las leyes de Indias para civilizar este continente, como en la Edad Media por la propaganda religiosa, colmaban de privilegios a los conventos, como medio de fomentar el establecimiento de estas guardias avanzadas de la civilización de aquella época. Otro tanto deben hacer nuestras leyes actuales, para dar pábulo al desarrollo industrial y comercial, prodigando el favor a las empresas industriales que levanten su bandera atrevida en los desiertos de nuestro continente. El privilegio a la industria heroica es el aliciente mágico para atraer riquezas de fuera. Por eso, los Estados Unidos asignaron al Congreso general, entre sus grandes atribuciones, la de fomentar la prosperidad de la Confederación por la concesión de privilegios a los autores e inventores; y aquella tierra de libertad se ha fecundado, entre otros medios, por privilegios dados por la libertad al heroísmo de empresa, al talento de mejoras.

Navegación interior.— Los grandes ríos, esos *caminos que andan,* como decía Pascal, son otro medio de internar la acción civilizadora de la Europa por la inmigración de sus habitantes en lo interior de nuestro continente. Pero los ríos que no se navegan son como si no existieran. Hacerlos del dominio exclusivo de nuestras banderas indigentes y pobres, es como tenerlos sin navegación. Para que ellos cumplan el destino que han recibido de Dios, poblando el interior del continente, es necesario entregarlos a la ley de los mares, es decir, a la libertad absoluta. Dios no los ha hecho grandes como mares mediterráneos, para que sólo se naveguen por una familia.

Proclamad la libertad de sus aguas. Y para que sea permanente, para que la mano instable de nuestros Gobiernos no derogue hoy lo que acordó ayer, firmad Tratados perpetuos de libre navegación.

Para escribir esos Tratados, no leáis a Wattel ni a Martens, no recordéis el Elba y el Mississipi. Leed en el libro de las necesidades de Sudamérica, y lo que ellas dicten, escribidlo con el brazo de Enrique VIII, sin temer la risa ni la reprobación de la incapacidad. La América del Sur está en situación tan crítica y excepcional, que sólo por medios no conocidos podrá escapar de ella con buen éxito. La suerte de Méjico es un aviso de lo que traerá el sistema de vacilación y reserva.

Que la luz del mundo penetre en todos los ámbitos

de nuestras Repúblicas. ¿Con qué derecho mantener en perpetua brutalidad lo más hermoso de nuestras regiones? Demos a la civilización de la Europa actual lo que le negaron nuestros antiguos amos. Para ejercer el monopolio, que era la esencia de su sistema, sólo dieron una puerta a la República Argentina; y nosotros hemos conservado en nombre del patriotismo el exclusivismo del sistema colonial. No más exclusión ni clausura, sea cual fuere el color que se invoque. No más exclusivismo en nombre de la patria.

Nuevos destinos de la América mediterránea.— Que cada caleta sea un puerto; cada afluente navegable reciba los reflejos civilizadores de la bandera de Albión; que en las márgenes del Bermejo y del Pilcomayo brillen confundidas las mismas banderas de todas partes, que alegran las aguas del Támesis, río de la Inglaterra y del universo.

¡Y las aduanas!, grita la rutina. ¡Aberración! ¿Queréis embrutecer en nombre del fisco? ¿Pero hay nada menos fiscal que el atraso y la pobreza? Los Estados no se han hecho para las aduanas, sino éstas para los Estados. ¿Teméis que a fuerza de población y de riqueza falten recursos para costear las autoridades, que son indispensables para hacer respetar esas riquezas? ¡Economía idiota, que teme la sed entre los raudales dulces del río del Paraná! ¿Y no recordáis que el comercio libre con la Inglaterra desde el tiempo del Gobierno colonial tuvo un origen rentístico o fiscal en el Río de la Plata; es decir, que se creó la libertad para tener rentas?

Si queréis que el comercio pueble nuestros desiertos, no matéis el tráfico con las aduanas interiores. Si una sola aduana está de más, ¿qué diremos de catorce aduanas? La aduana es la prohibición; es un impuesto que gravita sobre la civilización y el progreso de estos países, cuyos elementos vienen de fuera. Se debiera ensayar su supresión absoluta por veinte años, y acudir al empréstito para llenar el déficit. Eso sería gastar, en la libertad, que fecunda, un poco de lo que hemos gastado en la guerra, que esteriliza.

No temáis tampoco que la nacionalidad se comprometa por la acumulación de extranjeros, ni que desaparezca el ser nacional. Ese temor es estrecho y preocupado. Mucha sangre extranjera ha corrido en defensa de la independencia americana. Montevideo, defendido por extranjeros, ha merecido el nombre de *Nueva Troya*. Valparaíso, compuesto de extranjeros, es el lujo de la nacionalidad chilena. El pueblo inglés ha sido el pueblo más conquistado de cuantos existen; todas las naciones han pisado su suelo y mezclado a él su sangre y su raza. Es producto de un cruzamiento infinito de castas; y por eso justamente el inglés es el más perfecto de los hombres, y su nacionalidad tan pronunciada, que hace creer al vulgo que su raza es sin mezcla.

No temáis, pues, la confusión de razas y de lenguas. De la Babel, del caos, saldrá algún día, brillante y nítida, la nacionalidad sudamericana. El suelo prohija a los hombres, los arrastra, se los asimila y hace suyos. El emigrado es como el colono; deja la madre patria por la patria de su adopción. Hace dos mil años que se dijo esta palabra, que forma la divisa de este siglo: *Ubi bene, ibi patria*.

Y ante los reclamos europeos por inobservancia de los Tratados que firméis, no corráis a la espada ni gritéis: ¡*Conquista!* No va bien tanta susceptibilidad a pueblos nuevos, que para prosperar necesitan de todo el mundo. Cada edad tiene su honor peculiar. Comprendamos el que nos corresponde. Mirémonos mucho antes de desnudar la espada; no porque seamos débiles, sino porque nuestra inexperiencia y desorden normales nos dan la presunción de culpabilidad ante el mundo en nuestros conflictos externos; y, sobre todo, porque la paz nos vale el doble que la gloria.

La victoria nos dará laureles; pero el laurel es planta estéril para América. Vale más la espiga de la paz, que es de oro, no en la lengua del poeta, sino en la lengua del economista.

Ha pasado la época de los héroes; entramos hoy en la edad del buen sentido. El tipo de la grandeza americana no es Napoleón, es Washington; y Washington no representa triunfos militares, sino prosperidad, engrandecimiento, organización y paz. Es el héroe del orden en la libertad por excelencia.

Por solo sus triunfos guerreros, hoy estaría Washington sepultado en el olvido de su país y del mundo. La América española tiene generales infinitos que representan hechos de armas más brillantes y numerosos que los del general Washington. Su título a la inmortalidad reside en la Constitución admirable que ha hecho de su país el modelo del universo, y que Washington selló con su nombre. Rosas tuvo en su mano como hacer eso en la República Argentina, y su mayor crimen es haber malogrado esa oportunidad.

Reducir en dos horas una gran masa de hombres a su octava parte, por la acción del cañón: he ahí el heroísmo antiguo y pasado.

Por el contrario, multiplicar en pocos días una población pequeña, es el heroísmo del estadista moderno: la grandeza de creación, en lugar de la grandeza salvaje de exterminio.

El censo de la población es la regla de la capacidad de los ministros americanos.

Desde la mitad del siglo XVI, la América interior y mediterránea ha sido un sagrario impenetrable para la Europa no peninsular. Han llegado los tiempos de su franquicia absoluta y general. En trescientos años no ha ocurrido período más solemne para el mundo de Colón.

La Europa del momento no viene a tirar cañonazos a esclavos. Aspira sólo a quemar carbón de piedra en lo alto de los ríos, que hoy sólo corren para los peces. Abrid sus puertas de par en par a la entrada majestuosa del mundo, sin discutir si es por concesión o por derecho; y para prevenir cuestiones, abridlas antes de discutir. Cuando la campana del vapor haya resonado delante de la virginal y solitaria Asunción, la sombra de Suárez quedará atónita a la presencia de los nuevos misioneros, que visan empresas desconocidas a los Jesuitas del siglo XVIII. Las aves, poseedoras hoy de los encantados bosques, darán un vuelo de espanto; y el salvaje del Chaco, apoyado en el arco de su flecha, contemplará con tristeza el curso de la formidable máquina que le intima el abandono de aquellas márgenes. Resto infeliz de la criatura primitiva: decid adiós al dominio de vuestros pasados. La razón despliega hoy sus banderas sagradas en el país, que no protegerá ya con asilo inmerecido la bestialidad de la más noble de las razas.

Sobre las márgenes pintorescas del Bermejo, levantará algún día la gratitud nacional un monumento en que se lea: *Al Congreso de 1852, libertador de estas aguas, la posteridad reconocida.*

• •

4
Eugenio M. de Hostos
"La educación científica de la mujer"
[1873]

*Eugenio María de Hostos (1839-1903), puertorri-
queño, es epítome del letrado y uno de los gigantes intelectuales del siglo XIX: prócer de la educación, líder
de los movimientos por la independencia de Puerto
Rico y Cuba, escritor krausista y positivista de una
obra tan vasta que ocupa hoy veinte volúmenes. Si bien
pasó parte de su vida trabajando en diversos países de
América Latina, se formó en España: fue discípulo de
Julián Sanz del Río y amigo de Giner de los Ríos, di-
vulgadores de las enseñanzas de Krause. De esa escuela y del experimentalismo de Comte, Hostos derivó sus
propias teorías acerca de la educación como medio
para obtener el mejoramiento social.*

*Prácticamente nada fue ajeno a su curiosidad inte-
lectual: desde la novela* La peregrinación de Bayoán,
*escrita a los 24 años, no cesó de producir textos sobre
educación, economía, organización jurídica, programas
sociales, historia, cuentos, poesías, sociología, política,
geografía, cartas, diarios, relatos de viajes; fue también
uno de los mejores críticos de teatro del hemisferio.*

"La educación científica de la mujer" fue original-
mente leído como conferencia ante la Academia de Bellas Letras de Santiago de Chile. Este ensayo no es sólo
una buena muestra de su escritura y de sus ideas sobre
la salvación del ser humano a través de la educación,
sino, sobre todo es una pieza rara: su defensa de la
igualdad moral de la mujer —cuyo status social era si-
milar al del niño— no tiene precedentes en América
Latina.

LA EDUCACIÓN CIENTÍFICA
DE LA MUJER

Primera conferencia

Señores:

Al aceptar nuestra primera base, que siempre será gloria y honra del pensador eminente que os la propuso y nos preside, todos vosotros la habéis meditado; y la habéis abarcado, al meditarla, en todas sus fases, en todas sus consecuencias lógicas, en todas sus trascendencias de presente y porvenir. No caerá, por lo tanto, bajo el anatema del escándalo el tema que me propongo desarrollar ante vosotros: que cuando se ha atribuido al arte literario el fin de expresar la verdad filosófica; cuando se le atribuye como regla de composición y de críticas el deber de conformar las obras científicas a los hechos demostrados positivamente por la ciencia, y el deber de amoldar las obras sociológicas o meramente literarias al desarrollo de la naturaleza humana, se ha devuelto al arte de la palabra, escrita o hablada, el fin esencial a que corresponde; y el pensador que en esa reivindicación del arte literario ha sabido descubrir la rehabilitación de esferas enteras de pensamiento, con sólo esa rehabilitacion ha demostrado la profundidad de su indagación, la alteza de su designio, y al asociarse a vosotros y al asociaros a su idea generosa, algo más ha querido, quería algo más que matar el ocio impuesto: ha querido lo que vosotros queréis, lo que yo quiero; deducir de la primera base las abundantes consecuencias que contiene.

Entre esas consecuencias está íntegramente el tema que desenvolverá este discurso.

Esta Academia quiere un arte literario basado en la verdad, y fuera de la ciencia no hay verdad; quiere servir a la verdad por medio de la palabra, y fuera de la que conquista prosélitos para la ciencia, no hay palabra; quiere, tiene que querer difusión para las verdades demostradas, y fuera de la propaganda continua no hay difusión; quiere, tiene que querer eficacia para la propaganda, y fuera de la irradiación del sentimiento no hay eficacia de verdad científica en pueblos niños que no han llegado todavía al libre uso de razón. Como el calor reanima los organismos más caducos, porque se hace sentir en los conductos más secretos de la vida, el sentimiento despierta el amor de la verdad en los pueblos no habituados a pensarla, porque hay una electricidad moral y el sentimiento es el mejor conductor de esa electricidad. El sentimiento es facultad inestable, transitoria e inconstante en nuestro sexo; es facultad estable, permanente, constante, en la mujer. Si nuestro fin es servir por medio del arte literario a la verdad, y en el estado actual de la vida chilena el medio más adecuado a ese fin es el sentimiento, y el sentimiento es más activo y por lo tanto más persuasivo y eficaz en la mujer, por una encadenación de ideas, por una rigurosa deducción llegaréis, como he llegado yo, a uno de los fines contenidos en base primera: la educación científica de la mujer. Ella es sentimiento: educadla, y vuestra propaganda de verdad será eficaz; haced eficaz por medio de la mujer la propaganda redentora, y difundiréis por todas partes los principios eternos de la ciencia; difundid esos principios, y en cada labio tendréis palabras de verdad; dadme una generacion que hable la verdad, y yo os daré una generación que haga el bien; daos madres que lo enseñen científicamente a sus hijos, y ellas os darán una patria que obedezca virilmente a la razón, que realice concienzudamente la libertad, que resuelva despacio el problema capital del Nuevo Mundo, basando la civilización en la ciencia, en la moralidad y en el trabajo, no en la fuerza corruptora, no en la moral indiferente, no en el predominio exclusivo del bienestar individual.

Pero educar a la mujer para la ciencia es empresa tan ardua a los ojos de casi todos los hombres, que aquellos en quienes tiene luz más viva la razón y más sana energía la voluntad prefieren la tiniebla del error, prefieren la ociosidad de su energía, a la lucha que impone la tarea. Y no seréis vosotros los únicos, señores, que al llevar al silencio del hogar las congojas acerbas que en todo espíritu de hombre destila el espectáculo de la anarquía moral e intelectual de nuestro siglo, no seréis vosotros los únicos que os espantéis de concebir que allí, en el corazón afectuoso, en el cerebro ocioso, en el espíritu erial de la mujer, está probablemente el germen de la nueva vida social, del nuevo mundo moral que en vano reclamáis de los gobiernos, de las costumbres, de las leyes. No seréis los únicos que os espantéis de concebirlo. Educada exclusivamente como está por el corazón y para él, aislada sistemáticamente como vive en la esfera de la idealidad enfermiza, la mujer es una planta que vegeta, no una conciencia que conoce su existencia; es una mimosa sensitiva que lastima el contacto de los hechos que las brutalidades de la realidad marchita, no una entidad de razón y de conciencia que amparada por ellas en su vida, lucha para desarrollarlas, las desarrolla para vivirlas, las vive libremente, las realiza. Vegetación, no vida; desarrollo fatal, no desarrollo libre; instinto, no razón; haz de nervios irritables, no haz de facultades dirigibles; sístole-diástole fatal que dilata o contrae su existencia, no desenvolvimiento voluntario de su vida; eso han hecho de la mujer los errores que pesan sobre ella, las tradiciones sociales, intelectuales y morales que la abruman, y no es extraordinario que cuando concebimos en la rehabilitación total de la mujer la esperanza de un nuevo orden social, la esperanza de la armonía moral e intelectual, nos espantemos: entregar la dirección del porvenir a un ser a quien no hemos sabido todavía entregar la dirección de su propia vida, es un peligro pavoroso.

Y sin embargo, es necesario arrostrarlo, porque es necesario vencerlo. Ese peligro es obra nuestra, es creación nuestra; es obra de nuestros errores, es creación de nuestras debilidades; y nosotros los hombres, los que monopolizamos la fuerza de que casi nunca sabemos hacer justo empleo; los que monopolizamos el poder social, que casi siempre manejamos con mano femenina; los que hacemos las leyes para nosotros, para el sexo masculino, para el sexo fuerte, a nuestro gusto, prescindiendo temerariamente de la mitad del género humano, nosotros somos responsables de los males que causan nuestra continua infracción de las leyes eternas de la naturaleza. Ley eterna de la naturaleza es la igualdad moral del hombre y de la mujer, porque la mujer, como el hombre, es obrero de la vida; porque para desempeñar ese augusto ministerio, ella como él está dotada de las facultades creadoras que completan la formación física del hombre-bestia por la formación moral del hombre dios. Nosotros violamos esa ley, cuando reduciendo el ministerio de la mujer a la simple cooperación de la formación física del animal, le arrebatamos el derecho de cooperar a la formación psíquica del ángel. Para acatar las leyes de la naturaleza, no basta que las nuestras reconozcan la personalidad de la mujer, es necesario que instituyan esa personalidad, y sólo hay personalidad en donde hay responsabilidad y en donde la responsabilidad es efectiva. Más lógicos en nuestras costumbres que solemos serlo en las especulaciones de nuestro entendimiento, aún no nos hemos atrevido a declarar responsable del desorden moral e intelectual a la mujer, porque aun sabiendo que en ese desorden tiene ella una parte de la culpa, nos avergonzamos de hacerla responsable. ¿Por magnanimidad, por fortaleza? No; por estricta equidad, porque si la mujer es cómplice de nuestras faltas y copartícipe de nuestros males, lo es por ignorancia, por impotencia moral; porque la abandonamos cobardemente en las contiendas intelectuales que nosotros sostenemos con el error, porque la abandonamos impíamente a las congojas del cataclismo moral que atenebra la conciencia de este siglo. Reconstituyamos la personalidad de la mujer, instituyamos su responsabilidad ante sí misma, ante el hogar, ante la sociedad; y para hacerlo, restablezcamos la ley de la naturaleza, acatemos la igualdad moral de los dos sexos, devolvamos a la mujer el derecho de vivir racionalmente; hagámosle conocer este derecho, instruyámosla en todos sus deberes, eduquemos su conciencia para que ella sepa educar su corazón. Educada en su conciencia, será una personalidad responsable: educada en su corazón, responderá de su vida con las amables virtudes que hacen del vivir una satisfacción moral y corporal tanto como una resignación intelectual. ¿Cómo?

Ya lo sabéis: obedeciendo a la naturaleza. Más justa con el hombre que lo es él consigo mismo, la naturaleza previó que el ser a quien dotaba de la conciencia de su destino, no hubiera podido resignarse a tener por compañera a un simple mamífero; y al dar al hombre un colaborador de la vida en la mujer, dotó a ésta de las mismas facultades de razón y la hizo colaborador de su destino. Para que el hombre fuera hombre, es decir, digno de realizar los fines de su vida, la naturaleza le dió conciencia de ella, capacidad de conocer su origen, sus elementos favorables y contrarios, su trascendencia y relaciones, su deber y su derecho, su libertad y su responsabilidad; capacidad de sentir y de amar lo que sintiera; capacidad de querer y realizar lo que quisiera; capacidad de perfeccionarse y de mejorar por sí mismo las condiciones de su ser y por sí mismo elevar el ideal de su existencia. Idealistas o sensualistas, materialistas o positivistas, describan las facultades del espíritu según orden de ideas innatas o preestablecidas, según desarrollo del alma por el desarrollo de los sentidos, ya como meras modificaciones de la materia, ya como categorías, todos los filósofos y todos los psicólogos se han visto forzados a reconocer tres órdenes de facultades que conjuntamente constituyen la conciencia del ser humano, y que funcionando aisladamente constituyen su facultad de conocer, su facultad de sentir, su facultad de querer. Si estas facultades están con diversa intensidad repartidas en el hombre y la mujer, es un problema; pero que están total y parcialmente determinando la vida moral de uno y otro sexo, es un axioma: que los positivistas refieran al instinto la mayor parte de los medios atribuidos por los idealistas a la facultad de sentir; que Spinoza y la escuela escocesa señalen en los sentidos la mejor de las aptitudes que los racionalistas declaran privativas de la razón; que Krause hiciera de la conciencia una como facultad de facultades; que Kant resumiera en la razón pura todas las facultades del conocimiento y en la razón práctica todas las determinaciones del juicio, importa poco, en tanto que no se haya demostrado que el conocer, el sentir y el querer se ejercen de un modo absolutamente diverso en cada sexo. No se demostrará jamás, y siempre será base de la educación científica de la mujer la igualdad moral del ser humano. Se debe educar a la mujer para que sea ser humano, para que cultive y desarrolle sus facultades, para que practique su razón, para que viva su conciencia, no para que funcione en la vida social con las funciones privativas de mujer. Cuanto más ser humano se conozca y se sienta, más mujer querrá ser y sabrá ser.

Si se me permitiera distribuir en dos grupos las facultades y las actividades de nuestro ser, llamaría *conciencia* a las primeras, *corazón* a las segundas, para expresar las dos grandes fases de la educación de la mujer y para hacer comprender que si la razón, el sentimiento y la voluntad pueden y deben educarse en cuanto facultades, sólo pueden dirigirse en cuanto actividades: educación es también dirección, pero es externa, indirecta, mediata, extrapersonal; la dirección es esencialmente directa, inmediata, interna, personal. Como ser humano consciente, la mujer es educable; como corazón, sólo ella misma puede dirigirse. Que dirigirá mejor su corazón cuando esté más educada su conciencia, que sus actividades serán más saludables cuanto mejor desenvueltas estén sus facultades, es tan evidente y es tan obvio, que por eso es necesario, indispensable, obligatorio, educar científicamente a la mujer.

Ciencia es el conjunto de verdades demostradas o de hipótesis demostrables, ya se refieran al mundo exterior o al interior, al yo o al no-yo como dice la antigua metafísica; comprende, por lo tanto, todos los objetos de conocimiento positivo e hipotético, desde la materia en sus varios elementos, formas, transformaciones, fines, necesidades y relaciones, hasta el espíritu en sus múltiples aptitudes, derechos, deberes, leyes, finalidad y progresiones; desde el ser hasta el no-ser; desde el conocimiento de las evoluciones de los astros hasta el conocimiento de las revoluciones del planeta; desde las leyes que rigen el universo físico hasta las que rigen el mundo moral; desde las verdades axiomáticas en que está basada la ciencia de lo bello, hasta los principios fundamentales de la moral; desde el conjunto de hipótesis que se refieren al origen, transmigración, civilización y decadencia de las razas, hasta el conjunto de hechos que constituyen la sociología.

Esta abrumadora diversidad de conocimientos, cada uno de los cuales puede absorber vidas enteras y en cada uno de los cuales establecen diferencias, divisiones y separaciones sucesivas el método, el rigor lógico y la especialización de hechos, de observaciones y de experimentaciones que antes no se habían comprobado, esta diversidad de conocimientos está virtualmente reducida a la unidad de la verdad, y se puede, por una sencilla generalización, abarcar en una simple serie. Todo lo cognoscible se refiere necesaria y absolutamente a algunos de nuestros medios de conocer. Conocemos por medio de nuestras facultades, y nuestras facultades están de tan íntimo modo ligadas entre sí, que lo que es conocer para las unas es sentir para las otras y querer para las restantes; y a veces la voluntad es sentimiento y conocimiento, y frecuentemente el sentimiento suple o completa e ilumina a la facultad que conoce y a la que realiza. Distribuyendo, pues, toda la ciencia conocida en tantas categorías cuantas facultades tenemos para conocer la verdad, para amarla y para ejercitarla, la abarcaremos en su unidad trascendental, y sin necesidad de conocerla en su abundante variedad, adquiriremos todos sus fundamentos, en los cuales, hombre o mujer, podemos todos conocer las leyes generales del universo, los caracteres propios de la materia y del espíritu, los fundamentos de la sociabilidad, los principios necesarios de derecho, los motivos, determinaciones y elementos de lo bello, la esencia y la necesidad de lo bueno y de lo justo.

Todo eso puede saberlo la mujer, porque para todos esos conocimientos tiene facultades; todo eso debe saberlo, porque sabiendo todo eso se emancipará de la tutela del error y de la esclavitud en que la misma ociosidad de sus facultades intelectuales y morales la retienen. Se ama lo que se conoce bello, bueno, verdadero; el universo, el mundo, el hombre, la sociedad, la ciencia, el arte, la moral, todo es bello, bueno y verdadero en sí mismo; conociéndolo todo en su esencia, ¿no sería todo más amado? Y habiendo necesariamente en la educación científica de la mujer un desenvolvimiento correlativo de su facultad de amar, ¿no amaría más conociendo cuanto hoy ama sin conocer? Amando más y con mejor amor, ¿no sería más eficaz su misión en la sociedad? Educada por ella, conocedora y creadora ya de las leyes inmutables del universo, del planeta, del espíritu, de las sociedades, libre ya de las supersticiones, de los errores, de los terrores en que continuamente zozobran su sentimiento, su razón y su voluntad, ¿no sabría ser la primera y la última educadora de sus hijos, la primera para dirigir sus facultades, la última para moderar sus actividades, presentándoles siempre lo bello, lo bueno, lo verdadero como meta? La mujer es siempre madre; de sus hijos, porque les ha revelado la existencia; de su amado porque le ha revelado la felicidad; de su esposo, porque le ha revelado la armonía. Madre, amante, esposa, toda mujer es una influencia. Armad de conocimientos científicos esa influencia, y soñad la existencia, la felicidad y la armonía inefable de que gozaría el hombre en el planeta, si la dadora, si la embellecedora, si la compañera de la vida fuera, como madre, nuestro guía científico; como amada, la amante reflexiva de nuestras ideas, y de nuestros designios virtuosos; como esposa, la compañera de nuestro cuerpo, de nuestra razón, de nuestro sentimiento, de nuestra voluntad y nuestra conciencia. Sería hombre completo. Hoy no lo es.

El hombre que educa a una mujer, ése vivirá en la plenitud de su ser, y hay en el mundo algunos hombres que saben vivir su vida entera; pero ellos no son el mundo, y el infinito número de crímenes, de atrocidades, de infracciones de toda ley que en toda hora se cometen en todos los ámbitos del mundo, están clamando contra las pasiones bestiales que la ignorancia de la mujer alienta en todas partes, contra los intereses infernales que una mujer educada moderaría en el corazón de cada hijo, de cada esposo, de cada padre.

Esta mujer americana, que tantas virtudes espontáneas atesora, que tan nobles ensueños acaricia, que tan alta razón despliega en el consejo de familia y tan enérgica voluntad pone al infortunio, que tan asombrosa perspicacia manifiesta y con tan poderosa intuición se asimila los conocimientos que el aumento de civilización diluye en la atmósfera intelectual de nuestro siglo; esta mujer americana, tan rebelde por tan digna, como dócil y educable por tan buena, es digna de la iniciación científica que está destinada a devolverle la integridad de su ser, la libertad de su conciencia, la responsabilidad de su existencia. En ella más que en nadie es perceptible en la América latina la trascendencia del cambio que se opera en el espíritu de la humanidad, y si ella no sabe de dónde viene la ansiosa vaguedad de sus deseos, a dónde van las tristezas morales que la abaten, dónde está el ideal en que quisiera revivir su corazón, antes marchito que formado, ella sabe que está pronta para bendecir el nuevo mundo moral en donde, convertida la verdad en realidad, convertida en verdad la idea de lo bello; convertida en amable belleza la virtud, las tres Gracias del mito simbólico descienden a la tierra y enlazadas estrechamente de la mano como estrechamente se enlazan la facultad de conocer lo verdadero, la facultad de querer lo justo, la facultad de amar lo bello, ciencia, conciencia y caridad se den la mano.

He dicho.*

* Como complemento de este bello discurso, el señor Hostos presentó la siguiente proposición:

"Deseando hacer efectiva en una de sus deducciones más importantes la base primera de la Academia, propongo:

1º Que se establezca una serie de conferencias para la educación científica de la mujer;

2º Que se adopte para el orden de esas conferencias la clasificación del método positivista, según el cual precede a todo otro conocimiento el de las leyes generales del universo;

3º Que se adopte como método de composición el orden en que se desarrollan las facultades morales e intelectuales, para persuadir primero el sentimiento y convencer después la razón de la mujer."

(De la revista Sud-Americana de junio de 1873.)

5
Juan Montalvo
Siete tratados
"Réplica a un sofista seudocatólico"
[1882]
(Fragmento)

El ecuatoriano Juan Montalvo (1832-1875), uno de los grandes polemistas del siglo, encarnó uno de los dramas más frecuentes en la América del siglo XIX: la lucha contra las dictaduras, por un lado, y el enfrentamiento político, económico y cultural de la ciudad y la sierra. Humanista y liberal, fue acaso más leído en su siglo que en la actualidad debido a lo intrincado de su escritura, complicada con vocablos arcaicos e incesantes citas cultas. No obstante, sus Siete tratados (1882) y sus Catilinarias (1889) —además de la actualización moral de Capítulos que se le olvidaron a Cervantes (1895)—, donde imita el estilo del autor de El Quijote, son una referencia básica para entender al siglo XIX como el campo de batalla que fue. Periodista, Montalvo escribió sin parar en la revista El Cosmopolita (1866-1876) atacando al gobierno de Gabriel García Moreno; luego en El Regenerador y en el libro Catilinarias la emprendió contra la dictadura de Ignacio Ventimilla.

La escritura de Montalvo es interesante también

porque estéticamente tomó un rumbo distinto al que "triunfó" en la literatura latinoamericana. A pesar de que —por opositor— debió asumirse como liberal, apostó a los clásicos y a la antigüedad, en un gesto que quería incluir a América Latina dentro de la historia occidental, acaso asegurarse posteridad y formular un sistema cultural que, en la práctica continental, demostró funcionar sólo para las minorías letradas. La vuelta al pasado fue más que un logro, un defecto: los escritores que lo admiraron, como José Enrique Rodó y Miguel de Unamuno, lo hicieron no por su casticismo colonial y pomposidad, sino porque en los ensayos de Montalvo, contradictoriamente con su escondido conservadorismo, lograba siempre sobrevivir la pasión por la libertad.

SIETE TRATADOS

Réplica a un sofista seudocatólico

• •

No queréis ir a Grecia ni a Roma, no sea que no halléis virtudes: busquémoslas; si las hallamos, ¿qué perdéis? No soy la sibila de Cuma que va guiando por el Averno al pío Eneas; no la sombra de Virgilio que conduce a Dante Allighieri por los Campos Elíseos; pero no soy ciego: yo veo con la sinceridad; vosotros no veis: seguidme por medio de las ruinas de Grecia y Roma. ¿Cuál es la primera de las virtudes? La primera es una ley natural grabada profundamente en el corazón del hombre, el afecto religioso, amor y temor de la Divinidad ora la llamemos dioses, ora Dios. Veamos si los griegos la amaban y la temían. Alcibíades, ídolo del pueblo por su valor y su hermosura, sale una noche de una orgía, y entre la razón y el delirio, tambaleando por las calles de Atenas, va y mutila los Hermes sacrosantos o estatuas de los dioses tutelares. Huye al otro día el réprobo: los atenienses, exaltados, enfurecidos, le han condenado por unanimidad. Con los hombres, dijeron, sea insolente cuanto quiera el bello libertino; sus desacatos con la Divinidad, los ha de pagar con vida. Esto en Grecia: veamos lo que pasa en Roma.

Los galos han entrado a la ciudad por fuerza de armas; Camilo Furio, en el destierro: el Senado, degollado en el recinto de las leyes. Los restos de la patria se han acogido al Capitolio, donde los está salvando la aspereza del sitio y la providencia de los penates. El enemigo tiene cercada la ciudadela: nadie sale que no pague con muerte irremisible su atrevimiento. Cayo Fabio Dorso se levanta un día, reviste los hábitos sacerdotales, toma las insignias de Roma, y con paso firme echa a andar hacia el monte Quirinal, donde su familia tenía fundado un sacrificio. Los galos, en mudo asombro, se abren y le dejan paso libre. Consumado el sacrificio, el joven sacerdote, sereno, grave, siempre con sus insignias, vuelve, cruza el campo enemigo y entra ileso al Capitolio. He aquí el amor de la vida pospuesto a la pasión religiosa: los mártires del cristianismo no hubieran dejado ver mayor firmeza. En cuanto al atrevimiento, esa es la virtud heroica.

Para el amor a la patria, ved al joven Curcio cómo viene por allí caballero en un bridón fogoso, ataviado con sus más ricos vestidos, haciendo escarceos y regates de triunfador. Toma distancia, vuelve el caballo, le aprieta el acicate y, brillando al sol sus armas, se tira de cabeza en el abismo abierto al pie del templo de la Paz. El oráculo había dicho que si no se echaba en esa sima lo más precioso que contenía Roma, grandes serían las desgracias de la patria. Curcio tuvo para sí que un gran corazón como el suyo era lo más precioso, fue, y se echó por ella en el abismo.

Grecia no le va en zaga a Roma en punto de amor patrio. Por consejo de Temístocles, los atenienses han resuelto abandonar la ciudad a los persas vencedores, y refugiarse con su libertad y sus dioses en la sagrada Salamina. Un hombre llamado Circilo, buen orador, se levanta y dice en alta voz: "Atenienses, ¿queréis saber lo que os conviene y cumple? Echad fuera a ese parlanchín que os arrastra a la ruina, y quedaos en Atenas: con un pueblo sumiso, el vencedor será magnánimo". Los atenienses, furiosos, le lapidan, y se van con su caudillo huyendo de la servidumbre. Atenas está, dijeron, donde están los libres atenienses.

Los trescientos Fabios degollados a orillas del Cremera, los tres Decios sacrificados a la patria, todo es patriotismo; patriotismo hervido en el crisol, tan refinado y puro, que pasa por sobre nosotros como una llama invisible, sin cortarnos el alma ni inflamarnos el cerebro. Vamos a ver, patriotas que habéis sindicado a Roma de falta de amor patrio, echaos en el lago fatídico, cual otros Curcios; o embestid con los sámnites, santa familia de trescientas personas, y morid sin sobrar uno; o dad a pecho descubierto sobre el ejército enemigo, semejantes a los Decios. ¿Sabéis lo que habéis dicho, menguados? El patriotismo es la virtud de Roma: el amor a la patria la vuelve dueña del mundo. Las grandes acciones de nuestros tiempos no hacen sino remover para la memoria los tesoros de hazañas que están guardados en la antigüedad. La respuesta de Palafox a los franceses: ¡Guerra hasta la navaja!; el acto de tragarse uno de éstos los papeles que pudieran dar luz al enemigo; el fuego metido al polvorín por Antonio Ricaurte, son hechos hazañosos verdaderamente; mas por ahí nos vamos agua arriba a dar en Mucio, en Horacio Cocles y otros brillantes personajes de la historia romana. Si ella y la de Grecia fueran estudio obligatorio para los jóvenes del día; si por ley debieran saberlas de memoria, ¡cuántos héroes, cuántos mártires no engrandecieran nuestros siglos! *Los Paralelos de los varones ilustres* de Plutarco han sido escuela de grandes hombres.

Los atenienses, en medio de un carácter frívolo, no anteponían lo útil a lo honesto: sabido es el informe que dio Arístides acerca del proyecto de Temístocles, que era meter fuego a la escuadra lacedemonia fondeada en el Pireo: "Atenienses, dijo el hombre justo, no puede darse concepción más provechosa para nosotros que la de Temístocles; pero tampoco hay cosa más inicua. Os aconsejo la desechéis". Los atenienses sin preguntar cuál fuese el plan del arconte, lo desecharon. La destrucción de Copenhagua por los ingleses, el incendio de los alcázares de Pekín por los franceses, el bombardeo de Valparaíso por los españoles, no han sido aconsejados por Arístides. En cuanto a los romanos, buena fe era divinidad que comprendía todos los dioses. Numa fundó un sacrificio solemne en honor de ella: el sacerdote que debía celebrarlo iba en un carro cubierto, la mano derecha oculta en un crespón. La buena fe es ciega: no ve sino lo justo: para lo conveniente, si hay algo que convenga fuera de la justicia, no tiene ojos. Posible es que en el día un soldado de honor y pundonor rechazara la proposición que le hicieran de envenenar al general enemigo; mas es también probable que no le enviara al delincuente con cadenas hacia el dicho general, denunciando la infame propuesta. Cayo Fabricio, pálido de cólera, hace maniatar al médico de Pirro, y se le envía al príncipe conquistador. Si alguna vez quebrantaron su palabra los romanos, fue conjurando la ira de los dioses con una víctima expiatoria: el convenio hecho con el cónsul que pasó por las horcas caudinas no fue admitido por el Senado; y quien más habló contra él para que se lo rechazase, fue el propio cónsul que lo había celebrado, tomando sobre sí la pena de ese concierto infamante. Lo mismo sucedió con el que hizo un tratado indecoroso con Numancia: improbólo el Senado, y el cónsul, a petición suya, fue puesto desnudo, atado de pies y manos, bajo la muralla de la ciudad ofendida. Cuando había prometido una cosa, Roma hubiera muerto primero que faltar a su palabra; y cuando a pesar de ella se había cometido una injusticia, en la primera oportunidad la enderezaba con un acto solemne de reparación; y la majestad de la República quedaba en su punto. Ardea y Aricia tienen pleito sobre límites, y por bien de paz se quedan a la decisión del pueblo romano. Este pueblo, por consejo de un viejo inicuo, determina quitarlos de ruidos a los contendientes, adjudicándose a sí propio la parte disputada; y de hecho se la adjudica. El Senado, hirviendo de ira, esperó su vez en silencio: tan pronto como le fue posible dar la ley a la turba del Foro, devolvió a sus dueños el territorio contencioso, sin ahorrar satisfacciones. Este es un gran pueblo.

Acciones de lealtad, aun hoy las vemos: Turena tenía entrevistas en su campo con su enemigo el gran Condé: sabiéndolo después la reina doña Ana de Austria, reconvino a su capitán diciendo: "¿Por qué no le tomabais al príncipe cuando venía a vuestro campo? — Porque temía que él me tomara a mí, señora", respondió el valiente. Más dudo que si un general diese hoy la libertad a cierto número de prisioneros, con la condición de que si el enemigo no aceptaba tales y cuales proposiciones, se habían de volver a su prisión, se volviesen sin faltar uno. Los doscientos prisioneros que Pirro mandó libres a Roma condicionalmente, se volvieron y se entregaron presos: el Senado no había aceptado la paz. Los diez prisioneros enviados por Aníbal faltaron a su palabra: el Senado los declaró infames e inhábiles para los cargos públicos. He aquí la buena fe y la lealtad de un pueblo sabio. Entre nosotros es muy común poner en peligro a un oficial generoso que se fía en la palabra de un preso y le da permiso de salir secretamente a tomar aire y cobrar vida con una ráfaga de libertad: el preso infame no vuelve: esto no hubiera sucedido en Roma. Esas grandes virtudes no resplandecían en público, sino porque en el hogar tenían actores: un pueblo bajo y corrompido en las relaciones privadas de la vida, no será austero y sublime en la razón de estado: los dioses pequeñuelos de la casa, al salir a la calle crecen y se convierten en Apolo y Minerva, divinidades superiores. Los romanos fueron grandes en la política, porque fueron sabios en las acciones comunes de la vida: un hombre de buena fe para con los pueblos, de buena fe ha de ser para con las personas: así Quinto Escévola, estimando inferior al justo el precio de una heredad que trataba de adquirir, de golpe añadió cien mil sestercios. "La finca que me han vendido, eso vale", dijo. Si se contentara el noble romano con dar lo que por ella le habían pedido, no hubiera faltado a la ley, pero sí a la conciencia. Teniendo por cierto que había lesión enorme, esos cien mil sestercios eran para él un robo oculto; y aun cuando del modo que el contrato había sido celebrado no cabía reclamo en ningún tiempo, no quiso ser para menos a sus propios ojos, y tuvo por mejor subir escandalosamente el precio, que poseer una cosa buena y barata contra los avisos de la equidad. Estas sí que no son acciones de nuestro tiempo: sino el fraude, la mezquindad y el abuso dan la ley en nuestras compras y ventas. A buen seguro que le tuviéramos por mentecato al que fuera a dar por una cosa diez mil pesos más de lo que le había pedido el vendedor; y por lo menos sería tonto de capirote el que anduviese con escrúpulos de coger por veinte un caballo de a doscientos, en habiendo quien se le entregase. Quinto Escévola no es, sin duda, autoridad en la mohatra; pero si hasta ahora no hemos tenido ocasión de honrar la memoria de ese hombre de bien con imitarle, nosotros, pobrecitos segundones del siglo décimonono, podemos vanagloriarnos de haber dado veinte florines al mayordomo que nos pedía cuatro para un hospicio de ciegos en una ciudad del Rhin…, y un duro por una flor a una muchacha sin vista que las vendía cantando endechas a la Virgen. Un viejo de esos que tienen por indigno del hombre pedir limosna mientras les puede sudar la frente, vendía peines hechos de su mano en una esquina de la calle. "—¿Qué es eso? —La vuelta, señor. —¿No tenéis hijos, buen hombre? —Tengo una, y tres netezuelos a quienes mantengo con mi trabajo. —Quedaos con la vuelta, y agregad esta miseria más para el pan de esos niños". Mirónos el viejo con semblante sorprendido, y dijo cuando nos alejábamos: "A Dios vayáis, noble extranjero".

• •

Si alguna de las virtudes romanas se ha perdido casi por completo, es el desinterés: ejemplos hay, y grandes, pero tan raros en nuestra edad, que bien son una maravilla para los que los contemplaban. El desinterés rayaba en lo sublime entre los romanos: el sueldo mismo, el ruin sueldo que hoy prostituye e infama a tanta gente, era desconocido en la grande época de Roma: jamás sus prohombres sirvieron a la patria por estipendio, ni tuvieron la mira puesta en las riquezas. Tiberio Graco, a quien el Senado confió una embajada solemne, no tenía sino cinco dineros por día para lo estricto necesario; y lo necesario en esos hombres era tan poco, que podían vivir a costa de nada. Hoy los embajadores de las grandes potencias tienen cincuenta mil duros de renta anual: item, gastos de escritorio: item más, palacio donde se aposentan como príncipes. ¡Y digo si esos claros varones harían gracia a su patria del quinto de su renta, si se viera por ello en riesgo de perderse! Pues nosotros, pobretes republicanos del Nuevo Mundo, ¿no tenemos entendido que darle menos de doce mil fuertes a un ministro plenipotenciario en Europa, sería traer a menos la Nación, y exponerle al hambre y la vergüenza a ese oficial público? A otros tiempos otras costumbres: hoy la necesidad y el decoro exigen esas erogaciones, y no hemos de ir a usurparle sus glorias a la antigüedad, tomándole virtudes que no son para nosotros. Queda sentado, no obstante, que los romanos antiguos las practicaron a lo grande, como la buena fe de Fabricio y el desinterés de Curio. Los senadores, cuando se veían en el artículo de imponer una contribución ellos eran los primeros que se la imponían, y siempre por mayor suma que los demás: el pueblo muchas veces fue excluido de esas derramas generales, donde los ricos daban mucho, los pobres poco. El pueblo, dijo un orador, harto contribuye con alimentar a sus hijos. Y no ahora, que los parlamentarios se han eximido en algunas partes, o han intentado eximirse, hasta de pagar sus deudas, merced a la inmunidad, como los lores de la Gran Bretaña. Y estamos viendo cada día en nuestras repúblicas democráticas defraudar al fisco hasta los tenientes parroquiales y los gendarmes, con arrogarse el privilegio *de oficio* sobre las rentas del correo. Cabalmente los que tienen sueldo, ¿no han de contribuir con maldita de Dios la cosa para los gastos comunes? Un tiranuelo a quien la ignorancia puede servir de disculpa, no contento con redoblar sus anualidades, ha hecho poner con sus eunucos salario aparte a su cocinero, sus criados, sus caballos: y no es encarecimiento ni puro modo de decir, sino la verdad neta. Colocadnos a este varón ínclito enfrente de esos de la antigüedad, y decidnos si más ejemplos de pundonor y grandeza nos ofrecen nuestros tiempos que los que llamáis abismos? "No ha habido pueblo en la tierra en donde la frugalidad, la economía, la pobreza hayan sido más ni por más tiempo honradas que en Roma". ¿Habéis, sin duda, vosotros los enemigos de Roma, hallado la manera de darle la desmentida al gran Bossuet, cuando decís que el amor por la historia antigua es perdición de los cristianos? Seaos remitida la culpa en gracia de vuestras cortas luces; pero si la malicia tiene su parte en sandeces tan mayores de marca, venid aquí, correveidiles del demonio, y sabed que la *obediencia cadavérica* no halla cabida en pechos donde amor de

110

Dios y del género humano están hirviendo encendidos por la inteligencia que desciende sobre ellos y los crece, y los vuelve gigantes. Fabricio, Curio, Emilio Papo, vencedores de los pueblos más ricos de Italia, desdeñaron sus presentes, y no tuvieron en sus casas sino vajilla de barro. Rufino, varón consular, fue expelido ignominiosamente del Senado por el Censor, porque la tenía de plata y oro. Suplamos, pues, la admiración con la difamación, y a falta de conocimiento de ese gran pueblo, maravillémonos de los nuestros, porque somos católicos, decís, aun cuando nuestra moral sea ruin, y nuestra corrupción nos pervierta el juicio, en términos que no alcanzamos a distinguir lo bueno de lo malo, lo grande de lo pequeño. Pueblo donde los hechos magnos y las virtudes humildes, tenían coronas y la corona de menos valor intrínseco era la más estimada, es, ciertamente, ejemplo muy ocasionado para los jóvenes cuyos estudios son cadenas que atan su alma a la voluntad destructora de esos maestros tenebrosos que enseñan el anonadamiento del espíritu, y tiran sus líneas al centro de la gobernación del mundo por medio de la servidumbre y la ignorancia...

Justicia, amor patrio, abnegación, buena fe, desinterés, ya los hemos visto; ahora veamos otra cosa entre las ruinas de la antigua Roma. "¿Ni qué iríamos a buscar en la Roma antigua? ¿Sería la libertad?", habéis dicho. Sí, en la Roma antigua iremos a buscar la libertad, que por desgracia no conocemos en la mayor parte de las naciones modernas. Hablamos de la libertad política, esa libertad que siembran y cosechan en el monte Aventino los orellanos del Tíber. No echéis en olvido que nunca me refiero sino a la Roma antigua: llegan los emperadores, cesa mi admiración por Roma. Bien se me acuerda que los Marios y los Silas, los Pompeyos y los Césares no fueron emperadores; más éstos no pertenecen ya a la Roma antigua. La Roma de los Curcios, la Roma de los Decios, la Roma de los Escipiones, la Roma de las Lucrecias, la Roma de las Cornelias, la Roma de las Veturias y Bolumnias, esa es la antigua Roma. En ella iremos a buscar la abnegación, echándonos con los Decios en medio de los enemigos por salvar la patria; en ella iremos a buscar la honradez inapelable, negándonos con Escipión a dar cuentas a los hombres primero que gracias a los dioses; en ella a buscar la pobreza evangélica, despreciando las riquezas con Fabricio; en ella a buscar la buena fe, volviéndonos con Régulo a Cartago.

La ley Porcia era fianza de la inviolabilidad del ciudadano: la ley Valeria prohibía el castigo de ninguno que apelase al pueblo. Que en las naciones civilizadas y cultas de Europa, donde lo que llaman *garantías individuales* es realmente salvaguardia de los ciudadanos, motejasen de sierva a la Roma antigua, podría uno llevar en paciencia; pero que en nuestras pretensas repúblicas, donde las leyes están allí, y los dictadores encima; donde las garantías individuales no se hallan suspensas legalmente, y los mejores patriotas agonizan en los calabozos, cargados de cadenas que la Constitucion prohíbe; donde el derecho es uno, y la voluntad ciega del que tiene las armas en la mano, otra; donde la propiedad no existe con carácter de segura ni perpetua, pues no hay revolucionario triunfante que no la hiera con mil confiscaciones nefandas o con penas que dicen la ruina de las familias; donde el soldado es dueño del caballo, el burro que encuentra en el camino, y el indio o el *chagra* pagan, con la vida quizá, su imprudente reclamo donde el sagrado del hogar doméstico sufre profanaciones brutales cada día; donde colegios y escuelas son cuarteles de los enemigos públicos que se andan de aquí para allí con nombre de tropas; donde los patriotas eminentes caen bajo el puñal que el "jefe supremo" pone en manos del asesino; en pueblos y Gobiernos como éstos, digo, ¿cuál es el ignorante o el malvado que viene a celebrarlos, procurando infundir desconfianza o aborrecimiento por instituciones y naciones libres y grandes verdaderamente? Nunca en Roma el Gobierno ni sus oficiales usaron de fuerza contra los ciudadanos: cuando cónsules o tribunos querían excluir de los comicios a algunos turbulentos, tenían esta fórmula comedida: *Si vobis videtur, discedite, Quirites*: Romanos, retiraos, si gustáis. Esto no es salir los cholos de gorra con sus fusiles, y moler a culatazos a los electores en las mesas electorales; ni los negros de lanza por las calles aterrando y dispersando al pueblo, cuando se trata del ejercicio de sus derechos. Yo le preguntaría a un elector de cabeza rompida, si cuando le asentaron el garrotazo en la calva, oyó que decían: *Si vobis videtur, discedite, Quirites?* Lo que oyó fue otra cosa; y lo que sintió, la sangre que a chorros le estaba corriendo por tras la oreja.

Pueblo en donde la libertad es efecto de las leyes, y las leyes son sagradas por fuerza es pueblo libre. "El pueblo más celoso de su libertad que nunca ha visto el universo, fue al mismo tiempo el más respetuoso del poder legítimo, y el más sumiso a los magistrados". Cuando el obispo de Meaux hacía esta declaración en el *Discurso acerca de la historia universal,* no pensaba que un católico semibárbaro le había de dar un grosero mentís. Triste cosa sería el catolicismo, si para que prevaleciese fuese necesario dar en tierra con todo lo bueno y lo santo que ha tenido el mundo, declarando impío el uso de la inteligencia, y pecado la investigación de la verdad en los dominios de la historia y la filosofía de las épocas más brillantes del género humano. La libertad de Roma era efecto de sus leyes: libertad es gran justicia natural; y las leyes romanas fueron obra de inspiración divina. Así como Dios ha hablado sobrenaturalmente por medio de los profetas, así ha hablado naturalmente por medio de los legisladores romanos, dice un gran Doctor de la Iglesia. Adrede echo mano por esta clase de autoridades, a fin de confundiros con ellas y haceros ver que si hay algún impío y desviado, no soy yo, sino vosotros que vais contra la corriente de verdades inconcusas para teólogos y santos. Con vosotros sucede lo que con esa señora cuyo epitafio cita el obispo de Salisbury en sus viajes: "Propasándose en lo piadoso, dio en impía". Así vosotros, por darlas de sabios excesivamente, dejáis ver vuestra ignorancia; por cobrar fama de "católicos puros", manifestáis amor nefando a la servidumbre: por daros de piadosos, caéis en impiedad, como la otra, y sois impíos. Hutchinson se enfurecía contra Newton, y le llamaba impostor mal intencionado, por haber querido dar al través con el sistema del universo del Pentateuco, y proclamaba el Pentateuco el único necesario para la felicidad del género humano. La ley de la gravitación universal; el ordenamiento de los astros y sus cadenciosas rotaciones por sus órbitas; el giro perpetuo de la tierra alrededor del sol, eran imposturas e iniquidades para ese visionario judaico: no de otro modo nuestros rabinos católicos viven empeñados en circunscribir la humana sabiduría al círculo del Índice y los encíclicos, teniendo por inútil y aun dañoso, el conocimiento de las cosas que, bien averiguada son la ciencia verdadera.

Queréis "la libertad de pensar, hablar, trabajar, aprender y enseñar", vosotros los enemigos de la libertad del pensamiento, la palabra, el trabajo, el aprendizaje y la enseñanza. ¿Cómo sucede que venís a querer lo que no queréis de ninguna manera? Si estamos en perpetua contradicción, y en nuestro estilo agonístico dejamos ver que seguimos rumbos encontrados, es cabalmente a causa de la guerra impía que lleváis adelante contra todas las libertades que son el fuero del género humano. Libertad de pensar es libertad de formar conceptos, opiniones; y este santo derecho es mortal para la fe: vuestro gran principio es la fe, el anonadamiento de la razón; luego no trabajáis por el imperio de esa libertad, sino por su ruina y olvido. La libertad de raciocinio va derechamente a la libertad de conciencia: ésta es prohibida por vuestro soberano, y así no podéis quererla sin caer en rebelión y apostasía, o sois juguetes miserables de la ignorancia que no da con el toque de las dificultades. Nada os conviene menos para vuestros fines que la libertad de pensar: si esa libertad fuera de vuestras máximas, no habríais echado al fuego infame de la inquisición a los que han cometido el crimen de pensar libremente; no mandaríais a empellones al infierno a los que se toman la libertad de pensar; no fulminaríais excomuniones ni echaríais maldiciones sobre los que piensan como filósofos y obran como sensatos. Secta mezquina y tiránica para la cual están prohibidas la historia, la filosofía, y aun las artes explayadas en los mejores libros de nuestros tiempos, ¿se atreve a decir que lo que ella quiere es la libertad de pensar? Libertad de pensar es libertad de leer; el que no lee no piensa: ahora, pues, ¿hemos de dar por concedido que piensa como sabio y discurre como libre ese para quien la lectura es delincuencia que trae consigo las penas infernales? La esclavitud del cuerpo no es nada: grillos, cadenas, bastan para imposibilitarlo: la esclavitud del espíritu, esa donde la razón se halla presa, el discurso natural con grillete y el alma con carlanca, esa es la triste, la infame. Servidumbre física, hanla padecido los más ínclitos varones: Platón fue esclavo del tirano Dionisio: Diógenes fué esclavo; pero, ¡cuán locos son los que me compadecen! decía este filósofo; ¿no ven que los esclavos son los que me tienen cautivo? Los católicos de luces y conciencia miran con horror el cadáver que simboliza el alma muerta: alma muerta llamo aquí esa donde todas las libertades han dejado, extinguiéndose, una huella de ceniza. Montalembert, autoridad suprema de esos sectarios cuando no usa de la libertad del pensamiento, acaba de darles un revolcón: en vísperas de su muerte, se dirige al célebre anti-infalibilista Doellinger hirviendo en santa ira contra los proyectos que iban a convertirse en dogmas en el concilio ecuménico. La Iglesia galicana se ha vuelto gallinero de Roma, dice en su noble exaltación, y grita por que se alcen los grandes ingenios de Francia contra los aniquiladores del pensamiento y la conciencia. ¡Ay! Dupanloup, en quien esperaba el sincero y sabio cristiano, el gran Montalembert; Dupanloup sostuvo sus principios con valor; una vez declarados erróneos por la mayoría de enemigos de la razón, se sometió a esa terrible autoridad en cuyas entrañas está brillando por las tinieblas la sala del Vehema... Dupanloup, nuevo Agustín, dijo para sí: "No creería en esto, si la autoridad de la Iglesia no me obligara a creer". Belarmino y Baronio, siniestros oficiales de la Corte Vémica, acaban por persuadir a los escépticos: "desde la retractación de Galileo en la puerta del tormento no hay cosa que no alcance la autoridad de la Iglesia".

Libertad de hablar sin libertad de pensar, no existe; a menos que tengamos la de publicar necedades, entorpecer los derechos del hombre y proferir vituperios contra los que toman por suya su defensa. Esta es la única libertad que gozan los católicos diferentes de Montalembert y Dupanloup, junto con la de tener encadenado el trabajo con el diezmo, el cuerpo humano con los derechos mortuorios, el espíritu con las llaves del infierno. Libertad de hablar... la tiene el sacerdote indigno, cuando profana la cátedra augusta de la elocuencia sagrada poniéndonos ahitos de injurias y torpezas: la tiene el escritor de mala fe, cuando apellida religión y levanta unos pueblos contra otros: la tiene el devoto sanguinario cuando, como Nestorio, pide al tirano el exterminio de los hombres de saber y entender a quienes llama "herejes", porque no saludan a su avaricia, ni mandan parabienes a su lujuria. Esta es la libertad de hablar que propagan y disfrutan los dueños de las llaves del infierno, a cuya señal se abren sus puertas para que entre la Legión que piensa y habla con libertad, refrenada por el comedimiento, prendida en lumbre de inteligencia. En pueblos donde el papista fatídico anda con piedras en la mano para dar con ellas al que habla, ¿hay papista harto necio y bribón que venga a sacarnos en cara nuestro amor por la Roma antigua, so pretexto que ellos quieren la libertad de hablar? Quieren también, dice, "la libertad de trabajar". Falso: lo que quieren es la libertad de vivir del trabajo ajeno, de engordarse con el sudor de la frente del pueblo; de comer, beber y dormir en brazos de la ociosidad, a pierna suelta, soñando en las bodas de Camacho, y roncando de manera de echar abajo la casa. Esta es la libertad que defienden como la vida. Acaba un mal sacerdote y hombre perverso de negarle la sepultura a un hermano mío, el hijo más inocente y mejor que pudo dar de sí la especie humana: como no tuvo estudios, no les dio en qué merecer a estos fantasmas siniestros, monopolizadores de la gloria eterna y de los bienes del mundo. Heredero de la fe de sus padres, la *obediencia cadavérica* fue su ley: habitador de un monte, el cultivo de la madre tierra toda su sabiduría; y nada le acreditaba de hombre de buena familia, sino su color y sus modales. En cuanto a discusiones y controversias, nunca fueron suyas. Oír misa, ayunar, rezar: hasta prioste había sido, dándole cincuenta pesos al cura *para la Virgen de Aguasanta*. Si esta alma creyente, este cristiano fervoroso, persona sencilla y buena, ha sido víctima de la ferocidad del cura, ¿qué no sucedería, Dios eterno, con monstruo como yo, si no me oyeses mi continua deprecación de llevarme a un pueblo cristiano y piadoso para decirme: Cumplido es el número de tus días: ven y descansa de la vida, que para ti ha sido tan pesada. Carlos... pobrecito, viéndolo estoy: esos ojos no vieron para la indiscreción: esos oídos no oyeron para la delación: esos labios no se abrieron para la difamación: esos pasos no se dieron para el mal del prójimo. Su silencio, su apartamiento, su humildad, los de un santo: cae un día con congestión cerebral y parálisis en la lengua al propio tiempo: ni habla, ni tiene conocimiento. Dios le mira, le ilumina por un instante: pide confesión; éste es su primero, su único cuidado. Viene el cura, y se niega a oírle, so pretexto que el testar es primero que el confesarse tiempo preciso, tiempo precioso: murió el desventurado. ¿Y ha habido hombre inicuo, sacerdote nefando, que le niegue la sepultura, con decir que no se había confesado? A los heresiarcas, los suicidas, los impíos, se la niega la Iglesia; a los que rechazan la confesión pudiendo hacerla: al que no puede confesarse, por falta de razón y habla, no la niega, pues no es ni sacrílego ni hereje. ¿No lo habrá sido mi hermano en el concepto de ese Caifás de aldea, cuando siempre le dio sepultura? En hallándome yo allí, no le habría aumentado "los derechos", pero sí le habría disminuido la impiedad y capado la soberbia. ¿Conque todo el secreto de catolicismo está en el dinero? No, yo no digo eso: Bossuet, Fenelón fueron católicos; el conde de Montalembert, Dupanloup, el gran obispo, católicos: estos lobos rapaces que con nombre de curas devoran las poblaciones indefensas, éstos no son católicos, mas antes judíos que venden a Cristo, y le abofetean, y le amarran, y le crucifican en sus semejantes, sus hermanos.

Queréis asimismo "la libertad de aprender y enseñar", judíos: viéndolo estamos: libertad de aprender las cosas de este cura, y enseñarlas a vuestros hijos: lo que es aprender las lecciones de la sana razón, las máximas de la filosofía cristiana, las prescripciones de la religión verdadera, no es para vosotros. El vulgo del catolicismo, o más bien su parte corrompida, e ignorante, es atroz: ese ahinco con que se echan a cumplir de mala fe los preceptos de la Iglesia, y ese olvido de la ley de Dios, están acreditando en ellos más malicia que ignorancia. Amar a Dios, no jurar su santo nombre en vano, honrar padre y madre, no matar, no fornicar, no hurtar, no levantar falso testimonio ni mentir: esta es la ley de

Dios. Un católico frenético, de esos que le siguen a uno los pasos, para ver si entra a misa, y le tiran de la capa apostrofándole con un insulto, si no se pone de rodillas ante un leño de figura humana que está pasando en brazos ajenos; ese intolerante sectario propagandista grosero, digo, no lleva a mal que uno infrinja los preceptos del Decálogo, que son los que constituyen la religión propiamente dicha: un buen católico jura y perjura, deshonra padre y madre con sus vicios; mata, si se ofrece, roba, si a mano viene; mentir, por costumbre; levantar falso testimonio, cuando lo pide el caso. Nadie le dice nada, si no es algún hereje importuno que adora a Dios dentro de su pecho, y cultiva sigilosamente las virtudes. Pero demos que un hombre poco cuidadoso de sí mismo se aparte un punto de los mandamientos de la Iglesia; su menor tajada será un oreja. Pagar diezmos y primicias, esta es la verdadera grandeza de la religión. Confesar por pascua florida, y aun mejor todos los días; ponerles a sus ministros al corriente de cuanto ocurre en el hogar, descubrirles los secretos de la familia, para que ellos los pongan a ganancia; oír misa entera, y pagarla un peso entero; hacer fiestas a los ídolos, fiestas de las cuales la menor vale cuarenta pesos; esta es la esencia de la religión; y esta la ciencia que mis catolicones quieren aprender y enseñar; y para esto nos hartan de groserías e improperios, si ya no se vienen a las manos.

Un día pasaba yo por debajo de un arco donde hay dos mechinales: frente por frente dos santitos de palo, antiguos, viejos, sucios, se están saludando de día y de noche con sendas velas a los pies. Cuando digo sendas, no quiero decir velas grandes; pues son, por el contrario, cabos pizmientos; lo que digo es que cada santo tiene su vela. Un viejo de capa, tan pringoso y churriento como esos diosecillos de la pared, puesto de hinojos en la calle, se está volviendo, ora al un lado, ora al otro, a fin de no perjudicar a ninguna de las imágenes en el repartimiento de oraciones. Iba yo a pasar, como queda dicho, cuando el ladrón me ase por la levita, y dice con furia: "¡Hínquese, ca... nalla!" Yo no sé si murió del puntapié que le di entre pecho y espalda; pero sí sé que me habrían hecho pedazos los católicos, si por dicha no pierde el habla el viejo beduino, y no se ve en la imposibilidad de hacer gente. Los que pasen por debajo del Arco de Santo Domingo en la ciudad de Quito, pueden gloriarse de que están pasando por todas las calles de las ciudades de España que aun no han cobrado un resquemo de francesas. Así es como en Málaga vi una ocasión un hombre que venía por ahí echando venablos. ¡Oh, Dios! ¡y cuán graves eran los términos de ira y venganza con que asordaba los alrededores! Llegó a un humilladero de esos de la pared, y quitándose la boina, y besando los pies del santo, dijo: "Este sí que me puede: ayúdame, Paco, a coger al zurdo, y te pongo una vela mañana de mañaíta". ¡Quería que San Francisco le ayudase a beberse la sangre de su rival, y a vueltas de tan cristiana cooperación le ofrecía un pedazo de cebo. Esto es más que los sacrificios de puercos en pintura que ciertos antiguos hacían a sus dioses.

• •

Quedamos en la "libertad de trabajar"; libertad que le habéis negado al pueblo romano, pasando al extremo de motejarle de ocioso e indolente. Régulo, general del ejército, de Africa, escribió al Senado poco más o menos de este modo: "Padres conscriptos: Donde tantos y tan grandes capitanes pudieran sustituirme en el gobierno de este ejército, admírame le hayáis sometido nuevamente a mi autoridad, con una reelección que, si crece mi honra, y me llena de júbilo como prueba de confianza, tiene para mí el grave inconveniente de ver yo a mi familia sufrir el desamparo y la necesidad por un año largo todavía: mis tierras se hallan incultas, mi mujer y mis hijos están careciendo de lo necesario. En este concepto, ruégoos, padres conscriptos, tengáis a bien relevarme del mundo, y permitáis mi vuelta a Roma". El Senado contestó a esta representación con un decreto por el cual mandaba que las tierras de Régulo fuesen beneficiadas y sembradas por cuenta de la República. No os maraville esta providencia del Senado, maravílleos el saber que esas tierras eran siete fanegas, pegujal inferior al que los generales asignaban a cada soldado después de una conquista, el cual se componía de catorce; maravilleos el saber que el generalísimo de un ejército, el vencedor de Cartago, que tenía a su disposición un poderoso reino, no tenía con qué sufragar para los gastos de su casa, si no iba a labrar con sus manos su diminuta hacienda. Detractores de la grande antigüedad, decidme, ¿dónde están los generales que, mandando ejércitos, entrando ciudades por fuerza de armas, sojuzgando imperios, no tienen ahora con qué mantener a sus familias porque ni gozan de rentas, ni salen de sus campañas y sus triunfos con las manos hediendo a oro? Vedlos, sí, vedlos, ellos son... generales, y coroneles, quienes, depuesta la espada, empuñan el timón del arado y van siguiendo el tardo paso de sus bueyes. Trabajar... ¿qué es trabajar para estos enemigos del trabajo? Ingratos llaman ellos a los pueblos, porque no les manifiestan su agradecimiento con fomentarles su conhorte, con crecer sus vanidades mediante la envilecedora lisonja. La madre del recluta que va la soga al cuello, dejando en triste desamparo su casa, su familia: ingrata. El dueño del caballo, el burro, a quien la tropa despoja y atropella en el camino: ingrato. El rector del colegio que profanan los soldados, aposentándose en él junto con sus bagajes, haciendo rodar por el suelo a puntillones los globos, rompiendo las cartas geográficas: ingrato. Ingrato el padre de familia que ve sus bienes de fortuna, confiscados; ingrato el propietario a quien imponen de contribución la mitad de su hacienda; ingrato el buen patriota que gime en el tormento, y ve correr sus días a la tumba, cargado de grillos y cadenas. Todos son ingratos. Para Fabricio, para Curio, para Régulo eran ingratos los que, obligándolos al mando en tiempo de paz, les impedían arrimar el hombro al trabajo, arar la tierra y exigir de sus entrañas benéficas el sustento de sus hijos...

• •

Hemos vuelto palmario que vosotros queréis la libertad de pensar, hablar, trabajar y enseñar: veamos si el pueblo romano gozó en algún tiempo de tan preciosas libertades. Ese pueblo era él mismo su legislador: los decretos del Senado regían por doce meses; y no eran leyes perpetuas sino por la sanción del pueblo. Los tribunos, diputados de éste, proponían leyes al Senado: el Estamento de los caballeros era el poder judicial, y el pueblo el tribunal supremo. Por esto hemos visto que, según la ley Valeria, ningún delincuente sufría la pena, si a él apelaba. Ved, pues, si el pueblo romano tenía libertad de pensar y hablar. Tan bien pensó, que "si sus leyes han parecido tan santas, y su majestad dura todavía, es porque el buen sentido que rige al género humano, reina en todas ellas. No es posible ver otro código donde se haya hecho más justa aplicación de la equidad natural".* Este pueblo y estas leyes que un gran católico presenta de modelo a los hombres, son las que vosotros, que de puro católicos dejáis de ser cristianos, habéis escarnecido como sectarios sin sabiduría ni conciencia. El pueblo romano, el de la ciudad, el pueblo de intra-muros, no trabajaba mucho, es cierto, porque profesaba las armas, no porque no tenía libertad para tan noble ocupación. Pero ved luego allende el Tíber, y en una mezquina posesión hallaréis a Cincinato labrando la tierra con sus manos. Esperad: ¿quiénes vienen por

* Discours sur l'histoire universelle.

allí? Son los varones expectables que el Senado envía a revestir de la púrpura dictatorial al viejo labrador. Cincinato obedece; mas después de haber salvado la patria en pocos días, vuelve y empuña otra vez la esteva. ¿No se trabaja en Roma?

• •

Toda esa frondosidad antigua, esos bosques y jardines que circunvalaban la Roma de los cónsules y los césares, ha muerto, ha desaparecido, dejando el lugar a la *malaria* y la peste que imperan en la campiña romana yerma y funesta. ¿Dónde están los huertos de Lúculo, esos depósitos inmensos de plantas, flores, aves y cuadrúpedos de todo país y todo tiempo? ¿Dónde los jardines de Atico? ¿dónde las quintas, las casas de recreo de los grandes hombres, esos paraísos pequeños que eran la tierra prometida de los cónsules, los senadores y los generales cuando, cansados, abatidos, aburridos de la política y los cuidados del gobierno y de la guerra, se retraían a olvidar y hacerse olvidar en ellos? Cicerón, el más pobre de los patricios, poseía veintiuna casas de recreo, unas en la campiña romana, otras en la Campaña, y otras en los montes Sabinos: Túsculum, su predilecta, se hallaba a las puertas de Roma. Ni había un palmo de los alrededores de la ciudad que se manifestase descubierto e inútil: árboles, arbustos, matas bellas y salutíferas, gramas, céspedes y flores por todas partes, en medio de las cuales el agua cristalina de los cien acueductos que la traían de los collados y los montes, formaban mil ruidosos laberintos. La Roma de los papas es un sepulcro que se levanta sobre el tiempo y las generaciones de medio de un vasto secadal: la naturaleza, enferma, es allí víctima de un letargo sin fin: su hálito pestífero corre a modo de viento de muerte, y ay del que lo aspire, porque aspira el secreto de la tumba. La campiña romana, con no haberla sentido mil ochocientos años, ha olvidado la reja: esa castidad deshonro-

123

sa, proveniente de las mil calamidades que han pasado sobre ella, la pervierte más y más: hosca, agria, irreductible: nadie siembra nada en ella, porque nada produce: el agua, huyendo de sus senos, le dejó una maldicion. La primavera no ha concluido, y el viajero huye aterrado: calenturas, fiebres malignas principian desde fines de mayo, y no dan tregua sino a fuerza de nieve y frío: el invierno es muchas veces anciano bienhechor que da la salud con drogas amargas. ¿Acaso era lo mismo en la Roma antigua? Ningún autor hace mención de la *malaria*, ni la canícula aterraba como la peste negra de ciertas regiones malditas del Asia. Todo verde, todo fresco, gracias a la industria del hombre, que por mil medios granjeaba los favores de la madre naturaleza...

"¿Por dicha buscaremos la propiedad en la Roma antigua?" principia así vuestro argumento acerca de tan importante y esencial materia. Sí, iremos a la antigua Roma a buscar la propiedad, pues ella no podía estar ausente del pueblo que "era magnánimo porque era virtuoso", y porque era virtuoso desdeñaba las riquezas. "No bastan en una buena democracia que sean iguales las porciones de tierra; han de ser pequeñas, como entre los romanos. No permita el cielo, decía Curio a sus soldados, que ningún ciudadano tenga por poca tierra la que es suficiente para alimentar a un hombre".* El comunismo y el socialismo, azotes de las sociedades modernas, no han salido, no podían haber salido de pueblo donde cada ciudadano se contentaba con una porción de tierra que él podía labrar con sus propias manos. Los graneros públicos, en Roma, no estaban al arbitrio del pueblo: los magistrados repartían el trigo conforme al número de personas de cada familia; y la ley agraria,

* Des causes de la grandeur et de la décadence du peuple romain, Montesquieu.

124

que yo sepa, nunca tuvo por objeto la comunidad de bienes. De continuo se la discutió en el Foro; mas en esto el Senado se mantuvo firme. Y cuando ella hubiera pasado, no disponía que los romanos gozasen de sus bienes en común sino que la tierra fuese repartida en justicia, quitando algo al que tuviera por demás, dando algo al que tuviera menos o nada tuviera: cosa muy diferente del comunismo de los revolucionarios franceses. Una vez hecha la repartición, la porción de cada ciudadano quedaba garantida por la ley, sagrada, precisamente lo que sucede entre nosotros; con esta diferencia, que entre los romanos antiguos las riquezas no eran de la menor estima, ni había ricos en la antigua Roma; al paso que en las sociedades cristianas todo lo poseen unos, nada otros. No quiero ley agraria, no porque ella no es esencialmente justa, sino por las injusticias y los males sin cuento que traería consigo, caso que fuera posible llevarla a cabo, lo cual es muy dudoso. La revolución francesa no lo pudo, ¿quién lo podría? Ricos hay en Francia, ricos en Inglaterra que tienen de renta una libra esterlina por minuto; ricos en nuestra pobre democracia. Pobres hay en Francia, pobres en Inglaterra, que se comen las manos y se echan en el Támesis o el Sena; pobres hay asimismo entre nosotros. Sea como quiera, la propiedad existe, siga adelante como está, haya pobres y ricos: los unos gocen de sus riquezas, los otros quedémonos al Señor. "Y Jesús, mirando alrededor, dijo a sus discípulos: Cuán difícil es que los que poseen riquezas entren en el reino de los cielos".

Achacar a la Roma antigua en la invención del socialismo, es lo mismo que achacarle la esclavitud. El socialismo, por un encadenamiento misterioso de las ideas y las cosas, tiene su cuna en el despotismo, quién lo creyera; y no podía, por ley de la naturaleza, haber nacido en un pueblo que adoraba la libertad, la cultivaba y la gozaba como su bien mayor, más verdadero y presente. La práctica pone en claro relaciones paradójicas que parecen absurdas: el socialismo que está haciendo temblar en nuestros días a las testas coronadas, conforme las naciones adelantan hacia la libertad, va refugiándose en los imperios donde el autócrata hace gala del poder absoluto. Durante el segundo imperio napoleónico los socialistas eran sombra y espanto del déspota: hoy la república no le teme: ¿qué ha de temer, si a más andar gana la Rusia, y va dejando libres los pueblos donde el orden es avenidero con el ejercicio de la libertad, y las instituciones democráticas con el progreso? Alemania ha dado una ley contra el socialismo: ideas no se matan con leyes: la Francia republicana no tiene necesidad de darla: su socialismo ha emigrado al Norte, y allí, en manos de hombres y mujeres, amenaza de muerte a personas e instituciones: libertad y democracia bien entendidas no lo necesitan. La sociedad humana es una escala: escala sin escalones, no puede haber: suprimid las clases sociales, y dicha sociedad queda suprimida. En una sementera de trigo mismo unas espigas son mayores que otras, si por la elevación, si por el volumen: ¿tienen las espiguitas bajas y flacas derecho de conspirar para ser iguales a las gordas y altas? Allí está la naturaleza que tal hizo; pegaos con ella. Alemania, Rusia, imperios despóticos, o casi despóticos, las han hoy con el socialismo: Francia, como queda dicho, lo está ahogando sin leyes: los Estados Unidos no lo conocen. El socialismo, pues, no pudo haber nacido en la Roma antigua, como sin luz de razón ni conciencia lo habéis sentado, vosotros, católicos de la garra, para quienes no hay cosa buena fuera de vuestra jacarandina. Socialismo... Infantín, discípulo de San Simón, proclama la comunidad de bienes de fortuna, la libertad de amor, bajo la inspección del sacerdote, la comunidad de mujeres, el nivelamiento de las clases sociales, con la *obediencia cadavérica* a un gran pontífice, que debe ser católico. Vosotros sois, pues, los socialistas, sansimonianos sin caer en la cuenta: no os falta sino la Gran Madre: id a buscarla por Ginebra.

Ahora viene la esclavitud, y con los "alaridos del esclavo desgarrado por el látigo del patrón" me heláis de espanto. Una imputación calumniosa a un gran pueblo y dos gazafatones, he aquí la esencia de esas dos líneas de vuestro cuño. El patrono, en Roma, era protector obligado a tales y cuales servicios para con sus clientes: el patrono tenía amigos inferiores a él a quienes protegía a vueltas de sus obras serviciales: esclavos, no eran ellos. Luego ese látigo no estaría chasqueando en manos del patrono sino del dueño; y esos alaridos no habrán sido del cliente sino del esclavo. Sea de esto lo que fuere, la invención de la esclavitud no es de Roma; no lo es, puesto que es mucho más antigua; ni defecto del gentilismo, como lo afirmáis, irrogando a los dioses este gratuito agravio: mujeres tenían éstos, queridas y mensajeros; mas no he sabido que en el Olimpo hubiese esclavos: lo que sí sabemos todos es, que los patriarcas de la ley antigua los tuvieron mucho antes que los romanos: ¿quién no sabe la historia de *la esclava Agar*? La esclavitud es la mancha de los pueblos antiguos y los modernos, el crimen de que no se quieren castigar, porque no se resuelven todavía a tener por buenas las leyes del Redentor ciertas naciones que ponen la monta en el nombre, y no en la esencia de las cosas. No queréis ir a Roma, por *no oír los alaridos del esclavo*; pues no vayáis tampoco al Brasil, nación cristiana; no vayáis a Cuba, católica-apostólica-romana. A los Estados Unidos, desde ayer, ya podéis ir: Lincoln os ha abierto las puertas. ¿Por qué afeáis a Roma con esa excrecencia que así deslustra a los antiguos como a los modernos? El cristianismo acabará por extirpar ese nefando abuso: el Evangelio no sufre la esclavitud: el Salvador muere por el género humano. No, no iremos a Roma a buscar la esclavitud, pues el hombre de bien no busca en ninguna parte sino lo justo y lo bueno. Y echad de ver una cosa, que yo he querido ir a Roma, y de ningún modo a la infame Capadocia; que el pueblo romano es quien me causa admiración, y no los tracios ni los bretones de ese tiempo: en balde me traéis esas tiramiras de ingleses desnudos a ponérmelos por delante: así los compadezco yo como vosotros; así los libertaríais vosotros como yo. El derecho antiguo de la guerra era monstruoso: hizo mal Roma en reducir a los prisioneros a la esclavitud; pero en descuento de este abuso, ¿no se os acuerda cuántos enemigos vencidos vinieron a Roma a ser ciudadanos romanos? En Roma, al lado de un crimen halláis siempre una virtud: id a Roma: aprovechad de lo segundo, absteneos de lo primero.

El vicio general de que adolece vuestra censura es la mala fe; y además de esto hay en ella error de juicio, y un prurito de generalización que tuerce mis ideas y estraga mis intenciones. Cito a Platón, y decís que Atenas no puede servirnos de modelo: traigo una ley de Licurgo, y voláis a advertirme que en Lacedemonia se toleraba el hurto: admiro a Lucrecia, ¡y cuán prontos y apercibidos estáis para darme en cara con el suicidio! Locura sería en mí pretender que ahora nos educásemos en la escuela de Hejesías; locura que imitásemos en todo a los romanos. Pero es no menor la vuestra de querer inspirar repugnancia por las antigüedades griega y romana, y hacernos olvidar los nombres de Arístides y Catón, por los de San Simón Estilita y San Martín Porres. ¿No sería mejor pensásemos en todo, supiésemos de todo, y del vasto campo de las civilizaciones antigua y moderna tomásemos la flor y nos adornásemos con ella? Diréis que para salvarnos no habemos menester las sentencias de Bias ni los consejos de Pitaco; y yo os digo que no porque los sabemos nos condena el Señor a las llamas infernales. ¿Y no es dijo ya Bossuet? sería vergonzoso a todo hombre de bien ignorar el género humano. Condenad por vuestra parte cuanto queráis a vuestros semejantes; pero, "felices los que esperan en silencio la salud de Dios".

¿Qué diría Gibbon si os oyese la peregrina especie de no querer se inspire a los jóvenes simpatía por la antigua Roma? ¿qué diría Fenelón? ¿qué diría el gran Carlos de Secondat? ¿qué dirían tantos ínclitos varones que han resaltado sobre los demás, no por haber vertido la sangre de los pueblos, más antes por haberse instruido en el Liceo y el Pórtico; por haber ido con los diputados del Senado por todo el mundo en busca de buenas leyes; por haber bebido, no de "las turbias aguas de Sodoma", como habéis dicho, sino de las cristalinas y saludables del Peneo? No me cerréis las puertas de la antigüedad, porque os las rompo a hachazos. Miguel Angel, ciego, se hacía llevar al museo del Vaticano, y lo que no alcanzaba con la vista, lo obtenía por medio del tacto: su espíritu, en combinación misteriosa con la belleza, estaba gozando en silencio de las formas y las perfecciones de las estatuas antiguas. No de otro modo me haría yo llevar a las ruinas de Grecia y de Roma, y arrimándome a las columnas del Partenón, y tocando los escombros del Coliseo, recibiría profundo y rejuvenecedor deleite, volviendo con la imaginación a esos pueblos y esos tiempos. ¿Sabéis cuándo hemos de ser felices verdaderamente? no cuando estrechemos la inteligencia ciñéndola a la órbita de vuestros mezquinos estudios, como lo deseáis, y obedeciendo como ruines a los tiranos del espíritu, sino cuando entreguemos nuestros hijos, como los magos, a cuatro preceptores, el más sabio, el más justo, el más temperado y el más valiente de la Nación. "El que le llega a tomar el sabor a los estudios religiosos y a la vida mística, habéis dicho, ya no piensa en las vanidades de la historia. De continuo vemos incrédulos que se pasan a nuestro partido; mas no un católico que se pase a los libre prensadores". Arcesilao se encargó ahora dos mil años de responder por mí, con la que le dió al epicúreo que se complacía en

129

repetir que de su escuela nadie se pasaba a la estoica; mientras de ésta sí muchos se pasaban a la de su maestro. Si fuera yo versado en el griego antiguo, estamparía esa respuesta en su idioma propio, a fin de que nadie la comprendiese: a falta de esa joya orinecida de la educación, adornaré con el silencio mi discurso, que esto lo requieren la pulcritud de las ideas y la castidad de los oídos. Por lo demás, no es exacto que ciertos cristianos sean tan firmes como dicen: las conversiones de éstos al mahometismo son frecuentes en el Asia. Acaba el *Indian Mail* de dar noticia de un misionero que, habiendo ido a convertir musulmanes, se ha vuelto mahometano él mismo, y hoy predica con gran fervor el Islam a los cristianos.* Sea dicho en pro de la verdad que ese curioso misionero es cristiano protestante, y no católico; ¿pero cuántos franceses, de esos que pueden contarle los pelos al diablo, católicos-apostólicos-romanos en su tierra, no andan de turcos en Constantinopla, de santones y dervises en el Cairo, de adivinos, en Ispahan, y aun de bonzos y sacerdotes de Budda en la India?...

• •

* Indian Mail, 24 de mayo de 1875.

6

José Martí
"Prólogo al Poema del Niágara
de Pérez Bonalde"
[1882]
"Nuestra América"
[1891]

José Martí (1853-1895) es uno de los más grandes escritores de América Latina, el autor de la "prosa más bella del mundo", como dijo de él Rubén Darío. Poeta y cronista, orador y ensayista, corresponsal y militante político, murió en Boca de los Ríos en un combate por la independencia de Cuba.

Hijo de inmigrantes humildes, Martí conoció el exilio desde joven. Discípulo de Rafael María Mendive, participó a los quince años en la conspiración de 1868 a favor de la independencia; por ello fue condenado a trabajos forzados en una cantera. El padre, de origen español, logró que las autoridades de la isla aliviaran el castigo, sustituyendo la cantera por el exilio; pero la experiencia marcaría para siempre a Martí. En España completó sus estudios y escribió El presidio político en Cuba *(1871) donde, como ya sería típico en su obra, el sufrimiento propio no aparece sino como reflejo de lo que sienten los otros, y en sí es sólo referido como modo de alcanzar la libertad y ensalzar la dignidad humana. Martí vivió en México, Guatemala y Venezuela,*

131

donde ejerció distintos oficios aunque centralmente los de la docencia y el periodismo; finalmente recaló en Nueva York, ciudad donde pasó los últimos años de su vida escribiendo para la prensa latinoamericana y militando a favor de la independencia.

José Martí postuló una imagen de *América Latina* en las antípodas de la de *Sarmiento. Para él no había batalla entre civilización y barbarie, sino entre lo artificial y lo natural; para él el verdadero bárbaro es el que acepta la injusticia, el bárbaro es también el mercader que no entiende la grandeza del alma, el mediocre y el cobarde. El negro y el indio, en cambio, son parte del verdadero pueblo: el error ha sido separarse de ellos para imitar la cultura europea. Los países deben descubrir cómo son y gobernarse de acuerdo con su realidad mestiza y verdadera; el mestizaje no es una condena social, como lo expresaron muchos escritores del siglo XIX, sino una cualidad positiva que hay que asumir con orgullo y ánimo de futuro. Martí reescribe los códigos de representación de la realidad que animaban el discurso liberal, de manera que civilización y barbarie, ciudad y campo, raza degenerada por la mezcla y el determinismo geográfico ya no son más el modo de definir la imagen nacional; ahora deben dejarse de importar esquemas de interpretación para, así, sin lentes ajenas, descubrir la propia realidad tal cual es.*

El *"Prólogo al Poema del Niágara de Pérez Bonalde"* es, prácticamente, un manifiesto modernista: vale la pena revisarlo para comprender cuán poco tuvo que ver ese movimiento literario en sus orígenes con el torremarfilismo del que se lo ha acusado. Martí publicó tres libros de poemas: Ismaelillo. Versos libres y *Versos sencillos, pero su obra escrita fue tan abundante que ocupa 26 volúmenes.*

Orgullo, dignidad, futuro, libertad, armonía con lo natural: estos principios recorren la obra entera de Martí, sin reparar en el género literario. La conciencia

132

del presente alimenta cada una de sus líneas, buscando una resonancia con el interior de cada hombre y la Naturaleza, estudiando con admiración todo lo positivo que podía aprender de los demás hombres, creyendo en la verdad y en la sencillez como valores últimos, escribiendo con lucidez histórica y ánimo de construir un tiempo nuevo.

Martí fue, además, de los primeros escritores en tomar en cuenta que el lenguaje era un arte donde el peso de cada palabra contaba. Su renovación estética fue absoluta e iba a la par de sus postulados teóricos: el ritmo de la modernidad, la simultaneidad, la fragmentación, el acceso a la información y a la cultura, la experimentación, la necesidad de recuperar la armonía dentro de una sociedad cada vez más urbana e industrial. Sus imágenes, sus símbolos, sus extrañas analogías y la violentación de la sintaxis, se unieron en un hálito que supo unir lo leído en Emerson y Whitman con el simbolismo, el impresionismo y el Renacimiento español, todo para construir una de las más sensibles representaciones de América Latina y de Estados Unidos, país al que criticó y admiró profundamente.

Su ensayo más conocido es, sin duda, "Nuestra América", escrito como reacción al expansionismo norteamericano, luego del encuentro en Filadelfia del Congreso Panamericano (1889) y de la Conferencia Monetaria internacional (1891), donde se discutió la posibilidad de uniformar a lo largo del continente la moneda, las leyes de comercio, los estandares de pesos y medidas, los bancos, las comunicaciones, todo centralizado a través de una sede panamericana que tendría base en Washington. Pero acaso lo más importante de "Nuestra América" no sea la advertencia contra las acciones del "gigante de siete leguas", sino la reivindicación de un orgullo latinoamericano, la proclamación de la necesidad de diferenciarse de Estados Unidos y unirse entre los países, la afirmación de que *los problemas nacionales no dependían de razas pretendidamente degeneradas o determinismos geográficos irremediables, sino de la actividad de malos gobiernos que no habían sabido comprender la realidad. "Nuestra América" no es un plan concreto, no da respuestas, pero dirige las preguntas claves hacia la propia identidad que harán de este texto una de las piezas claves del imaginario latinoamericano.*

PRÓLOGO AL POEMA DEL NIÁGARA DE PÉREZ BONALDE

¡Pasajero, detente! ¡Este que traigo de la mano no es zurcidor de rimas, ni repetidor de viejos maestros, —que lo son porque a nadie repitieron— ni decidor de amores, como aquellos que trocaron en mágicas cítaras el seno tenebioso de las traidoras góndolas de Italia, ni gemidor de oficio, como tantos que fuerzan a los hombres honrados a esconder sus pesares como culpas, y sus sagrados lamentos como pueriles futilezas! Este que viene conmigo es grande, aunque no lo sea de España, y viene cubierto: es Juan Antonio Pérez Bonalde, que ha escrito el Poema del Niágara. Y si me preguntas más de él, curioso pasajero, te diré que se midió con un gigante y no salió herido, sino con la lira bien puesta sobre el hombro, —porque éste es de los lidiadores buenos, que lidian con la lira—, y con algo como aureola de triunfador sobre la frente. Y no preguntes más, que ya es prueba sobrada de grandeza atreverse a medirse con gigantes; pues el mérito no está en el éxito del acometimiento, aunque éste volvió bien de la lid, sino en el valor de acometer.

¡Ruines tiempos, en que no priva más arte que el de llenar bien los graneros de la casa, y sentarse en silla de oro, y vivir todo dorado; sin ver que la naturaleza humana no ha de cambiar de como es, y con sacar el oro afuera, no se hace sino quedarse sin oro alguno adentro! ¡Ruines tiempos, en que son mérito eximio y desusado el amor y el ejercicio de la grandeza! ¡Son los hombres ahora como ciertas damiselas, que se prendan de las virtudes cuando las ven encomiadas por los demás, o sublimadas en sonante prosa o en alados versos, más luego que se han abrazado a la virtud, que tiene forma de cruz, la echan de sí con espanto, como si fuera mortaja roedora que les comiera las rosas de las mejillas, y el gozo de los besos, y ese collar de mariposas de colores que gustan de ceñirse al cuello las mujeres! ¡Ruines tiempos, en que los sacerdotes no merecen ya la alabanza ni la veneración de los poetas, ni los poetas han comenzado todavía a ser sacerdotes!

¡Ruines tiempos! —¡no para el hombre en junto, que saca, como los insectos, de sí propio la magnífica tela en que ha de pasear luego el espacio; sino para estos jóvenes eternos; para estos sentidores exaltables reveladores y veedores, hijos de la paz y padres de ella, para estos creyentes fogosos, hambrientos de ternura, devoradores de amor, mal hechos a los pies y a los terruños, henchidos de recuerdos de nubes y de alas, buscadores de sus alas rotas, pobres poetas! Es su natural oficio sacarse del pecho las águilas que en él les nacen sin cesar, —como brota perfumes una rosa, y da conchas la mar y luz el sol,— y sentarse, a par que con sonidos misteriosos acompañan en su lira a las viajeras, a ver volar las águilas: —pero ahora el poeta ha mudado de labor, y anda ahogando águilas. ¿Ni en qué vuelta irán, si con el polvo del combate que hace un siglo empezó y aún no termina, están oscurecidas hoy las vueltas? ¿Ni quién las seguirá en su vuelo, si apenas tienen hoy los hombres tiempo para beber el oro de los vasos, y cubrir de él a las mujeres, y sacarlo de las minas?

Como para mayor ejercicio de la razón, aparece en la naturaleza contradictorio todo lo que es lógico; por lo que viene a suceder que esta época de elaboración y transformación espléndidas, en que los hombres se preparan, por entre los obstáculos que preceden a toda grandeza, a entrar en el goce de sí mismos, y a ser reyes de reyes, es para los poetas, —hombres magnos,— por la confusión que el cambio de estados, fe y gobiernos acarrea, época de tumulto y de dolores, en que los ruidos de la batalla apagan las melodiosas profecías de la buena ventura de tiempos venideros, y el trasegar de los combatientes deja sin rosa los rosales, y los vapores de la lucha opacan el brillo suave de las estrellas en el cielo. Pero en la fábrica universal no hay cosa pequeña que no tenga en sí todos los gérmenes de las cosas grandes, y el cielo gira y anda con sus tormentas, días y noches, y el hombre se revuelve y marcha con sus pasiones, fe y amarguras; y cuando ya no ven sus ojos las estrellas del cielo, los vuelve a las de su alma. De aquí esos poetas pálidos y gemebundos; de aquí esa nueva poesía atormentada y dolorosa; de aquí esa poesía íntima, confidencial y personal, necesaria consecuencia de los tiempos, ingenua y útil, como canto de hermanos, cuando brota de una naturaleza sana y vigorosa, desmayada y ridícula cuando la ensaya en sus cuerdas un sentidor flojo, dotado, como el pavón del plumaje brillante, del don del canto.

Hembras, hembras débiles parecerían ahora los hombres, si se dieran a apurar, coronados de guirnaldas de rosas, en brazos de Alejandro y de Cebetes, el falerno meloso que sazonó los festines de Horacio. Por sensual queda en desuso la lírica pagana; y la cristiana, que fue hermosa, por haber cambiado los humanos el ideal de Cristo, mirado ayer como el más pequeño de los dioses, y amado hoy como el más grande, acaso, de los hombres. Ni líricos ni épicos pueden ser hoy con naturalidad y sosiego los poetas; ni cabe más lírica que la que saca cada uno de sí propio, como si fuera su propio ser el asunto único de cuya existencia no tuviera dudas, o como si el problema de la vida humana hubiera sido con tal valentía acometido y con tal ansia investigado, —que no cabe motivo mejor, ni más estimulante, ni más ocasionado a profundidad y grandeza que el estudio de sí mismo. Nadie tiene hoy su fe segura. Los mismos que lo creen, se engañan. Los mismos que escriben fe se muerden, acosados de hermosas fieras interiores, los puños con que escriben. No hay pintor que acierte a colorear con la novedad y transparencia de otros tiempos la aureola luminosa de las vírgenes, ni cantor religioso o predicador que ponga unción y voz segura en sus estrofas y anatemas. Todos son soldados del ejército en marcha. A todos besó la misma maga. En todos está hirviendo la sangre nueva. Aunque se despedacen las entrañas, en su rincón más callado están, airadas y hambrientas, la Intranquilidad, la Inseguridad, la Vaga Esperanza, la Visión Secreta. ¡Un inmenso hombre pálido, de rostro enjuto, ojos llorosos y boca seca, vestido de negro, anda con pasos graves, sin reposar ni dormir, por toda la tierra, —y se ha sentado en todos los hogares, y ha puesto su mano trémula en todas las cabeceras! ¡Qué golpeo en el cerebro! ¡qué susto en el pecho! ¡qué demandar lo que no viene! ¡qué no saber lo que se desea! ¡qué sentir a la par deleite y náusea en el espíritu, náusea del día que muere, deleite del alba!

No hay obra permanente, porque las obras de los tiempos de reenquiciamiento y remolde son por esencia mudables e inquietas; no hay caminos constantes, vislúmbranse apenas los altares nuevos, grandes y abiertos como bosques. De todas partes solicitan la mente ideas diversas —y las ideas son como los pólipos, y como la luz de las estrellas, y como las olas del mar. Se anhela incesantemente saber algo que confirme, o se teme

138

saber algo que cambie las creencias actuales. La elaboración del nuevo estado social hace insegura la batalla por la existencia personal y más recios de cumplir los deberes diarios que, no hallando vías anchas, cambian a cada instante de forma y vía, agitados del susto que produce la probabilidad o vecindad de la miseria. Partido así el espíritu en amores contradictorios e intranquilos; alarmado a cada instante el concepto literario por un evangelio nuevo; desprestigiadas y desnudas todas las imágenes que antes se reverenciaban; desconocidas aún las imágenes futuras, no parece posible, en este desconcierto de la mente, en esta revuelta vida sin vía fija, carácter definido, ni término seguro, en este miedo acerbo de las pobrezas de la casa, y en la labor varia y medrosa que ponemos en evitarlas, producir aquellas luengas y pacientes obras, aquellas dilatadas historias en verso, aquellas celosas imitaciones de gentes latinas que se escribían pausadamente, año sobre año, en el reposo de la celda, en los ocios amenos del pretendiente en corte, o en el ancho sillón de cordobán de labor rica y tachuelas de fino oro, en la beatífica calma que ponía en el espíritu la certidumbre de que el buen indio amasaba el pan, y el buen rey daba la ley, y la madre Iglesia abrigo y sepultura. Sólo en época de elementos constantes, de tipo literario general y determinado, de posible tranquilidad individual, de cauces fijos y notorios, es fácil la producción de esas macizas y corpulentas obras de ingenio que requieren sin remedio tal suma de favorables condiciones. El odio acaso, que acumula y concentra, puede aún producir naturalmente tal género de obras, pero el amor rebosa y se esparce; y éste es tiempo de amor, aún para los que odian. El amor entona cantos fugitivos, mas no produce —por sentimiento culminante y vehemente, cuya tensión fatiga y abruma—, obras de reposado aliento y laboreo penoso.

Y hay ahora como un desmembramiento de la mente humana. Otros fueron los tiempos de las vallas alzadas; éste es el tiempo de las vallas rotas. Ahora los hombres empiezan a andar sin tropiezos por toda la tierra; antes, apenas echaban a andar, daban en muro de solar de señor o en bastión de convento. Se ama a un Dios que lo penetra y lo prevale todo. Parece profanación dar al Creador de todos los seres y de todo lo que ha de ser, la forma de uno solo de los seres. Como en lo humano todo el progreso consiste acaso en volver al punto de que se partió, se está volviendo al Cristo, al Cristo crucificado, perdonador, cautivador, al de los pies desnudos y los brazos abiertos, no un Cristo nefando y satánico, malevolente, odiador, enconado, fustigante, ajusticiador, impío. Y estos nuevos amores no se incuban, como antes, lentamente en celdas silenciosas en que la soledad adorable y sublime empollaba ideas gigantescas y radiosas; ni se llevan ahora las ideas luengos días y años luengos en la mente, fructificando y nutriéndose, acrecentándose con las impresiones y juicios análogos, que volaban a agruparse a la idea madre, como los abanderados en tiempo de guerra al montecillo en que se alza la bandera; ni de esta prolongada preñez mental nacen ahora aquellos hijos ciclópeos y desmesurados, dejo natural de una época de callamiento y de repliegue, en que las ideas habían de convertirse en sonajas de bufón de rey, o en badajo de campana de iglesia, o en manjar de patíbulo; y en que era forma única de la expresión del juicio humano el chismeo donairoso en una mala plaza de las comedias en amor trabadas entre las cazoletas de la espada y vuelos del guardainfante de los cortejadores y hermosas de la villa. Ahora los árboles de la selva no tienen más hojas que lenguas las ciudades; las ideas se maduran en la plaza en que se enseñan, y andando de mano en mano, y de pie en pie. El hablar no es pecado, sino gala; el oír no es herejía, sino gusto, hábito y moda. Se tiene el oído puesto a todo; los pensamientos, no bien germinan, ya están cargados de flores y de frutos, y saltando en el papel, y entrándose, como polvillo sutil, por todas las mentes: los ferrocarriles echan abajo la selva; los diarios la selva humana. Penetra el sol por las hendiduras de los árboles viejos. Todo es expansión, comunicación, florescencia, contagio, esparcimiento. El periódico desflora las ideas grandiosas. Las ideas no hacen familia en la mente, como antes, ni casa, ni larga vida. Nacen a caballo, montadas en relámpago, con alas. No crecen en una mente sola, sino por el comercio de todas. No tardan en beneficiar, después de salida trabajosa, a número escaso de lectores; sino que, apenas nacidas, benefician. Las estrujan, las ponen en alto, se las ciñen como corona, las clavan en picota, las erigen en ídolo, las vuelcan, las mantean. Las ideas de baja ley, aunque hayan comenzado por brillar como de ley buena, no soportan el tráfico, el vapuleo, la marejada, el duro tratamiento. Las ideas de ley buena surgen a la postre, magulladas, pero con virtud de cura espontánea, y compactas y enteras. Con un problema nos levantamos; nos acostamos ya con otro problema. Las imágenes se devoran en la mente. No alcanza el tiempo para dar forma a lo que se piensa. Se pierden unas en otras las ideas en el mar mental, como cuando una piedra hiere el agua azul, se pierden unos en otros los círculos del agua. Antes las ideas se erguían en silencio en la mente como recias torres, por lo que, cuando surgían, se las veía de lejos: hoy se salen en tropel de los labios, como semillas de oro, que caen en suelo hirviente; se quiebran, se radifican, se evaporan se malogran —¡oh hermoso sacrificio!— para el que las crea: se deshacen en chispas encendidas; se desmigajan. De aquí pequeñas obras fúlgidas, de aquí la ausencia de aquellas grandes obras culminantes, sostenidas, majestuosas, concentradas.

Y acontece también, que con la gran labor común de los humanos, y el hábito saludable de examinarse, y pedirse mutuas cuentas de sus vidas, y la necesidad gloriosa de amasar por sí el pan que se ha de servir en los manteles, no estimula la época, ni permite acaso la aparición aislada de entidades suprahumanas recogidas en una única labor de índole tenida por maravillosa y suprema. Una gran montaña parece menor cuando está rodeada de colinas. Y ésta es la época en que las colinas se están encimando a las montañas; en que las cumbres se van deshaciendo en llanuras; época ya cercana de la otra en que todas las llanuras serán cumbres. Con el descenso de las eminencias suben de nivel los llanos, lo que hará más fácil el tránsito por la tierra. Los genios individuales se señalan menos, porque les va faltando la pequeñez de los contornos que realzaban antes tanto su estatura. Y como todos van aprendiendo a cosechar los frutos de la naturaleza y a estimar sus flores, tocan los antiguos maestros a menos flor y fruto, y a más las gentes nuevas que eran antes cohorte mera de veneradores de los buenos cosecheros. Asístese como a una descentralización de la inteligencia. Ha entrado a ser lo bello dominio de todos. Suspende el número de buenos poetas secundarios y la escasez de poetas eminentes solitarios. El genio va pasando de individual a colectivo. El hombre pierde en beneficio de los hombres. Se diluyen, se expanden las cualidades de los privilegiados a la masa; lo que no placerá a los privilegiados de alma baja, pero sí a los de corazón gallardo y generoso, que saben que no es en la tierra, por grande criatura que se sea, más que arena de oro, que volverá a la fuente hermosa de oro, y reflejo de la mirada del Creador.

Y como el auvernés muere en París alegre, más que de deslumbramiento, del mal del país, y todo hombre que se detiene a verse anda enfermo del dulce mal del cielo, tienen los poetas hoy, —auverneses sencillos en Lutecia alborotada y suntuosa,— la nostalgia de la hazaña. La guerra, antes fuente de gloria, cae en desuso, y lo que pareció grandeza, comienza a ser crimen. La corte, antes albergue de bardos de alquiler, mira con ojos asustados a los bardos modernos, que aunque a veces arriendan la lira, no la alquilan ya por siempre, y aun suelen no alquilarla. Dios anda confuso; la mujer como sacada de quicio y aturdida; pero la naturaleza enciende siempre el sol solemne en medio del espacio; los dioses de los bosques hablan todavía la lengua que no hablan ya las divinidades de los altares; el hombre echa por los mares sus serpientes de cabeza parlante, que de un lado se prenden a las breñas agrestes de Inglaterra, y de otro a la riente costa americana; y encierra la luz de los astros en un juguete de cristal; y lanza por sobre las aguas y por sobre las cordilleras sus humeantes y negros tritones; —y en el alma humana, cuando se apagan los soles que alumbraron la tierra decenas de siglos, no se ha apagado el sol. No hay occidente para el espíritu del hombre; no hay más que norte, coronado de luz. La montaña acaba en pico; en cresta la ola empinada que la tempestad arremolina y echa al cielo; en copa el árbol; y en cima ha de acabar la vida humana. En este cambio de quicio a que asistimos, y en esta refacción del mundo de los hombres, en que la vida nueva va, como los corceles briosos por los caminos, perseguida de canes ladradores; en este cegamiento de las fuentes y en este anublamiento de los dioses —la naturaleza, el trabajo humano, y el espíritu del hombre se abren como inexhaustos manantiales puros a los labios sedientos de los poetas: —¡vacíen de sus copas de preciosas piedras el agrio vino viejo, y pónganlas a que se llenen de rayos de sol, de ecos de faena, de perlas buenas y sencillas, sacadas de lo hondo del alma, —y muevan con sus manos febriles, a los ojos de los hombres asustados, la copa sonora!

De esta manera, lastimados los pies y los ojos de ver y andar por ruinas que aún humean, reentra en sí el poeta lírico, que siempre fue, en más o en menos, poeta personal, —y pone los ojos en las batallas y solemnidades de la naturaleza, aquel que hubiera sido en épocas cortesanas, conventuales o sangrientas, poeta de epopeya. La batalla está en los talleres; la gloria, en la paz; el templo, en toda la tierra; el poema, en la naturaleza. Cuando la vida se asiente, surgirá el Dante venidero, no por mayor fuerza suya sobre los hombres dantescos de ahora, sino por mayor fuerza del tiempo. —¿Qué es el hombre arrogante, sino vocero de lo desconocido, eco de lo sobrenatural, espejo de las luces eternas, copia más o menos acabada del mundo en que vive? Hoy Dante vive en sí, y de sí. Ugolino roía a su hijo; mas él a sí propio; no hay ahora mendrugo más denteado que un alma de poeta: si se ven con los ojos del alma, sus puños mondados y los huecos de sus alas arrancadas manan sangre.

Suspensa, pues, de súbito, la vida histórica; harto nuevas aún y harto confusas las instituciones nacientes para que hayan podido dar de sí, —porque a los pueblos viene el perfume como al vino, con los años,— elementos poéticos; sacadas al viento, al empuje crítico, las raíces desmigajadas de la poesía añeja; la vida personal dudadora, alarmada, preguntadora, inquieta, luzbélica; la vida íntima febril, no bien enquiciada, pujante, clamorosa, ha venido a ser el asunto principal y, con la naturaleza, el único asunto legítimo de la poesía moderna.

¡Mas, cuánto trabajo cuesta hallarse a sí mismo! El hombre, apenas entra en el goce de la razón que desde su cuna le oscurecen, tiene que deshacerse para entrar verdaderamente en sí. Es un braceo hercúleo contra los obstáculos que le alza al paso su propia naturaleza y los que amontonan las ideas convencionales de que es, en hora menguada, y por impío consejo, y arrogancia culpable —alimentada. No hay más difícil falla que esta de distinguir en nuestra existencia la vida pegadiza y postadquirida, de la espontánea y prenatural; lo que viene con el hombre, de lo que le añaden con sus lecciones, legados y ordenanzas, los que antes de él han venido. So pretexto de completar al ser humano, lo interrumpen. No bien nace, ya están en pie, junto a su cuna con grandes y fuertes vendas preparadas en las manos, las filosofías, las religiones, las pasiones de los padres, los sistemas políticos: y lo atan; y lo enfajan; y el hombre es ya, por toda su vida en la tierra, un caballo embridado. Así es la tierra ahora una vasta morada de enmascarados. Se viene a la vida como cera, y el azar nos vacía en moldes prehechos. Las convenciones creadas deforman la existencia verdadera, y la verdadera vida viene a ser como corriente silenciosa que se desliza invisible bajo la vida aparente, no sentida a las veces por el mismo en quien hace su obra cauta, a la manera en que el Guardiana misterioso corre luego camino calladamente por bajo de las tierras andaluzas.

Asegurar el albedrío humano; dejar a los espíritus su seductora forma propia; no deslucir con la imposición de ajenos prejuicios las naturalezas vírgenes; ponerlas en aptitud de tomar por sí lo útil, sin ofuscarlas, ni impelerlas por una vía marcada. ¡He ahí el único modo de poblar la tierra de la generación vigorosa y creadora que le falta! Las redenciones han venido siendo teóricas y formales: es necesario que sean afectivas y esenciales. Ni la originalidad literaria cabe, ni la libertad política subsiste mientras no se asegure la libertad espiritual. El primer trabajo del hombre es reconquistarse. Urge devolver los hombres a sí mismos; urge sacarlos del mal gobierno de la convención que sofoca o envenena sus sentimientos, acelera el despertar de sus sentidos, y recarga su inteligencia con un caudal pernicioso, ajeno, frío y falso. Sólo lo genuino es fructífero. Sólo lo directo es poderoso. Lo que otro nos lega es como manjar recalentado. Toca a cada hombre reconstruir su vida: a poco que mire en sí, la reconstruye. ¡Asesino alevoso, ingrato a Dios y enemigo de los hombres, es el que so pretexto de dirigir a las generaciones nuevas, les enseña un cúmulo aislado y absoluto de doctrinas, y les predica al oído antes que la dulce plática del amor, el evangelio bárbaro del odio! ¡Reo es de traición a la Naturaleza el que impide, en una vía u otra, y cualquiera vía, el libre uso, la aplicación directa y el espontáneo empleo de las facultades magníficas del hombre! ¡Entre ahora el bravo, el buen lancero, el ponderoso ajustador, el caballero de la libertad humana —que es orden magna de caballería—, el que se viene derechamente, sin pujos de Valbuena ni rezagos de Ojeda, por la poesía épica de nuestros tiempos; el que movió al cielo las manos generosas en tono de plegaria y las sacó de la oración a modo de ánfora sonora, henchida de estrofas opulentas y vibrantes, acariciada de olímpicos reflejos! ¡El poema está en la Naturaleza, madre de senos próvidos, esposa que jamás desama, oráculo que siempre responde, poeta de mil lenguas, maga que hace entender lo que no dice, consoladora que fortifica y embalsama! ¡Entre ahora el bardo del Niágara, que ha escrito un canto extraordinario y resplandeciente del poema inacabable de la Naturaleza!

¡El poema del Niágara! Lo que el Niágara cuenta; las voces del torrente; los gemidos del alma humana; la majestad del alma universal; el diálogo titánico entre el hombre impaciente y la Naturaleza desdeñosa; el clamor desesperado de hijo de gran padre desconocido, que pide a su madre muda el secreto de su nacimiento; el grito de todos en un sólo pecho; el tumulto del pecho que responde al bravío de las ondas; el calor divino que enardece y encala la frente del hombre a la faz de lo grandioso, la compenetración profética y suavísima del hombre rebelde e ignorador y la Naturaleza fatal y reveladora, el tierno desposorio con lo eterno y el vertimiento deleitoso en la creación del que vuelve en sí al hombre ebrio de fuerza y júbilo, fuerte como un monarca amado, ungido rey de la Naturaleza!

¡El poema del Niágara! El halo de espíritu que sobrerrodea el halo de agua de colores; la batalla de su

seno, menos fragosa que la humana; el oleaje simultáneo de todo lo vivo, que va a parar, empujado por lo
que no se ve, encabritándose y revolviéndose, allá en lo
que no se sabe; la ley de la existencia, lógica a fuerza
de ser incomprensible, que devasta sin acuerdo aparente mártires, villanos, y sorbe de un hálito, como ogro
famélico, un haz de evangelistas, en tanto que deja
vivos en la tierra, como alimañas de boca roja que le di-
vierten, haces de criminales; la vía aparejada en que es-
tallan, chocan, se rebelan, saltan al cielo y dan en
hondo hombres y cataratas estruendosas; el vocerío y
combate angélico del hombre arrebatado por la ley
arrolladora, que al par que cede y muere, blasfema, agí-
tase como un titán que se sacude mundos y ruge; la voz
ronca de la cascada que ley igual empuja, y al dar en
mar o en antro, se encrespa y gime; y luego de todo, las
lágrimas que lo envuelven ahora todo, y el quejido des-
garrador del alma sola: he ahí el poema imponente que
ese hombre de su tiempo vio en el Niágara.

Toda esa historia que va escrita es la de este
poema. Como este poema es obra representativa, hablar
de él es hablar de la época que representa. Los buenos
eslabones dan chispas altas. Menguada cosa es lo relativo que no despierta el pensamiento de lo absoluto.
Todo ha de hacerse de manera que lleve la mente a lo
general y a lo grande. La filosofía no es más que el secreto de la relación de las varias formas de existencia.
Mueven el alma de este poeta los afanes, las soledades,
las amarguras, la aspiración del genio cantor. Se presenta armado de todas armas en un circo en donde no
ve combatientes, ni estrados animados de público tre-
mendo, ni ve premio. Corre, cargado de todas las armas
que le pesan, en busca de batalladores. ¡Halla un monte
de agua que le sale al paso; y, como lleva el pecho lleno
de combate, reta al monte de agua!

Pérez Bonalde, apenas puso los ojos sobre sí, y en
su torno, viviendo en tiempo revuelto y en tierra muy

fría, se vio solo; catecúmeno enérgico de una religión no establecida, con el corazón necesitado de adorar, con la razón negada a la reverencia; creyente por instinto, incrédulo por reflexión. En vano buscó polvo digno de una frente varonil para postrarse a rendir tributo de acatamiento; en vano trató de hallar su puesto, en esta época en que no hay tierra que no los haya trastocado todos, en la confusa y acelerada batalla de los vivos; en vano, creado por mal suyo para empresas hazañosas, y armado por el estudio del análisis que las reprime cuando no las prohíbe o ridiculiza, persiguió con empeño las grandes acciones de los hombres, que tienen ahora a gala y prueba de ánimo fuerte, no emprender cosa mayor, sino muy suave, productiva y hacedera. En los labios le rebosaban los versos robustos; en la mano le vibraba acaso la espada de la libertad —que no debiera, por cierto, llevar jamás espada—; en el espíritu la punzante angustia de vivir sobrado de fuerzas sin empleo, que es como poner la savia de un árbol en el corpecillo de una hormiga. Los vientos corrientes le batían las sienes; la sed de nuestros tiempos le apretaba las fauces; lo pasado, ¡todo es castillo solitario y armadura vacía!; lo presente, ¡todo es pregunta, negación, cólera, blasfemia de derrota, alarido de triunfo!; lo venidero, ¡todo está oscurecido por el polvo y vapor de la batalla! Y fatigado de buscar en vano hazañas en los hombres, fue el poeta a saludar la hazaña de la naturaleza.

Y se entendieron. El torrente prestó su voz al poeta; el poeta su gemido de dolor a la maravilla rugidora. Del encuentro súbito de un espíritu ingenuo y de un espectáculo sorprendente, surgió este poema palpitante, desbordado, exuberante, lujoso. Acá desmaya, porque los labios sajan las ideas, en vez de darles forma. Allá se encumbra, porque hay ideas tales, que pasan por sobre los labios como por sobre valla de carrizos. El poema tiene el alarde pindárico, el vuelo herediano, rebeldes curvas, arrogantes reboses, lujosos alzamientos, cóleras heroicas. El poeta ama, no se asombra. No se espanta, llama. Riega todas las lágrimas del pecho. Increpa, golpea, implora. Yergue todas las soberbias de la mente. Empuñaría sin miedo el cetro de la sombra. Ase la niebla, rásgala, penétrala. ¡Evoca al Dios del antro; húndese en la cueva limosa: enfríase en torno suyo el aire; resurge coronado de luz; canta el *hosanna*! La Luz es el gozo supremo de los hombres. Ya pinta el río sonoro, turbulento, despeñado, roto en polvo de plata, evaporado en humo de colores. Las estrofas son cuadros: ora ráfagas de ventisquero, ora columnas de fuego, ora relámpagos. Ya Luzbel, ya Prometeo, ya Icaro. Es nuestro tiempo, enfrente de nuestra naturaleza. Ser eso es dado a pocos. Contó a la Naturaleza los dolores del hombre moderno. Y fue pujante, porque fue sincero. Montó en carroza de oro.

Este poema fue impresión, choque, golpe de ala, obra genuina, rapto súbito. Vese aún a trechos al estudiador que lee, el cual es personaje importuno en estos choques del hombre y la Naturaleza; pero por sobre él salta, por buena fortuna, gallardo y atrevido, el hombre. El gemidor asoma, pero el sentidor vehemente vence. Nada le dice el torrente, que lo dice todo; pero a poco pone bien el oído, y a despecho de los libros de duda, que le alzan muralla, lo oye todo. Las ideas potentes se enciman, se precipitan, se cobijan, se empujan, se entrelazan. Acá el consonante las magulla; el consonante magulla siempre; allá las propaga, con lo cual las daña; por lo común, la idea abundosa y encendida encaja noblemente en el verso centellante. Todo el poeta se salió a estos versos; la majestad evoca y pone en pie todo lo majestuoso. Su estrofa fue esta vez como la ola que nace del mar agitado, y crece al paso con el encuentro de otras olas, y se empina, y se enrosca, y se despliega ruidosamente, y va a morir en espuma sonante y círculos irregulares y rebeldes no sujetos a forma ni extensión; acá enseñoreándose de la arena y tendiéndose sobre ella como triunfador que echa su manto sobre la prisionera que hace su cautiva; allá besando mansamente los bordes cincelados de la piedra marina caprichosa; quebrándose acullá en haces de polvo contra la arista enhiesta de las rocas. Su irregularidad le viene de su fuerza. La perfección de la forma se consigue casi siempre a costa de la perfección de la idea. Pues el rayo ¿obedece a marcha precisa en su camino? ¿Cuándo fue jaca de tiro más hermosa que potro en la dehesa? Una tempestad es más bella que una locomotora. Señálanse por sus desbordes y turbulencias las obras que arrancan derechamente de lo profundo de las almas magnas.

Y Pérez Bonalde ama su lengua, y la acaricia, y la castiga; que no hay placer como este de saber de dónde viene cada palabra que se usa, y a cuánto alcanza; ni hay nada mejor para agrandar y robustecer la mente que el estudio esmerado y la aplicación oportuna del lenguaje. Siente uno, luego de escribir, orgullo de escultor y de pintor. Es la dicción de este poema redonda y hermosa; la factura amplia; el lienzo extenso; los colores a prueba de sol. La frase llega a alto, como que viene de hondo, y cae rota en colores, o plegada con majestad, o fragorosa como las aguas que retrata. A veces, con la prisa de alcanzar la imagen fugitiva, el verso queda sin concluir, o concluido con premura. Pero la alteza es constante. Hay ola, y ala. Mima Pérez Bonalde lo que escribe; pero no es, ni quiere serlo, poeta cincelador. Gusta, por decontado, de que el verso brote de su pluma sonoro, bien acuñado, acicalado, mas no se pondrá como otro, frente al verso, con martillo de oro y buril de plata, y enseres de cortar y de sajar, a mellar aquí un extremo, a fortificar allí una juntura, a abrillantar y redondear la joya, sin ver que si el diamante sufre talla, moriría la perla de ella. El verso es perla. No han de ser los versos como la rosa centifolia, toda llena de hojas, sino como el jazmín del Malabar, muy cargado de esencias. La hoja debe ser nítida, perfumada, sólida, tersa. Cada vasillo suyo ha de ser un vaso de aromas. El verso, por dondequiera que se quiebre, ha de dar luz y perfume. Han de podarse de la lengua poética, como del árbol, todos los retoños entecos, o amarillentos, o mal nacidos, y no dejar más que los sanos y robustos, con lo que, con menos hojas, se alza con más gallardía la rama, y pasea en ella con más libertad la brisa y nace mejor el fruto. Pulir es bueno, más dentro de la mente y antes de sacar el verso al labio. El verso hierve en la mente, como en la cuba el mosto. Mas ni el vino mejora, luego de hecho, por añadirle alcoholes y taninos; ni se aquilata el verso, luego de nacido, por engalanarlo con aditamentos y aderezos. Ha de ser hecho de una pieza y de una sola inspiración, porque no es obra de artesano que trabaja a cordel, sino de hombre en cuyo seno anidan cóndores, que ha de aprovechar el aleteo del cóndor. Y así brotó de Bonalde este poema, y es una de sus fuerzas: fue hecho de una pieza.

¡Oh! ¡Esa tarea de recorte, esa mutilación de nuestros hijos, ese trueque de plectro del poeta por el bisturí del disector! Así quedan los versos pulidos: deformes y muertos. Como cada palabra ha de ir cargada de su propio espíritu y llevar caudal suyo al verso, mermar palabras es mermar espíritu, y cambiarlas es rehervir el mosto, que, como el café, no ha de ser rehervido. Se queja el alma del verso, como maltratada, de estos golpes de cincel. Y no parece cuadro de Vinci, sino mosaico de Pompeya. Caballo de paseo no gana batallas. No está en el divorcio el remedio de los males del matrimonio, sino en escoger bien la dama y en no cegar a destiempo en cuanto a las causas reales de la unión. Ni en el pulimento está la bondad del verso, sino en que nazca ya alado y sonante. No se dé por hecho el verso en espera de acabarle luego, cuando aún no esté acabado; que luego se le rematará en apariencia, mas no verdaderamente ni con ese encanto de cosa virgen que tiene el verso que no ha sido sajado ni trastrojado. Porque el trigo es más fuerte que el verso, y se quiebra y amala cuando lo cambian muchas veces de troje. Cuando el verso quede por hecho ha de estar armado de todas armas, con coraza dura y sonante, y de penacho blanco rematado el buen casco de acero reluciente.

Que aun con todo esto, como pajas perdidas que con el gusto del perfume no se cuidó de recoger cuando se abrió la caja de perfumería, quedaron sueltos algunos cabos, que bien pudieran rematarse; que acá sobra un epíteto; que aquí asoma un asonante inoportuno; que acullá ostenta su voluta caprichosa un esdrújulo osado; que a cual verso le salió corta el ala, lo que en verdad no es cosa de gran monta en esta junta de versos sobrados de alas grandes; que, como dejo natural del tiempo, aparecen en aquella y esta estrofa, como fuegos de San Telmo en cielo sembrado de astros, gemidos de contagio y desesperanzas aprendidas; ¡ea! que bien puede ser, pero esa menudencia es faena de pedantes. Quien va en busca de montes, no se detiene a recoger las piedras del camino. Saluda el sol, y acata al monte. Estas son confidencias de sobremesa. Esas cosas se dicen al oído. Pues, ¿quién no sabe que la lengua es jinete del pensamiento, y no su caballo? La imperfección de la lengua humana para expresar cabalmente los juicios, afectos y designios del hombre es una prueba perfecta y absoluta de la necesidad de una existencia venidera.

Y aquí viene bien que yo conforte el alma, algún momento abatida y azorada de este gallardísimo poeta; que yo le asegure lo que él anhela saber; que vacíe en él la ciencia que en mí han puesto la mirada primera de los niños, colérica como quien entra en casa mezquina viniendo de palacio, y la última mirada de los moribundos, que es una cita, y no una despedida. Bonalde mismo no niega, sino que inquiere. No tiene fe absoluta en la vida próxima; pero no tiene duda absoluta. Cuando se pregunta desesperado qué ha de ser de él, queda tranquilo, como si hubiera oído lo que no dice. Saca fe en lo eterno de los coloquios en que bravamente lo interroga. En vano teme él morir cuando ponga al fin la cabeza en la almohada de tierra. En vano el eco que juega con las palabras, —porque la naturaleza parece, como el Creador mismo, celosa de sus mejores criaturas, y gusta de ofuscarles el juicio que les dió, —le responde que nada sobrevive a la hora que nos parece la postrera. El eco en el alma dice cosa más honda que el eco del torrente. Ni hay torrente como nuestra alma. ¡No! ¡la vida humana no es toda la vida! La tumba es vía y no término. La mente no podría concebir lo que no fuera capaz de realizar; la existencia no puede ser juguete abominable de un loco maligno. Sale el hombre de la vida, como tela plegada, ganosa de lucir sus colores, en busca de marco; como nave gallarda, ansiosa de andar mundos, que al fin se da a los mares. La muerte es júbilo, reanudamiento, tarea nueva. La vida humana sería una invención repugnante y bárbara, si estuviera limitada a la vida en la tierra. Pues ¿qué es nuestro cerebro, sementera de proezas, sino anuncio del país cierto en que han de rematarse? Nace el árbol en la tierra, y halla atmósfera en que extender sus ramas; y el agua en la honda madre, y tiene cauce en donde echar sus fuentes; y nacerán las ideas de justicia en la mente, las jubilosas ansias de no cumplidos sacrificios, el acabado programa de hazañas espirituales, los deleites que acompañan a la imaginación de una vida pura y honesta, imposible de logro en la tierra— ¿y no tendrá espacio en que tender al aire su ramaje esta arboleda de oro? ¿Qué es más el hombre al morir, por mucho que haya trabajado en vida, que gigante que ha vivido condenado a tejer cestos de monje y fabricar nidillos de jilguero? ¿Qué ha de ser del espíritu tierno y rebosante que, falto de empleo fructífero, se refugia en sí mismo, y sale íntegro y no empleado de la tierra? Este poeta venturoso no ha entrado aún en los senos amargos de la vida. no ha sufrido bastante. Del sufrimiento, como el halo de la luz, brota la fe en la existencia venidera. Ha vivido con la mente, que ofusca; y con el amor, que a veces desengaña; fáltale aún vivir con el dolor que conforta, acrisola y esclarece. Pues ¿qué es el poeta, sino alimento vivo de la llama con que alumbra? ¡Echa su cuerpo a la hoguera, y el humo llega al cielo, y la claridad del incendio maravilloso se esparce, como un suave calor, por toda la tierra!

Bien hayas, poeta sincero y honrado, que te alimentas de tí mismo. ¡He aquí una lira que vibra! ¡He aquí un poeta que se palpa el corazón, que lucha con la mano vuelta al cielo, y pone a los aires vivos la arrogante frente! ¡He aquí un hombre, maravilla de arte sumo, y fruto raro en esta tierra de hombres! He aquí un vigoroso braceador que pone el pie seguro, la mente avarienta, y los ojos ansiosos y serenos en ese haz de despojos de templos, y muros apuntalados, y cadáveres dorados, y alas hechas de cadenas, de que, con afán siniestro, se aprovechan hoy tantos arteros batalladores para rehacer prisiones al hombre moderno! El no persigue a la poesía, breve espuma de mar hondo, que sólo sale a flote cuando hay ya mar hondo, y voluble coqueta que no cuida de sus cortejadores, ni dispensa a los importunos sus caprichos. El aguardó la hora alta, en que el cuerpo se agiganta y los ojos se inundan de llanto, y de embriaguez el pecho, y se hincha la vela de la vida, como lona de barco, a vientos desconocidos, y se anda naturalmente a paso de monte. El aire de la tempestad es suyo, y ve en él luces, y abismos bordados de fuego que se entreabren, y místicas promesas. En este poema, abrió su seno atormentado al aire puro, los brazos trémulos al oráculo piadoso, la frente enardecida a las caricias aquietadoras de la sagrada naturaleza. Fue libre, ingenuo, humilde, preguntador, señor de sí, caballero del espíritu. ¿Quiénes son los soberbios que se arrogan el derecho de enfrenar cosa que nace libre, de sofocar la llama que enciende la naturaleza, de privar del ejercicio natural de sus facultades a criatura tan augusta como el ser humano? ¿Quiénes son esos búhos que vigilan la cuna de los recién nacidos y beben en su lámpara de oro el aceite de la vida? ¿Quiénes son esos alcaides de la mente, que tienen en prisión de dobles rejas al alma, esta gallarda castellana? ¿Habrá blasfemo mayor que el que, so pretexto de entender a Dios, se arroja a corregir la obra divina? ¡Oh Libertad! ¡no manches nunca tu túnica blanca, para que no tenga miedo de tí el recién nacido! ¡Bien hayas tú, Poeta del Torrente, que osas ser libre en una época de esclavos pretenciosos, porque de tal modo están acostumbrados los hombres a la servidumbre, que cuando han dejado de ser esclavos de la reyecía, comienzan ahora, con más indecoroso humillamiento, a ser esclavos de la Libertad! ¡Bien hayas, cantor ilustre, y ve que sé qué vale esta palabra que te digo! ¡Bien hayas tú, señor de espada de fuego, jinete de caballo de alas, rapsoda de lira de roble, hombre que abres tu seno a la naturaleza! Cultiva lo magno, puesto que trajiste a la tierra todos los aprestos del cultivo. Deja a los pequeños otras pequeñeces. Muévante siempre estos solemnes vientos. Pon de lado las huecas rimas de uso, ensartadas de perlas y matizadas con flores de artificio, que suelen ser más juego de la mano y divertimiento del ocioso ingenio que llamarada del alma y hazaña digna de los magnates de la mente. Junta en haz alto, y echa al fuego, pesares de contagio, tibiedades latinas, rimas reflejas, dudas ajenas, males de libros, fe prescrita, y caliéntate a la llama saludable del frío de estos tiempos dolorosos en que, despierta ya en la mente la criatura adormecida, están todos los hombres de pie sobre la tierra, apretados los labios, desnudo el pecho bravo y vuelto el puño al cielo, demandando a la vida su secreto.

NUESTRA AMÉRICA

Cree el aldeano vanidoso que el mundo entero es su aldea, y con tal que él quede de alcalde, o le mortifique al rival que le quitó la novia, o le crezcan en la alcancía los ahorros, ya da por bueno el orden universal, sin saber de los gigantes que llevan siete leguas en las botas y le pueden poner la bota encima, ni de la pelea de los cometas en el cielo, que van por el aire dormido engullendo mundos. Lo que quede de aldea en América ha de despertar. Estos tiempos no son para acostarse con el pañuelo en la cabeza, sino con las armas de almohada, como los varones de Juan de Castellanos: las armas del juicio, que vencen a las otras. Trincheras de ideas valen más que trincheras de piedra.

No hay proa que taje una nube de ideas. Una idea enérgica, flameada a tiempo ante el mundo, para, como la bandera mística del juicio final, a un escuadrón de acorazados. Los pueblos que no se conocen han de darse prisa para conocerse, como quienes van a pelear juntos. Los que se enseñan los puños, como hermanos celosos, que quieren los dos la misma tierra, o el de

156

casa chica que le tiene envidia al de casa mejor, han de encajar, de modo que sean una, las dos manos. Los que, al amparo de una tradición criminal, cercenaron, con el sable tinto en la sangre de sus mismas venas, la tierra del hermano vencido, del hermano castigado más allá de sus culpas, si no quieren que les llame el pueblo ladrones, devuélvanle sus tierras al hermano. Las deudas del honor no las cobra el honrado en dinero, a tanto por la bofetada. Ya no podemos ser el pueblo de hojas, que vive en el aire, con la copa cargada de flor, restallando o zumbando, según la acaricie el capricho de la luz, o la tundan y talen las tempestades; ¡Los árboles se han de poner en fila, para que no pase el gigante de las siete leguas! Es la hora del recuento, y de la marcha unida, y hemos de andar en cuadro apretado, como la planta en las raíces de los Andes.

A los sietemesinos sólo les faltará el valor. Los que no tienen fe en su tierra son hombres de siete meses. Porque les falta el valor a ellos, se lo niegan a los demás. No les alcanza el árbol difícil, el brazo canijo, el brazo de uñas pintadas y pulsera, el brazo de Madrid o de París, y dicen que no se puede alcanzar el árbol. Hay que cargar los barcos de esos insectos dañinos, que le roen el hueso a la patria que los nutre. Si son parisienses o madrileños, vayan al Prado, de faroles, o vayan a Tortoni, de sorbetes. ¡Estos hijos de carpintero, que se avergüenzan de que su padre sea carpintero! ¡Estos nacidos en América, que se avergüenzan, porque llevan delantal indio, de la madre que los crió, y reniegan, ¡bribones!, de la madre enferma, y la dejan sola en el lecho de las enfermedades! Pues, ¿quién es el hombre? ¿el que se queda con la madre a curarle la enfermedad, o el que la pone a trabajar dónde no la vean, y vive de su sustento en las tierras podridas, con el gusano de corbata, maldiciendo del seno que lo cargó, paseando el letrero de traidor en la espalda de la casaca de papel? ¡Estos hijos de nuestra América, que ha de salvarse con sus indios, y va de menos a más; estos desertores que piden fusil en los ejércitos de la América del Norte, que ahoga en sangre a sus indios, y va de más a menos! ¡Estos delicados, que son hombres y no quieren hacer el trabajo de hombres! Pues el Washington que les hizo esta tierra ¿se fue a vivir con los ingleses, a vivir con los ingleses en los años en que los veía venir contra su tierra propia? ¡Estos "increíbles" del honor, que lo arrastran por el suelo extranjero, como los increíbles de la Revolución francesa, danzando y relamiéndose, arrastraban las erres!

Ni ¿en qué patria puede tener un hombre más orgullo que en nuestras repúblicas dolorosas de América, levantadas entre las masas mudas de indios, al ruido de pelea del libro con el cirial, sobre los brazos sangrientos de un centenar de apóstoles? De factores tan descompuestos, jamás, en menos tiempo histórico, se han creado naciones tan adelantadas y compactas. Cree el soberbio que la tierra fue hecha para servirle de pedestal, porque tiene la pluma fácil o la palabra de colores, y acusa de incapaz e irremediable a su república nativa, porque no le dan sus selvas nuevas modo continuo de ir por el mundo de gamonal famoso, guiando jacas de Persia y derramando champaña. La incapacidad no está en el país naciente, que pide formas que se le acomoden y grandeza útil, sino en los que quieren regir pueblos originales, de composición singular y violenta, con leyes heredadas de cuatro siglos de práctica libre en los Estados Unidos, de diecinueve siglos de monarquía en Francia. Con un decreto de Hamilton no se le para la pechada al potro del llanero. Con una frase de Sieyés no se desestanca la sangre cuajada de la raza india. A lo que es, allí donde se gobierna, hay que atender para gobernar bien; y el buen gobernante en América no es el que sabe cómo se gobierna el alemán o el francés, sino el que sabe con qué elementos está hecho su país, y cómo puede ir guiándolos en junto, para llegar, por métodos e instituciones nacidas del país mismo, a aquel estado apetecible donde cada hombre se conoce y ejerce, y disfrutan todos de la abundancia que la Naturaleza puso para todos en el pueblo que fecundan con su trabajo y defienden con sus vidas. El gobierno ha de nacer del país. El espíritu del gobierno ha de ser del país. La forma del gobierno ha de avenirse a la constitución propia del país. El gobierno no es más que el equilibrio de los elementos naturales del país.

Por eso el libro importado ha sido vencido en América por el hombre natural. Los hombres naturales han vencido a los letrados artificiales. El mestizo autóctono ha vencido al criollo exótico. No hay batalla entre la civilización y la barbarie, sino entre la falsa erudición y la naturaleza. El hombre natural es bueno, y acata y premia la inteligencia superior, mientras ésta no se vale de su sumisión para dañarle, o le ofende prescindiendo de él, que es cosa que no perdona el hombre natural, dispuesto a recobrar por la fuerza el respeto de quien le hiere la susceptibilidad o le perjudica el interés. Por esta conformidad con los elementos naturales desdeñados han subido los tiranos de América al poder; y han caído en cuanto les hicieron traición. Las Repúblicas han purgado en las tiranías su incapacidad para conocer los elementos verdaderos del país, derivar de ellos la forma de gobierno y gobernar con ellos. Gobernante, en un pueblo nuevo, quiere decir creador.

En pueblos compuestos de elementos cultos e incultos, los incultos gobernarán, por su hábito de agredir y resolver las dudas con la mano, allí donde los cultos no aprendan el arte del gobierno. La masa inculta es perezosa, y tímida en las cosas de la inteligencia, y quiere que la gobiernen bien; pero si el gobierno le lastima, se lo sacude y gobierna ella. ¿Cómo han de salir de las Universidades los gobernantes, si no hay Universidad en América donde se enseñe lo rudimentario del arte del gobierno, que es el análisis de los elementos peculiares de los pueblos de América? A adivinar salen los jóvenes al mundo, con antiparras yankees o francesas, y aspiran a dirigir un pueblo que no conocen. En la carrera de la política habría de negarse la entrada a los que desconocen los rudimentos de la política. El premio de los certámenes no ha de ser para la mejor oda, sino para el mejor estudio de los factores del país en que se vive. En el periódico, en la cátedra, en la academia, debe llevarse adelante el estudio de los factores reales del país. Conocerlos basta, sin vendas ni ambajes; porque el que pone de lado, por voluntad u olvido, una parte de la verdad, cae a la larga por la verdad que le faltó, que crece en la negligencia, y derriba lo que se levanta sin ella. Resolver el problema después de conocer sus elementos, es más fácil que resolver el problema sin conocerlos. Viene el hombre natural, indignado y fuerte, y derriba la justicia acumulada de los libros, porque no se la administra en acuerdo con las necesidades patentes del país. Conocer es resolver. Conocer el país, y gobernarlo conforme al conocimiento, es el único modo de librarlo de tiranías. La Universidad Europea ha de ceder a la Universidad Americana. La historia de América, de los incas a acá, ha de enseñarse al dedillo, aunque no se enseñe la de los arcontes de Grecia. Nuestra Grecia es preferible a la Grecia que no es nuestra. No es más necesaria. Los políticos nacionales han de reemplazar a los políticos exóticos. Injértese en nuestras Repúblicas el mundo; pero el tronco ha de ser el de nuestras Repúblicas. Y calle el pedante vencido; que no hay patria en que pueda tener el hombre más orgullo que en nuestras dolorosas repúblicas americanas.

Con los pies en el rosario, la cabeza blanca y el cuerpo pinto de indio y criollo, vinimos, denodados, al mundo de las naciones. Con el estandarte de la Virgen salimos a la conquista de la libertad. Un cura, unos cuantos tenientes y una mujer alzan en México la República en hombros de los indios. Un canónigo español, a la sombra de su capa, instruye en la libertad francesa a unos cuantos bachilleres magníficos, que ponen de jefe de Centro América contra España al general de España. Con los hábitos monárquicos, y el Sol por pecho, se echaron a levantar pueblos los venezolanos por el Norte y los argentinos por el sur. Cuando los dos héroes chocaron, y el continente iba a temblar, uno, que no fue el menos grande, volvió riendas. Y como el heroísmo en la paz es más escaso, porque es menos glorioso que el de la guerra; como al hombre le es más fácil morir con honra que pensar con orden; como gobernar con los sentimientos exaltados y unánimes es más hacedero que dirigir, después de la pelea, los pensamientos diversos, arrogantes, exóticos o ambiciosos; como los poderes arrollados en la arremetida épica zapaban, con la cautela felina de la especie y el peso de lo real, el edificio que había izado, en las comarcas burdas y singulares de nuestra América mestiza, en los pueblos de pierna desnuda y casaca de París, la bandera de los pueblos nutridos de savia gobernante en la práctica continua de la razón y de la libertad; como la constitución jerárquica de las colonias resistía la organización democrática de la República, o las capitales de corbatín dejaban en el zaguán al campo de bota-de-potro, o los redentores bibliógenos no entendieron que la revolución que triunfó con el alma de la tierra, desatada a la voz del salvador, con el alma de la tierra había de gobernar, y no contra ella ni sin ella, entró a padecer América y padece, de la fatiga de acomodación entre los elementos discordantes y hostiles que heredó de un colonizador despótico y avieso, y las ideas y formas importadas que han venido retardando, por su falta de realidad local, el gobierno lógico. El continente descoyuntado durante tres siglos por un mando que negaba el derecho del hombre al ejercicio de su razón, entró, desatendiendo o desoyendo a los ignorantes que lo habían ayudado a redimirse, en un gobierno que tenía por base la razón; la razón de todos en las cosas de todos, y no la razón universitaria de uno sobre la razón campestre de otros. El problema de la independencia no era el cambio de formas, sino el cambio de espíritu.

Con los oprimidos había que hacer causa común, para afianzar el sistema opuesto a los intereses y hábitos de mando de los opresores. El tigre, espantado del fogonazo, vuelve de noche al lugar de la presa. Muere echando llamas por los ojos y con las zarpas al aire. No se le oye venir, sino que viene con zarpas de terciopelo. Cuando la presa despierta, tiene al tigre encima. La colonia continuó viviendo en la república; y nuestra América se está salvando de sus grandes yerros —de la soberbia de las ciudades capitales, del triunfo ciego de los campesinos desdeñados, de la importancia excesiva de las ideas y fórmulas ajenas, del desdén inicuo e impolítico de la raza aborigen—, por la virtud superior, abonada con sangre necesaria, de la república que lucha contra la colonia. El tigre espera, detrás de cada árbol, acurrucado en cada esquina. Morirá, con las zarpas al aire, echando llamas por los ojos.

Pero "estos países se salvarán", como anunció Rivadavia el argentino, el que pecó de finura en tiempos crudos; al machete no le va vaina de seda, ni en el país que se ganó con lanzón se puede echar el lanzón atrás, porque se enoja, y se pone en la puerta del Congreso de Iturbide "a que le hagan emperador al rubio". Estos países se salvarán, porque, con el genio de la moderación que parece imperar, por la armonía serena de la Naturaleza, en el continente de la luz, y por el influjo de la lectura crítica que ha sucedido en Europa a la lectura de tanteo y falansterio en que se empapó la generación anterior, le está naciendo a América, en estos tiempos reales, el hombre real.

Eramos una visión, con el pecho de atleta, las manos de petimetre y la frente de niño. Eramos una máscara, con los calzones de Inglaterra, el chaleco pari-

162

siense, el chaquetón de Norte América y la montera de España. El indio, mudo, nos daba vueltas alrededor, y se iba al monte, a la cumbre del monte, a bautizar sus hijos. El negro, oteado, cantaba en la noche la música de su corazón, solo y desconocido, entre las olas y las fieras. El campesino, el creador, se revolvía, ciego de indignación, contra la ciudad desdeñosa, contra su criatura. Eramos charreteras y togas, en países que venían al mundo con la alpargata en los pies y la vincha en la cabeza. El genio hubiera estado en hermanar, con la caridad del corazón y con el atrevimiento de los fundadores, la vincha y la toga; en desestancar al indio; en ir haciendo lado al negro suficiente; en ajustar la libertad al cuerpo de los que se alzaron y vencieron por ella. Nos quedó el oidor, y el general, y el letrado, y el prebendado. La juventud angélica, como de los brazos de un pulpo, echaba al Cielo, para caer con gloria estéril, la cabeza coronada de nubes. El pueblo natural, con el empuje del instinto, arrollaba, ciego del triunfo, los bastones de oro. Ni el libro europeo, ni el libro yankee, daban la clave del enigma hispanoamericano. Se probó el odio, y los países venían cada año a menos. Cansados del odio inútil, de la resistencia del libro contra la lanza, de la razón contra el cirial, de la ciudad contra el campo, del imperio imposible de las castas urbanas divididas sobre la nación natural, tempestuosas o inerte, se empieza, como sin saberlo, a probar el amor. Se ponen en pie los pueblos, y se saludan. "¿Cómo somos?" se preguntan; y unos a otros se van diciendo cómo son. Cuando aparece en Cojímar un problema, no va a buscar la solución a Danzing. Las levitas son todavía de Francia, pero el pensamiento empieza a ser de América. Los jóvenes de América se ponen la camisa al codo, hunden las manos en la masa y la levantan con la levadura de su sudor. Entienden que se imita demasiado, y que la salvación está en crear. Crear es la palabra de pase de esta generación. El vino, de plátano; y si sale agrio, ¡es nuestro vino! Se entiende que las formas de gobierno de un país han de acomodarse a sus elementos naturales; que las ideas absolutas, para no caer por un yerro de forma, han de ponerse en formas relativas; que la libertad, para ser viable, tiene que ser sincera y plena; que si la república no abre los brazos a todos y adelante con todos, muere la república. El tigre de adentro se entra por la rendija, y el tigre de afuera. El general sujeta en la marcha la caballería al paso de los infantes. O si deja a la zaga a los infantes, le envuelve el enemigo la caballería. Estrategia es política. Los pueblos han de vivir criticándose, porque la crítica es la salud; pero con un solo pecho y una sola mente. ¡Bajarse hasta los infelices y alzarlos en los brazos! ¡Con el fuego del corazón deshelar la América coagulada! ¡Echar, bullendo y rebotando por las venas, la sangre natural del país! En pie, con los ojos alegres de los trabajadores, se saludan, de un pueblo a otro, los hombres nuevos americanos. Surgen los estadistas naturales del estudio directo de la Naturaleza. Leen para aplicar, pero no para copiar. Los economistas estudian la dificultad en sus orígenes. Los oradores empiezan a ser sobrios. Los dramaturgos traen los caracteres nativos a la escena. Las academias discuten temas viables. La poesía se corta la melena zorrillesca y cuelga del árbol glorioso el chaleco colorado. La prosa, centelleante y cernida, va cargada de idea. Los gobernadores, en las repúblicas de indios, aprenden indio. De todos sus peligros se va salvando América. Sobre algunas repúblicas está durmiendo el pulpo. Otras, por la ley del equilibrio, se echan a pie a la mar, a recobrar, con prisa loca y sublime, los siglos perdidos. Otras, olvidando que Juárez paseaba en un coche de mulas, ponen coche de viento y de cochero a una bomba de jabón; el lujo venenoso, enemigo de la libertad, pudre al hombre liviano y abre la puerta al extranjero. Otras acendran, con el espíritu épico de la independencia amenazada, el carácter viril. Otras crían, en la guerra rapaz contra el vecino, la soldadesca que pueda devorarlas. Pero otro peligro corre, acaso, nuestra América, que no le viene de sí, sino de la diferencia de orígenes, métodos e intereses entre los dos factores continentales, y es la hora próxima en que se le acerque, demandando relaciones íntimas, un pueblo emprendedor y pujante que la desconoce y la desdeña. Y como los pueblos viriles, que se han hecho de sí propios, con la escopeta y la ley, aman, y sólo aman, a los pueblos viriles; como la hora del desenfreno y la ambición, de que acaso se libre, por el predominio de lo más puro de su sangre, la América del Norte, o en que pudieran lanzarla sus masas vengativas y sórdidas, no la tradición de conquista y el interés de un caudillo hábil, no está tan cercana aún a los ojos del más espantadizo, que no dé tiempo a la prueba de altivez, continua y discreta, con que se la pudiera encarar y desviarla; como su decoro de república pone a la América del Norte, ante los pueblos atentos del Universo, un freno que no le ha de quitar la provocación pueril o la arrogancia ostentosa, o la discordia parricida de nuestra América, el deber urgente de nuestra América es enseñarse como es, una en alma e intento, vencedora veloz de un pasado sofocante, manchada sólo con la sangre de abono que arranca a las manos la pelea con las ruinas, y la de las venas que nos dejaron picadas nuestros dueños. El desdén del vecino formidable, que no la conoce, es el peligro mayor de nuestra América; y urge, porque el día de la visita está próximo, que el vecino la conozca, la conozca pronto, para que no la desdeñe. Por ignorancia llegaría, tal vez, a poner en ella la codicia. Por el respeto, luego que la conociese, sacaría de ella las manos. Se ha de tener fe en lo mejor del hombre y desconfiar de lo peor de él. Hay que dar ocasión a lo mejor para que se revele y prevalezca sobre lo peor. Si no, lo peor prevalece. Los pueblos han de tener una picota para quien les azuza a odios inútiles; y otra para quien no les dice a tiempo la verdad.

No hay odio de razas, porque no hay razas. Los pensadores canijos, los pensadores de lámpara, enhebran y recalientan las razas de librería, que el viajero justo y el observador cordial buscan en vano en la justicia de la Naturaleza, donde resalta, en el amor victorioso y el apetito turbulento, la identidad universal del hombre. El alma emana, igual y eterna, de los cuerpos diversos en forma y en color. Peca contra la Humanidad el que fomente y propague la oposición y el odio de las razas. Pero en el amasijo de los pueblos se condensan, en la cercanía de otros pueblos diversos, caracteres peculiares y activos, de ideas y de hábitos, de ensanche y adquisición, de vanidad y de avaricia, que del estado latente de preocupaciones nacionales pudieran, en un período de desorden interno o de precipitación del carácter acumulado del país, trocarse en amenaza grave para las tierras vecinas, aisladas y débiles, que el país fuerte declara perecederas e inferiores. Pensar es servir. Ni ha de suponerse, por antipatía de aldea, una maldad ingénita y fatal al pueblo rubio del continente, porque no habla nuestro idioma, ni ve la casa como nosotros la vemos, ni se nos parece en sus lacras políticas, que son diferentes de las nuestras; ni tiene en mucho a los hombres biliosos y trigueños, ni mira caritativo, desde su eminencia aún mal segura, a los que, con menos favor de la Historia, suben a tramos heroicos la vía de las repúblicas; ni se han de esconder los datos patentes del problema que puede resolverse, para la paz de los siglos, con el estudio oportuno y la unión tácita y urgente del alma continental. ¡Porque ya suena el himno unánime; la generación actual lleva a cuestas, por el camino abonado por los padres sublimes, la América trabajadora; del Bravo a Magallanes, sentado en el lomo del cóndor, regó el Gran Semí, por las naciones románticas del continente y por las islas dolorosas del mar, la semilla de la América nueva!

7
Enrique José Varona
"El sentimiento de solidaridad
como fundamento de la moral"
[1888]

El cubano Enrique José Varona (1849-1933) es,
más que un creador de filosofía, su mejor expositor.
Tibio al principio frente al régimen español, fue evolu-
cionando hacia el separatismo, comprometiéndose
cada vez más: terminó exiliado en Nueva York, donde
sustituyó a José Martí al frente de Patria, órgano del
partido revolucionario cubano. Lograda la Independencia, fue Secretario de Hacienda y estuvo al frente
de la Instrucción Pública —sus proyectos pedagógicos
intentaban reformar la educación para hacerla más ex-
perimental y técnica, orientación que finalmente no fue
aplicada a cabalidad— y llegó a ser vicepresidente de
su país. Pero la experiencia y su creciente disenso contra la realidad política marcaron su escritura con un
alto grado de escepticismo: se fue haciendo más radical a medida que envejecía, convirtiéndose en una de
esas figuras que funcionan en las sociedades al modo
de una conciencia crítica y pura.

Positivista, poeta, periodista y profesor, escribió
varios ensayos claves para entender las coordenadas

mentales de su época: "Importancia social del arte" (1882),* Seis conferencias *(1887), "El bandolerismo, reacción necesaria" (1888),* Artículos y discursos *(1891), "Martí y su obra política" (1896), los textos contra la intervención norteamericana recogidos en* Mirando en torno *(1905). También produjo significativos artículos periodísticos —recopilados en* Desde mi belvedere *(1907) y en* Violetas y ortigas *(1917)—, y obras académicas sobre la educación, la lógica y la psicología—, entre las que se destacan* Conferencias filosóficas *(1880 y 1888),* Estudios literarios y filosóficos *(1883).*

Para Varona, la ética depende de la interrelación entre el ser humano como organismo biológico y su ambiente social; la conciencia de la solidaridad y la necesidad de ajuste del individuo a su entorno constituyen la conducta moral.

Su escritura clara y personal es de las más valiosas del positivismo evolucionista. Además aplicó esta corriente a la crítica contra los proyectos de la burguesía y los moldes educativos que quedaban como herencia colonial. En la primera serie de sus Conferencias filosóficas *apunta consideraciones sobre la moral que son, aun hoy, insoslayables.* Con el eslabón *(1927) es un libro de aforismos escépticos, pero de una lucidez y concisión que —de no haber producido nada antes— hubieran bastado para asegurarle un lugar en la literatura latinoamericana.*

EL SENTIMIENTO DE SOLIDARIDAD
COMO FUNDAMENTO DE LA MORAL

La moralidad no es sino el sentimiento, más o menos claro, que tiene el individuo de su dependencia con respecto al cuerpo social; en una sola palabra: de la solidaridad social.

Ya hemos estudiado detenidamente y hemos visto los mil vínculos por donde está sujeto el hombre al cuerpo social; no hay acción que en este se produzca que no lo afecte de un modo u otro; sus reacciones influyen a su vez más o menos sobre la masa. La solidaridad es la forma permanente de esta relación entre el individuo y el medio social, tan necesaria y natural como la que existe entre el organismo y el medio cósmico. Así como sus actos, que son las revelaciones externas de sus estados interiores, tienden a adaptarse a las circunstancias sociales, por un proceso de que sólo en los casos graves nos damos clara cuenta; asimismo sus estados subjetivos se modelan sobre sus impresiones objetivas del orden social; y no es de extrañar que en los más de los casos no nos demos cuenta de esa dependencia, como no nos la damos generalmente de que respiramos.

169

En estos análisis no es posible concebir al hombre fuera del estado de sociedad, porque sería una abstracción que carecería de sentido. Ha estado siempre en él y toda su vida interna se ha conformado en consecuencia. Importa mucho que nos fijemos en esto. El mayor número de los hombres puede no tener ni la más remota idea de lo que es la solidaridad, y no por eso dejan todas sus conmociones, imágenes, ideas y juicios que se refieren a semejantes suyos, de estar contenidas en este sentimiento supremo. Pudiera decirse, imitando el lenguaje de Kant, que ésta es una categoría del sentimiento, dentro de la cual se producen todas nuestras relaciones con los demás hombres. Robinsón en su isla desierta estaba formado por la sociedad y continuó viviendo para la sociedad. ¿Qué más? Hasta el pensamiento humano se ha vaciado en un molde que es producto de la sociedad, pues su forma más frecuente es el lenguaje. Los genios demasiado poderosos, los hombres dotados de una sensibilidad demasiado exquisita, los Swift, los Leopardi, que se aíslan del mundo, lo hacen porque su concepción de la sociedad es demasiado perfecta para su época. Pero ¿de dónde han sacado los elementos de su ideal? Todos han salido de esa misma vida social que desdeñan y anhelan mejorar. En el otro extremo, los seres completamente anormales, poseídos por instintos destructores, como los criminales congénitos, se separan en cierto modo de la sociedad bien constituída, pero forman entre sí asociaciones conformes al estado rudimentario de su moral. Cuando determinadas porciones de la población de un Estado, por diversas circunstancias, vienen a encontrarse en desacuerdo más o menos pronunciado con el resto, tienden a agruparse en asociaciones parciales más o menos secretas, donde se crean un medio artificial. Así vemos presentarse este fenómeno hasta entre los pueblos semi-salvajes del oeste y del interior del Africa.

Dada nuestra organización física y mental, esta

forma especial de relaciones tan constantes y necesarias tiene que dar por resultado una acomodación del sujeto al objeto, cuya influencia tiene que sentirse en toda la vida interna, y regir por medio del hábito, del bienestar o malestar, del placer o dolor, nuestras reacciones, nuestros movimientos, nuestros actos y toda nuestra conducta. Una prueba decisiva de esta conformación subjetiva al estado de sociedad, para todas las relaciones de carácter moral, se encuentra en la manera de concebir el hombre su contacto con los seres que tiene por sobrenaturales. Desde el fetichismo más grosero hasta el deísmo más depurado, todas las relaciones entre el hombre y sus dioses están vaciadas en el molde social. Cuando el interés y el terror son los móviles del sentimiento religioso, el salvaje concibe su fetiche como un hombre más poderoso que puede protegerlo o anonadarlo, y procede en consecuencia. Cuando el elemento moral penetra en las religiones, ¿en qué forma lo hace? Como concepción de un juez justo e imparcial que pesará las acciones humanas y escudriñará las conciencias, para dar en otro mundo, en otra sociedad, a cada uno según sus obras. Y si nos trasladamos a la más bella concepción y al más bello cuadro que hasta aquí se ha presentado de una vida futura, fin y premio de todos los esfuerzos mortales, concepción que es un producto a la vez del sentimiento religioso más acendrado y de la erudición filosófica más completa en su tiempo, nos encontraremos el tipo de una sociedad perfecta, realizada en la ideal *Ciudad de Dios* de San Agustín.

Aun en aquellas formas de asociación que se apartan más del tipo normal que hemos llegado a concebir, como las constituidas por la conquista o la esclavitud, se descubre todo el imperio de la solidaridad. Al cabo de algún tiempo los sentimientos y las ideas de conquistadores y conquistados, de amos y siervos, llevan el sello de su mutuo influjo, ya se haya ejercido en el sentido del progreso, ya en el de la regresión.

Esto, por otra parte, nos hace fijar en que la acción de este poderoso sentimiento se extiende en el sentido del tiempo. Las emociones sociales, una vez experimentadas, han producido su modificación, que entra ya como factor en todas las nuevas combinaciones mentales. Los diversos actos y las diversas situaciones de la vida de un individuo no son, ni pueden ser, hechos aislados; sus consecuencias, aún meramente psíquicas, vibran a través de todos sus estados subjetivos, sus residuos pueden encontrarse en sus últimas acciones o en sus últimos apetitos y deseos. ¡Cuántas veces ha bastado una escena, un cuadro, un pensamiento, una imagen, para obrar como disolvente en una conciencia! Recuérdense algunas conversiones célebres, como la del marqués de Lombay. La vista del cadáver desfigurado de su protectora, la emperatriz Isabel, lo llena de tal horror y produce en su ánimo una impresión tan duradera, que acaba por apartarlo de la vida mundana, y llena de pensamientos místicos la conciencia de un cortesano.

Otro tanto ocurre en la vida del agregado social. Todos los hechos que se producen en su seno dejan su huella más o menos profunda, y determinan en poco o en mucho las direcciones sucesivas de la manera de sentir, juzgar y actuar aquella sociedad. De esta suerte los actos de una generación obran sobre los de las otras, y la solidaridad nos descubre uno de los aspectos más importantes de la ley de la continuidad histórica. El pueblo, la nación, el grupo, forman un todo en el espacio y en el tiempo. El movimiento adquirido, la vibración que ha comenzado en una parte se extiende, se ramifica y se comunica con mayor o menor intensidad al todo. Puede haber, y hay, numerosos y constantes choques y conflictos, verdaderas interferencias; pero aun éstas son una modificación; un movimiento que deja de producirse por la oposición de una fuerza contraria de igual intensidad; es un resultado, un nuevo resultado, que a su vez influye sobre los subsecuentes. En la vida de un organismo el dejar de hacer es a veces tan importante como el hacer. Mientras un cuerpo suspende su acción, los otros continúan sus movimientos; y cuando en aquel se produce el efecto suspendido, ya la colocación de los objetos circunstantes es otra, y otro por tanto el resultado de sus acciones y reacciones mutuas.

Vemos, pues, que individual y colectivamente la solidaridad nos aprisiona; y que en vano sería refugiarnos en lo más íntimo de nuestro yo; allí irían a perseguirnos las imágenes, las ideas y las emociones que debemos al incesante contacto con los demás hombres. De aquí se desprende este resultado importantísimo e incontestable: que ha de haber una disposición de espíritu, un modo de sentir y de pensar y una manera de obrar que favorezcan ese sentimiento predominante, y por tanto que contribuyan de un modo poderoso a la acomodación del individuo al medio social; así como otros que lo contraríen y perjudiquen esa acomodación. Los primeros son precisamente la disposición, los sentimientos, los juicios y los actos que llamamos morales; los segundos los que calificamos de inmorales.

Ahora podemos establecer esta proposición: los actos de los individuos que viven asociados son morales, si responden a la solidaridad.

Llegados a este punto de nuestras pesquisas, necesitamos cambiar de rumbo. Hemos de ver si la noción adquirida, si la síntesis a que hemos llegado después de tan largos análisis, responde a la necesidad de toda idea que presuma explicar la moralidad. Esta necesidad es ver si, desde el punto de vista colectivo, suministra un criterio para juzgar de la conducta propia y ajena; y desde el punto de vista individual, si la sentimos como un principio de obligación, si encontramos en ella su propia sanción; esto es, si nos obliga, y cómo nos obliga. Esto nos forzará a volver sobre ideas ya apuntadas; pero, no es posible evitarlo, si queremos llegar al convencimiento.

Por lo pronto veremos que este principio participa de los dos caracteres que se imponen al principio de la moralidad, dadas las condiciones del agente moral; es objetivo y subjetivo, sirve para el individuo como componente de un todo, y para el individuo en sí; está dentro y fuera; toma fuerza del exterior y se arraiga y la aumenta en el interior, es heterónomo y autónomo. Vamos a ver cómo.

Las ciencias prácticas —y la moral es una de ellas— derivan sus caracteres distintivos del fin o fines a que tienden; todo lo que sea conforme a ese fin entra dentro de sus límites, cuanto lo favorezca o contraríe ha de ser materia de su estudio, y las reglas y principios que ha de tratar de poner en claro son los que nos dan la norma para su consecución. El fin de la moral es la buena conducta. Ahora bien, las acciones humanas que se refieren exclusivamente —en los casos muy contados en que esto es posible— a la conservación del propio individuo, no forman parte de la moralidad; serán naturales o anormales; útiles o dañosas; pero no morales o inmorales. La conducta, por tanto, es buena o mala en cuanto mira a las relaciones entre el agente y sus semejantes con quienes vive en sociedad. El carácter general de estas relaciones, para que sean consideradas como morales, es que respeten la solidaridad; por eso sostenemos que en esta noción encontramos el criterio de las acciones morales. En efecto, el fin más constante que podemos señalar a la conducta humana es la acomodación o adaptación del individuo a su medio social, de modo que se armonice el pleno desarrollo de ambos. Y no se entienda que añadimos indebidamente esta idea de desarrollo o evolución, pues está contenida en la de organismo; y como tales consideramos y debemos considerar tanto al individuo como a la sociedad. Pues bien, este hecho natural de la adaptación, que en la esfera de las emociones se revela como el sentimiento de la dependencia moral, en la esfera de la inteligencia es la noción de solidaridad. He aquí por-que nos sirve de norma segura en los casos dudosos; y por qué podemos establecer como regla primera que: cuanto viole la solidaridad social es inmoral; cuanto la favorezca es moral.

Como se ve por cuanto llevo dicho la solidaridad supone y busca un estado de equilibrio entre las dos entidades en presencia; no sacrifica el individuo a la sociedad, pues el primero va a buscar en la segunda el medio apto para permanecer, crecer y reproducirse; ni pospone la sociedad al individuo, pues reconoce que éste es una unidad de un gran todo, por el cual subsiste y a cuya formación concurre.

Para no anticipar consideraciones que tendrán su lugar oportuno, cuando establezcamos las divisiones de la moral, consideremos aquí algunos juicios pronunciados por la opinión en casos complicados, y veremos cómo los dicta siempre este criterio. Despine hace notar que no es extraño encontrar entre las prostitutas mujeres dotadas de gran caridad y generosidad. Su modo de vivir es considerado por todos como inmoral; pero sus actos caritativos y generosos, no sólo son loados, sino que sorprenden, porque parecen contrastar con su conducta considerada en conjunto. No hay tal contraste, porque la falta de pudor, natural o adquirida, no embota precisamente los sentimientos simpáticos de todo orden; hay sólo que su manera de vivir, dada la organización actual de la familia, la delicadeza de los sentimientos en las relaciones de ambos sexos, y la cultura del trato social, es dañosa por muchos conceptos al cuerpo social; pero esos actos especiales, caritativos y generosos, lejos de ser perjudiciales, son grandemente beneficiosos, aun en esas capas inferiores, para suavizar los sentimientos y mantener relaciones simpáticas entre los asociados.

No es raro oír a viajeros, que han recorrido países devastados por el bandolerismo, y que han caído en poder de salteadores, tributar elogios a las buenas maneras, y aun hablar de la humanidad de algunos. Y es que, aun en medio de los actos antisociales a que viven entregados esos hombres y que constituyen su modo habitual de subsistencia, el buen trato a la persona humana es una verdadera virtud social; y los mismos dañados en sus bienes agradecen el beneficio recibido en sus personas. Por otra parte, adviértase que el bandolerismo sólo florece en los países gobernados despóticamente; porque allí no tropieza con la reprobación del pueblo bajo, que no puede negar su admiración a esta forma de resistencia a la fuerza opresiva; es decir, que obcecado por el mal que produce la defectuosa organización social, como más constante en su acción, no ve el mal que produce este principio de desorganización.

Ocurren, sin embargo, algunas objeciones no desprovistas de peso contra esta doctrina. Puede decirse que siendo imposible el acuerdo perfecto en las opiniones de los asociados, estaremos siempre en presencia de casos dudosos. Pero esto sería desconocer radicalmente las condiciones del estado social. Las hay fundamentales, que no pueden violarse sin que la asociación se menoscabe, amengüe y al fin desaparezca. El cumplimiento de estas condiciones constituye, por tanto, fines permanentes que se sobreponen a todos los transitorios, son sentidos y comprendidos por todos los asociados, e informan invariablemente sus juicios y su conducta. El acuerdo en los sentimientos y opiniones que nacen de estas necesidades primordiales del cuerpo social no sólo no es imposible, sino que existe de hecho, es una consecuencia imperiosa de la sociabilidad. No se concibe una sociedad cuyos miembros tuviesen por acción inocente franquear al enemigo la posesión del país y la destrucción de sus habitantes, o donde nadie respetase la vida humana, ni se creyese obligado a cumplir ningún pacto. Suprimid el respeto a las personas y a las convenciones, y habréis acabado con toda sociedad y por tanto con toda moralidad. ¿Por qué nos produce una impresión tan horrible aquella sátira sangrienta de Swift, en que propone como remedio para el pauperismo en Irlanda, que los padres se coman a sus hijos infantes? Porque no es posible pintar más tremendamente la falta de condiciones de vida para una sociedad, que suponerla llegada al extremo de aniquilarse del modo más antisocial; anteponiendo la necesidad de alimentarse, el apetito más egoísta, al amor de la prole, fundamento de la simpatía y de la sociabilidad.

Es verdad que a medida que se complican las relaciones sociales y aumenta el número de los asociados, los casos que pueden presentarse son cada vez más complejos y pueden ocurrir algunos muy dudosos. Pero el criterio que necesita esta ciencia sólo requiere ser invariable en lo fundamental, y no desconoce todo lo que hay de movedizo y relativo en la apreciación de la conducta, según los tiempos y las circunstancias. No puede negarse, ni debe ocultarse, que en el sentimiento que dicta los juicios morales obran tales influencias que pueden extraviarlo de muy distintas maneras, sin que por esto se comprometa la seguridad del criterio establecido. En cada caso y más o menos concientemente, servirá o tratará de servir a la solidaridad. Puede ocurrir la supervivencia de una manera de sentir, que permanece, aunque sordamente combatida, sin una correspondencia actual; caso de verdadero atavismo, más frecuente de lo que suele pensarse. Muchos juicios morales no corresponden tanto al estado social del día, como a los pasados. Esto no tiene nada de extraño, porque la adaptación es y tiene que ser muy lenta. Así vemos que un gran criminal, cuyas fechorías tienen lleno de horror a todo un pueblo, sube al patíbulo con gran serenidad y sufre la muerte impasible; y no se oyen desde entonces sino relatos más o menos entusiastas del valor del reo. Este individuo era tan pernicioso al cuerpo social que, a excepción de algunos filántropos, nadie deploraba su muerte; pero como el valor para arrostrar la muerte ha sido una virtud social tan necesaria en los largos siglos en que ha predominado la organización militante en los pueblos, nadie puede sustraerse a la admiración que suscita, aun en quien no la emplea en beneficio de sus coasociados, y por el contrario la había empleado para dañarlos. En ese sentimiento predomina el atavismo.

Cabe también objetar que, no reconociendo a la moral de las acciones otro criterio que la solidaridad, queda limitada forzosamente por el estado de las creencias en cada época, y nadie es capaz de concebir un progreso, un estado más favorable; es imposible una concepción moral mejor que la de cada momento. Esta objeción cae, cuando se recuerda lo que hemos dicho de las causas de variabilidad que trabajan cada agregado social y lo colocan en condiciones de desequilibrio. Desde ese momento el estado emocional penoso, producto de la experiencia, aguza la imaginación, empiezan las combinaciones ideales de circunstancias, de cambios posibles que mejoren las condiciones actuales, es decir, que hagan desaparecer el estado emocional penoso, y surge la previsión de fines más apetecibles que los actuales, por tanto más importantes, y que marcan un progreso y ayudan a la evolución.

Se dirá que si sólo se busca un medio de hacer que desaparezca el estado penoso, lo natural es la tendencia a volver a los estados anteriores. En efecto, ésta es una ilusión muy común, y que nos explica los adoradores tenaces de lo pasado. Pero, como no es posible alterar las mil condiciones que hacen imposible esa reconstitución; como ni el sujeto, ni los objetos pueden retroceder, retrotraerse a aquellas circunstancias, aun cuando en los espíritus menos imaginativos la tendencia sea a retrogradar; como las lecciones de la experiencia no tardan en mostrar lo quimérico de la empresa; como no escasean los espíritus dotados de gran poder constructivo, y como la verdadera necesidad sentida es la de cambiar, la de variar; para no pocos este cambio se representa en la forma ideal de nuevas construcciones sociales, de nuevos actos, de nuevas relaciones entre los asociados, por consiguiente de un nuevo campo para los sentimientos morales; es decir, de progreso, de evolución en la moralidad.

Si ahora recordamos algunos de los criterios presentados tácita o expresamente por otras escuelas, aparecerá más claramente la solidez del que aquí defendemos. Es imposible colocarse en un punto más diametralmente opuesto al nuestro que el que aceptan Kant y sus discípulos ortodoxos. Por aquí conviene empezar. Este ilustre filósofo colocaba la esfera de la moralidad completamente fuera del mundo de los fenómenos; pero como no podía cerrar los ojos a la evidencia, la cual le recordaba que la conducta humana es un fenómeno, y que requiere una pauta, un criterio, tuvo que formular una famosa ley, que no tiene nada de noumenal. "Obra de tal modo, que la máxima de tu voluntad pueda ser siempre considerada como un principio de legislación universal". Es decir, de modo que todos los hombres (todos los seres racionales, diría Kant) puedan obrar lo mismo en igual caso. Ahora bien, o los hombres todos, por una suerte de revelación, saben en cada caso lo que convendría a todos, y esto no sólo se opone al pensamiento de Kant, según el cual nosotros sólo poseemos *a priori* el principio *formal* de la obligación (en otros términos, nos sentimos obligados, pero sin saber a qué, pues esto es lo que busca la moral), sino que haría inútil la ciencia de la moral, llevando todos una luz tan viva en la conciencia; o tienen que referirse a lo que les enseñe su experiencia de las condiciones de vida en que se encuentra cada cual y en que se encuentran sus semejantes. No me detendré aquí en mostrar que esto se opone también al pensamiento del filósofo; sino que, considerando que es la única explicación que se compadece con lo que nos enseñan la observación y la experiencia, habremos de analizarlo como el único extremo aceptable.

Dígasenos, pues, ¿qué datos tiene cada hombre para apreciar no ya lo conveniente para su conducta en un caso dado, sino lo adecuado a la conducta de todos los hombres, en cualquier tiempo, en cualquier país, en cualquier estado de civilización, colocados en el mismo caso? ¿Cómo puede estar seguro el sujeto de que su conducta será *universalmente* buena? No hay más que una contestación posible. Sólo refiriéndose a esas condiciones necesarias de vida, que son primordiales, porque sin ellas no existiría la sociedad. Es decir, que tendría que referirse parcialmente al criterio de solidaridad; parcialmente he dicho, pues sólo apelaría a él de un modo fructuoso en el contado número de casos en que entran en juego esas violaciones supremas que comprometen el estado de sociedad; y de nada le serviría en los más frecuentes en que su conducta debe ceñirse a las circunstancias, sin ninguna pretensión de universalidad. Así es que este criterio que parece extender tanto nuestra esfera de acción, en realidad la limita.

El mismo Kant lo hizo así, estableciendo dos teorías que, miran una a lo objetivo y otra a lo subjetivo, y tratan de sacar a salvo el principio fundamental. Tradujo la primera en aquella fórmula que llamó del imperativo práctico, y que dice: "Obra de tal suerte que trates siempre a la humanidad, sea en tu persona o en la de otro, como un fin, y que no te sirvas jamás de ella como un medio". Sin negar la excelencia y la belleza de este precepto, que consagra el respeto debido a la personalidad humana, el principio de igualdad en la asociación, no es difícil notar que aun dotando a los términos fin y medio de una precisión de que carecen, dentro de los límites del respeto mutuo que se deben los hombres no entra toda la moralidad. El respeto es las más de las veces un principio de abstención, y los sentimientos morales son también un principio de acción. No basta respetar, es necesario cooperar, auxiliar, hacer bien.

Todavía limitó más el alcance de su primera proposición el filósofo, cuando sentó su teoría, tan preconizada hasta nuestros tiempos, de la buena intención. Basta que el sujeto haya querido seguir los preceptos del imperativo categórico, para que su moralidad esté completamente a salvo. La buena intención purifica y justifica el acto. Como he de volver sobre esta teoría, y mostrar lo que hay en ella de importante para los sentimientos morales, me ceñiré ahora a ver si puede considerarse como un criterio seguro de moralidad. Y desde luego, si aplicándole la máxima de universalidad que desea Kant, suponemos que todos los hombres en todos los casos se contentan con la buena intención que pueda guiarlos, con su conformidad al ideal que hayan podido formarse, por distante que esté de la realidad de los hechos, resultaría que, no obstante la perfecta moralidad de sus miembros, la sociedad no podría subsistir. Aquel legado que guiaba a los cruzados franceses contra los albigenses, y que en el caso de Béziers mandaba degollar indistintamente a los herejes y a los católicos, porque *Dios sabría distinguir a los suyos*, estaba animado de la más pura intención, y no por eso deja de ser un monstruo y su acción una de las más abominables que registra la historia de las iniquidades humanas.

La vida social exige disposiciones activas, que lleven a vencer las dificultades que se oponen frecuentemente al cumplimiento de los actos morales; desde el momento en que todo nuestro deber se limita a mantenernos en un estado interno en que predomine la buena voluntad, esta concentración de nuestras fuerzas al interior puede muy fácilmente paralizar nuestra actividad, por poco poderosas que sean las contradicciones con que hayamos de luchar. Como basta el buen deseo, no hay que arriesgarse mucho; y dada la indulgencia para con los actos propios, tan frecuente en las naturalezas mediocres, fácilmente nos contentaremos con un mínimum de buena intención por nuestra parte, y fácilmente veremos en un pequeño obstáculo dificultades invencibles.

Además, este criterio es meramente subjetivo; respecto a los otros individuos sólo por inferencia podemos conocer sus intenciones; y de aquí resultaría que, en realidad, no tenemos derecho a emitir juicios morales sobre la conducta ajena. Fácilmente se advierten las consecuencias.

Como ha dicho muy bien un moralista contemporáneo, bastante adicto a la escuela de Kant, "para ser consecuente (con esta teoría de la buena intención) habría que declarar que la moralidad de un individuo es un asunto personal que sólo a él concierne".

En otro punto de vista muy distinto, los filósofos que han aplicado a la moral el método inductivo, los benthamistas y sus inmediatos sucesores, presentan como criterio de moralidad el placer del agente, ya considerado por su cantidad, ya por su cualidad. Pero, aun sin insistir en las dificultades de orden psicológico a que ya me he referido en una conferencia anterior, donde he demostrado que las más de nuestras acciones obedecen al hábito, y no al placer, basta considerar que el placer, ya se distinga por su intensidad, ya por lo que más o menos propiamente se llama su cualidad, induce frecuentemente al individuo a actos antisociales. El estado vario y movedizo de nuestra sensibilidad, aun colocada bajo la dirección del intelecto, lo cual no es siempre psicológicamente posible, nos daría un criterio exclusivamente personal y en alto grado instable. Las escuelas antiguas que, en cierto modo, aceptaban ese criterio, se proponían a sabiendas aislar al individuo en su fuero interno, hacerlo inaccesible a las contrariedades de aquel medio social tan imperfecto; propósito incompatible con la idea de solidaridad, y por tanto con el mantenimiento del orden social. Los utilitarios modernos, que no han podido substraerse al influjo de las nociones adquiridas, han tratado de fortalecer este flanco de sus teorías por medio de ficciones, como el acuerdo de los intereses, suponiendo que en último término lo útil y agradable para todos es lo útil y agradable para uno. Sostener que este acuerdo es actual, se realiza a la hora presente, sería exponerse al mentís de la experiencia cotidiana; así es que muchos se refugian en lo porvenir, prometiendo que el progreso de la industria y el mejoramiento de las costumbres han de traerlo; pero se alcanza muy difícilmente cómo la idea de una coordinación futura, que ni sé cómo se hará, ni qué efectos producirá en mí, ni en los demás, puede servir de criterio efectivo para dirigirme en mis actos actuales y permitirme juzgar acciones actuales.

Este mismo argumento, aunque considerablemente reformado, debe oponerse al criterio de la felicidad del género humano, defendido por Stuart Mill. La idea de felicidad referida a un solo individuo es tan compleja, que lo mismo puede referirse a condiciones externas, que internas, a estados de pasividad, que a estados de actividad, de aquí su vaguedad aun para la apreciación personal. Referida a la totalidad de los hombres que ocupan el globo, de razas diversas, colocados en todas las latitudes y en todos los grados de civilización, carece de sentido. Medir mis actos por la influencia que puedan ejercer o pudieran ejercer en la dicha de todos los hombres, me es imposible, aun cuando no supiera, como sé, que no han de ejercer ninguna.

El criterio que buscamos está más cerca de nosotros; está en esas mismas condiciones de vida a que tenemos que someternos, para adaptarnos al medio social; las fundamentales se nos presentan como fundamentales; las accesorias pueden aparecer ante el análisis como accesorias, pero no por eso pierden su eficacia, pues nos dice nuestro estudio que son adecuadas a la raza, al medio y al momento. Así es como la solidaridad nos responde seguramente cada vez que la consultamos, bastando para todos los casos, en todas las circunstancias. Pero la existencia de un criterio moral es una necesidad para los teóricos; la generalidad de los hombres lo aplican sin darse cuenta de su existencia, y proceden por un impulso interno, por un sentimiento de obligación, que no acude a las medidas y comparaciones de la inteligencia.

. . . .

8
Rubén Darío
Los raros
"Edgar Allan Poe"
[1896]

El nicaragüense Félix Rubén García Sarmiento (1867-1916), quien tomó de un bisabuelo su nom de plume, *fue quien dio a la poesía hispanoamericana su primera originalidad, su ecléctica autonomía. Conocido modernista, fue un viajero impenitente; además del turismo, pasó años trabajando en El Salvador, Santiago de Chile, Buenos Aires, París y Mallorca. Fue periodista, profesor de gramática, diplomático, bibliotecario, funcionario público y, lo más importante, expresión misma de las contradicciones de su época y del movimiento modernista.*

Rubén Darío combinó como nadie el simbolismo, el parnasianismo, el pitagorismo, el impresionismo y la musicalidad en la escritura, tratando de recuperar con la poesía la armonía perdida en la sociedad moderna. La belleza de su escritura no tiene parangón; son bien conocidos sus libros de poemas: Azul *(1888),* Prosas profanas *(1896 y 1901),* El canto errante *(1907),* Cantos de vida y esperanza *(1905),* Poemas del otoño y otros poemas *(1910),* Canto a la Argentina *(1914).*

Su prosa, mucho menos leída —injustamente— ha sido recopilada en diversas antologías y es notablemente más abundante que su poesía. Funciona como alegoría del conflicto entre el artista y la sociedad, además de ser piedra fundacional de la literatura no realista. Aquí se incluye uno de los ensayos de Los raros *(1886), uno de los mejores libros finiseculares del género, híbrido entre el ensayo, el retrato biográfico o medallón, la crónica y la crítica literaria. Allí aparecen textos sobre Edgar Allan Poe, Leconte de Lisle, Paul Verlaine, León Bloy, Ibsen y otros, con toda la culpa, la sensualidad, el refinamiento, la mitología, la armonía y el conflicto, la musicalidad, la poesía como poesía, la admiración —altamente actualizada e informada— por cierta literatura extranjera, la concepción del escritor como un ser apartado —raro— de las normas materiales burguesas de las sociedades, un ser libre y anormal en el mejor sentido de la expresión.*

Darío no fue un pensador en el sentido político —de hecho vivió contradiciéndose— y parte de lo que expone en su texto sobre Poe responde a la influencia de las ideas de Rodó acerca de Estados Unidos y América Latina, pero sí fue un pensador en el sentido estético. Es cierto que estética y política no pueden desligarse, pero lo que se quiere decir es que el ensayo latinoamericano no ha sido solamente una herramienta para pensar explícitamente el tema de "cómo somos", el proyecto de nación o la conformación varia de la sociedad, sino también para hacerse preguntas de otros órdenes, que incluyen la postulación del ensayo como valor en sí mismo y no sólo como instrumento de reflexión referencial. En este sentido el valor de Los raros *es indiscutible: se trasciende a sí mismo como crítica literaria (ya no importa que los escritores de los que habla hayan sido reales o no) y sin duda deja abierto caminos para el ensayo como arte, como literatura.*

LOS RAROS
EDGAR ALLAN POE

(Fragmento de un estudio)

En una mañana fría y húmeda llegué por primera vez al inmenso país de los Estados Unidos. Iba el "steamer" despacio, y la sirena aullaba roncamente por temor de un choque. Quedaba atrás Fire Island con su erecto faro; estábamos frente a Sandy Hook, de donde nos salió al paso el barco de sanidad. El ladrante slang yanqui sonaba por todas partes, bajo el pabellón de bandas y estrellas. El viento frío, los pitos arromadizados, el humo de las chimeneas, el movimiento de las máquinas, las mismas ondas ventrudas de aquel mar estañado, el vapor que caminaba rumbo a la gran bahía, todo decía: "all right!". Entre las brumas se divisaban islas y barcos. Long Island desarrollaba la inmensa cinta de sus costas, y Staten Island, como en el marco de una viñeta, se presentaba en su hermosura, tentando al lápiz, ya que no, por la falta de sol, la máquina fotográfica. Sobre cubierta se agrupan los pasajeros; el comerciante de gruesa panza, congestionado como un pavo, cor. encorvadas narices israelitas; el clergyman huesoso, enfundado en su largo levitón negro, cubierto con su ancho sombrero de fieltro, y en la mano una pequeña Biblia; la muchacha que usa gorra de jokey y que durante toda la travesía ha cantado con voz fonográfica, al son de un banjo; el joven robusto, lampiño como un bebé, y que, aficionado al box, tiene los puños de tal modo, que bien pudiera desquijarar un rinoceronte de un solo impulso... En los Narrows se alcanza a ver la tierra pintoresca y florida, las fortalezas. Luego, levantando sobre su cabeza la antorcha simbólica, queda a un lado la gigantesca Madona de la Libertad, que tiene por peana un islote. De mi alma brota entonces la salutación: "A ti prolífica, enorme, dominadora. A ti, Nuestra Señora de la Libertad. A ti, cuyas mamas de bronce alimentan un sinnúmero de almas y corazones. A ti, que te alzas solitaria y magnífica sobre tu isla, levantando la divina antorcha. Yo te saludo al paso de mi «steamer», prosternándome delante de tu majestad. ¡Ave: Good morning! Yo sé divino ícono, oh magna estatua, que tu solo nombre, el de la excelsa beldad que encarnas, ha hecho brotar estrellas sobre el mundo, a la manera del *fiat* del Señor. Allí están entre todas, brillantes sobre las listas de la bandera, las que iluminan el vuelo del águila de América, de esta tu América formidable, de ojos azules. Ave, Libertad, llena de fuerza; el Señor es contigo: bendita tú eres. Pero ¿sabes? se te ha herido mucho por el mundo, divinidad, manchando tu esplendor. Anda en la tierra otra que ha usurpado tu nombre, y que, en vez de la antorcha, lleva la tea. Aquella no es la Diana sagrada de las incomparables flechas: es Hécate".

Hecha mi salutación, mi vista contempla la masa enorme que está al frente, aquella tierra coronada de torres, aquella región de donde casi sentís que viene un soplo subyugador y terrible: Manhattan, la isla de hierro, New York, la sanguínea, la ciclópea, la monstruosa, la tormentosa, la irresistible capital del cheque. Rodeada de islas menores, tiene cerca a Jersey; y agarrada a Brooklin con la uña enorme del puente, Brooklin, que tiene sobre el palpitante pecho de acero un ramillete de campanarios.

Se cree oír la voz de New York, el eco de un vasto soliloquio de cifras. ¡Cuán distinta de la voz de París, cuando uno cree escucharla, al acercarse, halagadora como una canción de amor, de poesía y de juventud! Sobre el suelo de Manhattan parece que va a verse surgir de pronto un colosal Tío Samuel, que llama a los pueblos todos a un inaudito remate, y que el martillo del rematador cae sobre cúpulas y techumbres produciendo un ensordecedor trueno metálico. Antes de entrar al corazón del monstruo, recuerdo la ciudad que vio en el poema bárbaro el vidente Thogorma:

Thogorma dans ses yeux vit monter des murailles
de fer dont s'enroulaient des spirales des tours
et des palais cerclés d'airan sur des blocs lourds;
ruche énorme, géhenne aux lugubres entrailles
ou s'engouffraient les Forts, princes des anciens jours.

• •

Semejantes a los Fuertes de los días antiguos, viven en sus torres de piedra, de hierro y de cristal, los hombres de Manhattan.

En su fabulosa Babel, gritan, mugen, resuenan, braman, conmueven la Bolsa, la locomotora, la fragua, el banco, la imprenta, el dock y la urna electoral. El edificio Produce Exchange entre sus muros de hierro y granito reune tantas almas cuantas hacen un pueblo... He allí Broadway. Se experimenta casi una impresión dolorosa; sentís el dominio del vértigo. Por un gran canal cuyos lados los forman casas monumentales que ostentan sus cien ojos de vidrios y sus tatuajes de rótulos, pasa un río caudaloso, confuso, de comerciantes, corredores, caballos, tranvías, ómnibus, hombres-sandwichs vestidos de anuncios, y mujeres bellísimas. Abarcando con la vista la inmensa arteria en su hervor continuo, llega a sentirse la angustia de ciertas pesadillas. Reina la vida del hormiguero: un hormiguero de percherones gigantescos, de carros monstruosos, de toda clase de vehículos. El vendedor de periódicos, rosado y risueño, salta como un gorrión, de tranvía en tranvía, y grita al pasajero "¡intransooonwood!" lo que quiere decir si gustáis comprar cualquiera de esos tres diarios el "*Evening Telegram*", el "*Sun*" o" el "*World*". El ruido es mareador y se siente en el aire una trepidación incesante; el repiqueteo de los cascos, el vuelo sonoro de las ruedas, parece a cada instante aumentarse. Temeríase a cada momento un choque, un fracaso, si no se conociese que este inmenso río que corre con una fuerza de alud, lleva en sus ondas la exactitud de una máquina. En lo más intrincado de la muchedumbre, en lo más convulsivo y crespo de la ola de movimiento, sucede que una lady anciana, bajo su capota negra, o una miss rubia, o una nodriza con su bebé quiere pasar de una acera a otra. Un corpulento policeman alza la mano; detiénese el torrente; pasa la dama; ¡all right!

"Esos cíclopes..." dice Groussac; "esos feroces calibanes..." escribe Peladan. ¿Tuvo razón el raro Sar al llamar así a estos hombres de la América del Norte? Calibán reina en la isla de Manhattan, en San Francisco, en Boston, en Washington, en todo el país. Ha conseguido establecer el imperio de la materia desde su estado misterioso con Edison, hasta la apoteosis del puerco, en esa abrumadora ciudad de Chicago. Calibán se satura de whisky, como en el drama de Shakespeare de vino; se desarrolla y crece; y sin ser esclavo de ningún Próspero, ni martirizado por ningún genio del aire, engorda y se multiplica; su nombre es Legión. Por voluntad de Dios suele brotar de entre esos poderosos monstruos, algún ser de superior naturaleza, que tiende las alas a la eterna Miranda de lo ideal. Entonces, Calibán mueve contra él a Sicorax y se le destierra o se le mata. Esto vio el

190

mundo con Edgar Allan Poe, el cisne desdichado que mejor ha conocido el ensueño y la muerte...

¿Por qué vino tu imagen a mi memoria, Stella, Alma, dulce reina mía, tan presto ida para siempre, el día en que, después de recorrer el hirviente Broadway, me puse a leer los versos de Poe, cuyo nombre de Edgar, harmonioso y legendario, encierra tan vaga y triste poesía, y he visto desfilar la procesión de sus castas enamoradas a través del polvo de plata de un místico ensueño? Es porque tú eres hermana de las liliales vírgenes cantadas en brumosa lengua inglesa por el soñador infeliz, príncipe de los poetas malditos. Tú como ellas eres llama del infinito amor. Frente al balcón, vestido de rosas blancas, por donde en el Paraíso asoma tu faz de generosos y profundos ojos, pasan tus hermanas y te saludan con una sonrisa, en la maravilla de tu virtud, ¡oh mi ángel consolador!, ¡oh mi esposa! La primera que pasa es Irene, la dama brillante de palidez extraña, venida de allá, de los mares lejanos; la segunda es Eulalia, la dulce Eulalia de cabellos de oro y ojos de violeta, que dirige al cielo su mirada; la tercera es Leonora, llamada así por los ángeles, joven y radiosa en el Edén distante; la otra es Frances, la amada que calma las penas con su recuerdo; la otra es Ulalume, cuya sombra yerra en la nebulosa región de Weir, cerca del sombrío lago de Auber; la otra Helen, la que fue vista por la primera vez a la luz de perla de la luna; la otra Annie, la de los ósculos y las caricias y oraciones por el adorado; la otra Annabel Lee, que amó con un amor envidia de los serafines del cielo; la otra Isabel, la de los amantes coloquios en la claridad lunar; Ligeia, en fin, meditabunda, envuelta en un velo de extraterrestre esplendor... Ellas son, cándido coro de ideales oceanidas quienes consuelan y enjugan la frente al lírico Prometeo amarrado a la montaña Yankee, cuyo cuervo, más cruel aun que el buitre esquiliano, sentado sobre el busto de Palas, tortura el corazón del desdichado, apu-

191

ñalándole con la monótona palabra de la desesperanza. Así tú para mí. En medio de los martirios de la vida, me refrescas y alientas con el aire de tus alas, porque si partiste en tu forma humana al viaje sin retorno, siento la venida de tu ser inmortal, cuando las fuerzas me faltan o cuando el dolor tiende hacia mí el negro arco. Entonces, Alma, Stella, oigo sonar cerca de mí el oro invisible de tu escudo angélico. Tu nombre luminoso y simbólico surge en el cielo de mis noches como un incomparable guía, y por tu claridad inefable llevo el incienso y la mirra a la cuna de la eterna Esperanza.

I. EL HOMBRE

La influencia de Poe en el arte universal ha sido suficientemente honda y trascendente para que su nombre y su obra sean a la continua recordados. Desde su muerte acá, no hay año casi en que, ya en el libro o en la revista, no se ocupen del excelso poeta americano, críticos, ensayistas y poetas. La obra de Ingram iluminó la vida del hombre; nada puede aumentar la gloria del soñador maravilloso. Por cierto que la publicación de aquel libro cuya traducción a nuestra lengua hay que agradecer al señor Mayer, estaba destinada al grueso público.

¿Es que en el número de los escogidos, de los aristócratas del espíritu, no estaba ya pesado en su propio valor, el odioso fárrago del canino Griswold? La infame autopsia moral que se hizo del ilustre difunto debía tener esa bella protesta. Ha de ver ya el mundo libre de mancha al cisne inmaculado.

Poe, como un Ariel hecho hombre, diríase que ha pasado su vida bajo el flotante influjo de un extraño misterio. Nacido en un país de vida práctica y material, la influencia del medio obra en él al contrario. De un país de cálculo brota imaginación tan estupenda. El don mitológico parece nacer en él por lejano atavismo y vese en su poesía un claro rayo del país de sol y azul en que nacieron sus antepasados. Renace en él el alma caballeresca de los Le Poer alabados en las crónicas de Generaldo Gambresio. Arnoldo Le Poer lanza en la Irlanda de 1327 este terrible insulto al caballero Mauricio de Desmond: "Sois un rimador". Por lo cual se empuñan las espadas y se traba una riña que es el prólogo de guerra sangrienta. Cinco siglos después, un descendiente del provocativo Arnoldo glorificará a su raza, erigiendo sobre el rico pedestal de la lengua inglesa, y en un nuevo mundo, el palacio de oro de sus rimas.

El noble abolengo de Poe, ciertamente, no interesa sino a "aquellos que tienen gusto de averiguar los efectos producidos por el país y el linaje en las peculiaridades mentales y constitucionales de los hombres de genio", según las palabras de la noble señora Whitman. Por lo demás, es él quien hoy da valer y honra a todos los pastores protestantes, tenderos, rentistas o mercachifles que lleven su apellido en la tierra del honorable padre de su patria, Jorge Washington.

Sábese que en el linaje del poeta hubo un bravo Sir Rogerio que batalló en compañía de Strongbow, un osado Sir Arnoldo que defendió a una lady acusada de bruja; una mujer heroica y viril, la célebre "Condesa" del tiempo de Cromwell; y pasando sobre enredos genealógicos antiguos, un general de los Estados Unidos, su abuelo. Después de todo, ese ser trágico, de historia tan extraña y romanesca, dio su primer vagido entre las coronas marchitas de una comedianta, la cual le dio vida bajo el imperio del más ardiente amor. La pobre artista había quedado huérfana desde muy tierna edad. Amaba el teatro, era inteligente y bella, y de esa dulce gracia nació el pálido y melancólico visionario que dio al arte un mundo nuevo.

Poe nació con el envidiable don de la belleza corporal. De todos los retratos que he visto suyos, ninguno da idea de aquella especial hermosura que en descripciones han dejado muchas de las personas que le conocieron. No hay duda que en toda la iconografía poeana, el retrato que debe representarle mejor es el que sirvió a Mr. Clarke para publicar un grabado que copiaba al poeta en el tiempo en que éste trabajaba en la empresa de aquel caballero. El mismo Clarke protestó contra los falsos retratos de Poe que después de su muerte se publicaron. Si no tanto como los que calumniaron su hermosa alma poética, los que desfiguran la belleza de su rostro son dignos de la más justa censura. De todos los retratos que han llegado a mis manos, los que más me han llamado la atención son: el de Chiffart, publicado en la edición ilustrada de Quantin, de los *Cuentos extraordinarios* y el grabado por R. Loncup para la traducción del libro de Ingram por Mayer. En ambos Poe ha llegado ya a la edad madura. No es por cierto aquel gallardo jovencito sensitivo que al conocer a Elena Stannard, quedó trémulo y sin voz, como el Dante de la "Vita Nuova..." Es el hombre que ha sufrido ya, que conoce por sus propias desgarradas carnes cómo hieren las asperezas de la vida. En el primero, el artista parece haber querido hacer una cabeza simbólica. En los ojos, casi ornitomorfos, en el aire, en la expresión trágica del rostro, Chiffart ha intentado pintar al autor del "Cuervo", al visionario, al "unhappy Master" más que al hombre. En el segundo hay más realidad: esa mirada triste, de tristeza contagiosa, esa boca apretada, ese vago gesto de dolor y esa frente ancha y magnífica en donde se entronizó la palidez fatal del sufrimiento, pintan al desgraciado en sus días de mayor infortunio, quizá en los que precedieron a su muerte. Los otros retratos, como el de Halpin para la edición de Amstrong, nos dan ya tipos de lechuguinos de la época, ya caras que nada tienen que ver con la cabeza bella e inteligente de que habla Clarke. Nada más cierto que la observación de Gautier:

"Es raro que un poeta, dice, que un artista sea conocido bajo su primer encantador aspecto. La reputación no le viene sino muy tarde, cuando ya las fátigas del estudio, la lucha por la vida y las torturas de las pasiones han alterado su fisonomía primitiva: apenas deja sino una máscara usada, marchita, donde cada dolor ha puesto por estigma una magulladura o una arruga."

Desde niño Poe "prometía una gran belleza".

Sus compañeros de colegio hablan de su agilidad y robustez. Su imaginación y su temperamento nervioso estaban contrapesados por la fuerza de sus músculos. El amable y delicado ángel de poesía, sabía dar excelentes puñetazos. Más tarde dirá de él una buena señora: "Era un muchacho bonito".

Cuando entra a West Point hace notar en él un colega, Mr. Gibson, su "mirada cansada, tediosa y hastiada". Ya en su edad viril, recuérdale el bibliófilo Gowans: "Poe tenía un exterior notablemente agradable y que predisponía en su favor: lo que las damas llamarían claramente bello". Una persona que le oye recitar en Boston, dice: "Era la mejor realización de un poeta, en su fisonomía, aire y manera." Un precioso retrato es hecho de mano femenina: "una talla algo menos que de altura mediana quizá, pero tan perfectamente proporcionada y coronada por una cabeza tan noble, llevada tan regiamente, que, a mi juicio de muchacha, causaba la impresión de una estatura dominante. Esos claros y melancólicos ojos parecían mirar desde una eminencia..." Otra dama recuerda la extraña impresión de sus ojos: "Los ojos de Poe, en verdad, eran el rasgo que más impresionaba y era a ellos a los que su cara debía su atractivo peculiar". Jamás he visto otros ojos que en algo se le parecieran. Eran grandes, con pestañas largas y un negro de azabache: el iris acero-gris, poseía una cristalina claridad y transparencia, a través de la cual la pupila negra-azabache se veía expandirse y contraerse, con toda sombra de pensamiento o de emoción. Obser-

195

vé que los párpados jamás se contraían, como es tan
usual en la mayor parte de las personas, principalmente
cuando hablan; pero su mirada siempre era llena,
abierta y sin encogimiento ni emoción. Su expresión
habitual era soñadora y triste: algunas veces tenía un
modo de dirigir una mirada ligera, de soslayo, sobre alguna persona que no le observaba a él, y, con una mirada tranquila y fija, parecía que mentalmente estaba mi-
diendo el calibre de la persona que estaba ajena de ello.
"—¡Qué ojos tan tremendos tiene el señor Poe! —me
dijo una señora. Me hace helar la sangre el verle darles
vuelta lentamente y fijarlos sobre mí cuando estoy hablando". La misma agrega: "Usaba un bigote negro es-
meradamente cuidado, pero que no cubría completamente una expresión ligeramente contraída de la boca y
una tensión ocasional del labio superior, que se aseme-
jaba a una expresión de mofa. Esta mofa era fácilmente
excitada y se manifestaba por un movimiento del labio,
apenas perceptible y, sin embargo, intensamente expre-
sivo. No había en ello nada de malevolencia; pero sí
mucho sarcasmo". Sábese, pues, que aquella alma potente y extraña estaba encerrada en hermoso vaso. Parece que la distinción y dotes físicas deberían ser nativas
en todos los portadores de la lira. ¿Apolo, el crinado
numen lírico, no es el prototipo de la belleza viril? Mas
no todos sus hijos nacen con dote tan espléndido. Los
privilegiados se llaman Goethe, Byron, Lamartine, Poe.

Nuestro poeta, por su organización vigorosa y culti-
vada, pudo resistir esa terrible dolencia que un médico
escritor llama con gran propiedad "la enfermedad del
ensueño". Era un sublime apasionado, un nervioso, uno
de esos divinos semilocos necesarios para el progreso
humano, lamentables cristos del arte, que por amor al
eterno ideal tienen su calle de la amargura, sus espinas
y su cruz. Nació con la adorable llama de la poesía, y
ella le alimentaba al propio tiempo que era su martirio.
Desde niño quedó huérfano y le recogió un hombre que

jamás podría conocer el valor intelectual de su hijo adoptivo. El señor Allan —cuyo nombre pasará al porvenir al brillo del nombre del poeta—, jamás pudo imaginarse que el pobre muchacho recitador de versos que alegraba las veladas de su "home", fuese más tarde un egregio príncipe del arte. En Poe reina el "ensueño" desde la niñez. Cuando el viaje de su protector le lleva a Londres, la escuela del dómine Brandeby es para él como un lugar fantástico que despierta en su ser extrañas reminiscencias; después, en la fuerza de su genio, el recuerdo de aquella morada y del viejo profesor han de hacerle producir una de sus subyugadoras páginas. Por una parte, posee en su fuerte cerebro la facultad musical; por otra la fuerza matemática. Su "ensueño" está poblado de quimeras y de cifras como la carta de un astrólogo. Vuelto a América, vémosle en la escuela de Clarke, en Richmond, en donde al mismo tiempo que se nutre de clásicos y recita odas latinas, boxea y llega a ser algo como un "champion" estudiantil; en la carrera hubiera dejado atrás a Atalanta, y aspiraba a los lauros natatorios de Byron. Pero si brilla y descuella intelectual y físicamente entre sus compañeros, los hijos de familia de la fofa aristocracia del lugar miran por encima del hombro al hijo de la cómica. ¿Cuánta no ha de haber sido la hiel que tuvo que devorar este ser exquisito, humillado por un origen del cual en días posteriores habría orgullosamente de gloriarse? Son esos primeros golpes los que empezaron a cincelar el pliegue amargo y sarcástico de sus labios. Desde muy temprano conoció las acechanzas del lobo racional. Por eso buscaba la comunicación con la naturaleza, tan sana y fortalecedora. "Odio sobre todo y detesto este animal que se llama Hombre", escribía Swift a Pope. Poe a su vez habla "de la mezquina amistad y de la felicidad del polvillo de fruta (gossamer fidelity) del mero hombre." Ya en libro de Job, Eliphaz Themanita exclama: "¿Cuánto más el hombre abominable y vil que bebe como la iniquidad?"

No buscó el lírico americano el apoyo de la oración; no era creyente; o al menos, su alma estaba alejada del misticismo. A lo cual da por razón James Russell Lowell lo que podría llamarse la matematicidad de su cerebración. "Hasta su misterio es matemático, para su propio espíritu". La ciencia impide al poeta penetrar y tender la alas en la atmósfera de las verdades ideales. Su necesidad de análisis, la condición algebraica de su fantasía, hácele producir tristísimos efectos cuando nos arrastra al borde de lo desconocido. La especulación filosófica nubló en él la fe, que debiera poseer como todo poeta verdadero. En todas su obras, si mal no recuerdo, sólo unas dos veces está escrito el nombre de Cristo. Profesaba sí la moral cristiana; y en cuanto a los destinos del hombre, creía en una ley divina, en un fallo inexorable. En él la ecuación dominaba la creencia, y aun en lo referente a Dios y sus atributos, pensaba con Spinoza que las cosas invisibles y todo lo que es objeto propio del entendimiento no puede percibirse de otro modo que por los ojos de la demostración olvidando la profunda afirmación filosófica: "intellectus noster sic de habet? ad prima entium quæ sunt manifestissima in natura, sicut oculus vespertilionis ad solem". No creía en lo sobrenatural, según confesión propia; pero afirmaba que Dios, como creador de la naturaleza, puede, si quiere, modificarla. En la narración de la metempsicosis de Ligeia hay una definición de Dios, tomada de Granwill, que parece ser sustentada por Poe: "Dios no es más que una gran voluntad que penetra todas las cosas por la naturaleza de su intensidad". Lo cual estaba ya dicho por Santo Tomás en estas palabras: "Si las cosas mismas no determinan el fin para sí, porque desconocen la razón del fin, es necesario que se les determine el fin por otro que sea determinador de la naturaleza. Éste es el que previene todas las cosas, que es ser por sí mismo necesario, y a éste llamamos Dios..." En la "Revelación Magnética", a vuelta de divagaciones filosóficas, Mr. Vankirk —que, como casi todos los personajes de Poe, es Poe mismo— afirma la existencia de un Dios material, al cual llama "materia suprema e imparticulada". Pero agrega: "La materia imparticulada, o sea Dios en estado de reposo, es en lo que entra en nuestra comprensión, lo que los hombres llaman espíritu". En el diálogo entre Oinos y Agathos pretende sondear el misterio de la divina inteligencia; así como en los de Monos y Una y de Eros y Charmion penetra en la desconocida sombra de la Muerte, produciendo, como pocos, extraños vislumbres en su concepción del espíritu en el espacio y en el tiempo.

9
Francisco Bilbao
"El enemigo interno"
[1898]

*Francisco de Salas Bilbao Barquín (1823-1865),
nacido en Santiago de Chile, fue uno de esos personajes rebeldes, perseguidos, exiliados y magníficos, que
han sido dejados de lado o han sido mal leídos por la
historia literaria. Su aproximación al pensamiento liberal corrobora cómo esa definición, "pensamiento liberal", no era más que un enorme toldo que cobijaba en
su interior toda suerte de combates y diferencias, iden-
tificadas como semejantes sólo por el uso de una termi-
nología que invocaba la razón y el progreso.*

*Francisco Bilbao fue un liberal, pero eso no lo
hace "un liberal más": porque fue un revolucionario, o
un blasfemo, como se lo catalogó en su época. Blasfemo porque cuestionó la divinidad de Jesús, la verdad
del pecado original y la lectura católica de los Evange-
lios, pero también porque su obra no prohija el proyecto de la burguesía ilustrada, porque denuncia el fraude
de las nuevas repúblicas, porque ataca sin tregua a la
oligarquía y a la Iglesia como su cómplice, porque defiende a la clase obrera.*

A los veinte años fue excomulgado y sus escritos quemados en público porque reivindicaban la razón frente al dogma, la educación del pueblo, los derechos de la mujer y la vigencia de los derechos ciudadanos. Como tantos otros latinoamericanos del siglo, inició su destierro en París: en su caso, la experiencia le permitió descubrir el liberalismo católico de Palabras de un creyente *y* El libro del pueblo *de Lamennais, el socialismo utópico y la revolución que establece la II República en Francia. Viaja por Europa: a su regreso a Chile en 1850, funda con Antonio Arcos la Sociedad de la Igualdad contra la presidencia de Manuel Montt. Las nociones de igualdad y fraternidad sustentadas parecen, a primera vista, similares a las del* Dogma Socialista *de Echeverría, pero su alcance y fundamentos son revolucionarios: incorporan a la clase obrera, la denuncia de su explotación, la defensa de los valores nacionales populares, la crítica y valoración de la civilización europea y norteamericana. La Sociedad de la Igualdad fue un experimento social inusitado: abrió escuelas populares, dictó conferencias educativas, organizó discusiones públicas de crítica a la oligarquía y de defensa de los trabajadores. El asedio policial obligó a su dispersión; varios de sus miembros participaron en una rebelión contra el gobierno de Montt y, ante el fracaso, tuvieron que desterrarse.*

Es la historia de Bilbao: el destierro, la persecución, el compromiso social. En Lima, con la ayuda de sus hermanos, presiona al gobierno para lograr la abolición de la esclavitud y de la mita; en Buenos Aires, donde sobrevive escribiendo en los periódicos, aboga por la creación del Congreso Federal de las Repúblicas, para intentar la unidad hispanoamericana como arma contra el expansionismo norteamericano (1857). Es allí donde publica La América en peligro *(1862), como reacción a la invasión francesa de México; su úl-*

timo libro, antes de caer derrotado por la tuberculosis, es El evangelio americano *(1864).*

Sus ensayos corroboran la lectura del siglo XIX como un campo de combate. El, que quiere crear un catecismo para que el obrero entienda su situación, propone directamente quitarle a los ricos tierras, ganados y aperos de labranza para repartirlos entre los pobres. Su defensa de las raíces nacionales y populares van acompañadas de un proyecto basado en la ciencia, la industria, la filosofía, la naturaleza y la razón, nociones fundamentales durante el siglo XIX.

EL ENEMIGO INTERNO

El enemigo interno consta de todo aquello que sea contrario a la religión del pensamiento libre, a la soberanía universal, al culto de la justicia con nosotros mismos, con los pobres, con los indios. El enemigo interno es todo germen de esclavitud, de despotismo, de ociosidad, de indolencia, de indiferencia, de fanatismo de partido. El enemigo interno es la desaparición de la creencia de las nacionalidades inviolables, la desaparición del patriotismo severo y abnegado que prefiere ver a la patria pobre y digna y en la vía indeclinable del honor y del derecho, a la patria rica y mancillada con el adulterio de las intervenciones extranjeras o dirigiendo su política, según el temor de un bloqueo.

El enemigo interno es la abdicación de la soberanía individual en manos de gobiernos a quienes se les erige en infalibles, o de círculos o partidos que profesan el principio de imponer su credo por todo medio, o de conseguir sus fines por cualesquiera medios. El enemigo interno es sobre todo nuestra cobardía para declarar y sentir y ejecutar el pensamiento sincero, la creencia radical, la intención escondida por nuestras palabras. El enemigo interno es la prostitución de la palabra, la prostitución de las instituciones buenas, torcidas al servicio de intereses o de pasiones del día.

Resumiendo, podemos decir que el enemigo interno es la educación, las malas instituciones, la corrupción de los hombres, o la desaparición progresiva del espíritu de abnegación por el deber y por la patria.

¡El remedio! La educación, es decir, el nuevo texto, la nueva enseñanza purificada de todos los errores de la educación antigua.

La práctica de las instituciones libres, comunales, judiciales, descentralizando la administración y la justicia, haciendo que cada día acudan más hombres a practicar el oficio de jurados en materia civil, política y criminal, y a administrar sus propios intereses locales, departamentales, etc. Esta es la gran educación de las instituciones, la mejor y la más segura.

El que practica la soberanía, o que sabe que debe practicarla como juez, elector, legislador municipal, etc., ése es un soberano indestructible.

La reforma de la administración de justicia. Este es otro punto capital. El que no obtiene justicia es enemigo. Y es preciso decirlo: ¡El pobre está fuera de la justicia!

La desigualdad social mantenida por los partidos y las malas leyes.

La colonización del país con extranjeros, cuando los hijos del país se mueren de hambre.

El desconocimiento y negación del derecho en los hombres libres, llamados los indígenas; y la suprema injusticia, la crueldad hasta la exterminación que con ellos se practica: esta es herencia española. Todo hereje es enemigo, y al enemigo, la muerte. El indio es hereje, luego debe desaparecer.

Si después de haber estudiado la conquista, hacemos una comparación con la actualidad, un justo motivo de alegría llena de esperanza al corazón. Pero si después de habernos comparado con el pasado, nos comparamos con el ideal, con el deber, con la verdad, un justo motivo de excitación revolucionaria nos anima.

No ha desaparecido enteramente ese pasado. Nuestro presente es lucha. Nuestro porvenir nos acosa por precipitar el advenimiento de la justicia, antes que los traidores y el Viejo Mundo se desprendan.

Ha desaparecido la esclavitud de los negros en todas las repúblicas (no en el Brasil).

Han desaparecido las desigualdades legales de las razas.

Ya no hay capitación, ni mita, ni encomiendas ni repartimientos. La aristocracia fue abolida, aunque todavía en Chile hay mayorazgos.

Ya no estamos en incomunicación con el mundo. Subsisten las aduanas como monumento universal de la torpeza de todas las naciones, pero el comercio ha ganado en franquicias. La industria es libre. El pasaporte abolido.

Han desaparecido, aunque no completamente, los estancos.

He ahí algo bajo el aspecto social y económico.

Bajo el aspecto penal, se ha abolido el tormento judicial, la pena de muerte por causas políticas, el testimonio personal contra sí mismo.

Bajo el aspecto civil, casi todas las repúblicas tienen ya su código civil en concordancia con las instituciones políticas, declarando las Constituciones ser nula toda ley que esté en contradicción con ellas.

Bajo el aspecto religioso, la tolerancia en Chile, la libertad de cultos en la República Argentina, Oriental, Peruana, Venezolana, la separación de la Iglesia y del Estado en los Estados Unidos de Colombia, y era esta reforma religiosa la que Méjico consumaba cuando la Iglesia trajo de la mano la invasión.

Bajo el aspecto político, todo en palabras, algo en

realidad, nada respecto a lo que hay que hacer para la libertad integral del hombre y del pueblo.

En cuanto a costumbres, disminuye la ociosidad, el trabajo se ennoblece en la opinión, cunde la idea de la necesidad de la iniciativa industrial, se siente la necesidad del movimiento, la necesidad de aumentar las comunicaciones y abreviar las distancias, se conviene en la necesidad de la instrucción, pero todavía no se puede comprender la educación.

Nos quedan resabios de la España: el abuso de la palabra, el culto del oropel, el charlatanismo del valor, del coraje, de la bravura, del tambor y del clarín, ese desdén u odio instintivo a las ciencias, esa vocación detestable por la abogacía, la empleomanía, la exageración para todo, la admiración para lo exterior, para lo que es sensación, para la *brocha gorda*; la poca disposición para la concentración fecunda del espíritu, la ninguna originalidad, la poca personalidad, el despotismo de la moda absurda, el poco respeto recíproco del hombre por el hombre, la vulgaridad vacía y estupenda de nuestras relaciones sociales.

¡Y los hábitos de obediencia, gran Dios! ¡Esperarlo todo de la autoridad!

¡Disposición hereditaria, monárquico-católica, a convertir en infalibilidad al poder! Intolerancia miserable, en religión y en política, que revela el terror de la no posesión del poder. Porque estar con el poder, es ser todo, y no estar en el poder o con el poder, o con el partido del poder, es sentirse desamparados del cielo y de la tierra.

En verdad os digo: el día en que todo hombre y sin contar con nadie se crea y se sienta iglesia, partido y poder, ése será el día de la libertad.

¡Libertad! cuántos te aclaman y proclaman y niegan la soberanía de la razón.

¡Libertad! cuántos presidentes o ministros te aclaman, proclaman y pisotean o dejan pisotear a la justicia.

¡Libertad! ¡Hasta los jesuitas te invocan ya en nuestros días! Nadie mejor que ellos quisieran abrazarte con más amor, para sofocarte con más gusto.

No confundáis, americanos, el charlatanismo de la libertad, que es una especie de pasaporte para hacerse escuchar en nuestro siglo, con la realidad del espíritu, y con los actos verdaderos que la libertad exige con su lógica inflexible.

No hay libertad sin el dogma de la libertad, sin la ley de la libertad, sin la práctica de la libertad.

El dogma de la libertad es la soberanía de la razón.

La ley de la libertad es ser libre en todo.

La práctica de la libertad son los actos cotidianos de la vida para extender la acción de todos al gobierno de todos los intereses y derechos.

Así, pues, el que habla de libertad y niega su dogma, ése miente o no sabe lo que dice.

El que habla de libertad y desconoce la igualdad en todo ser humano, ése miente o no sabe lo que dice.

El que habla de libertad, y la desconoce en sus actos, violando la justicia, limitando la acción del pueblo a todos los actos de soberanía, humillándose a los gobiernos, o favoreciendo la absorción de los derechos populares con la máscara de las delegaciones y centralizaciones, ése miente o no sabe lo que dice.

He ahí un criterio, americanos, que os servirá para arrancar la piel del cordero de las espaldas del lobo o del zorro, del tirano disfrazado, o del jesuita encubierto. Nada más grande que la santidad de la palabra. Nada más infame que la prostitución de la palabra.

La palabra de verdad es el de ser, es la acción, es la virtud.

La palabra de doblez es la nada, es la muerte, es el crimen.

La fe instintiva de la humanidad en la rectitud de la palabra es un hecho que honra a la especie humana. La humanidad cree instintivamente que el que habla dice la verdad.

¡¿Qué decir del que se aprovecha de esa fe instintiva para enseñarle la mentira?!

Es la felonía de las felonías. Y es una de las más grandes cobardías disfrazada hipócritamente con el pretexto de que no se puede decir todo, o de que la verdad puede dañar en ciertos pueblos, o en ciertas ocasiones.

El engaño es una de las más grandes cobardías.

Monarquista, papista, jesuita, católico, imperialista, aristócrata, esclavócrata, ¿por qué no dices claramente lo que sientes, lo que eres, lo que tienes conciencia de ser? No se atreven. Hay pues, cobardía.

Pero quieres introducir tu garra, tu error, tu mentira, cobijándote bajo la palabra libertad.

¡De ahí nace que vemos papistas, jesuitas, católicos, imperialistas, monarquistas, doctrinarios, esclavócratas, hablar de libertad y de derecho y de justicia!

En verdad os digo: jamás ha habido mayor eclipse de la rectitud de la inteligencia y de la sinceridad de la conciencia.

Y vosotros, americanos, si queréis ser los hombres libres, los hombres de la sinceridad y de la verdad, no contaminéis el Nuevo Mundo con la gran cobardía del sofisma, con el adulterio de la libertad y de las formas o dogmas del error político y religioso.

10
José Enrique Rodó
Ariel
[1900]
(Selección)

José Enrique Rodó (1871-1917), nacido en Montevideo en una familia próspera, figura absolutamente
central entre los intelectuales jóvenes latinoamericanos
de comienzos de siglo (que se declaraban "arielistas"
por el título de su libro más conocido), fue un autodi-
dacta que creía firmemente en el escritor como un pro-
feta o redentor social, al estilo del artista-faro de Baudelaire, del poeta como guía-de-almas de Víctor Hugo
o como el poeta-sacerdote de Martí.

Periodista y político, fue también profesor de literatura, ocupó cargos parlamentarios y llegó a ser
miembro de la Real Academia Española de la Lengua.
En 1896, período de conmociones políticas en el Uru-
guay, publica "El que vendrá"; al año siguiente escribe "La novela nueva": ambos textos aparecen juntos
con el título de La vida nueva, donde ya se manifiesta
el deterioro del modelo liberal decimonónico y la necesidad de reencontrarle sentido a la existencia.

El año del cambio de siglo será la cumbre de sus
teorías: publica el Ariel, donde critica el utilitarismo

norteamericano y ensalza los valores éticos y estéticos de América Latina, recurriendo, como era usual en la época, a personajes de La tempestad de William Shakespeare para elaborar una metáfora donde el aéreo y leal Ariel sería América Latina y el monstruoso Calibán los Estados Unidos. Rodó es acaso el primero en una cadena de pensadores que formulan la tesis de que en América Latina se encuentra una serie de virtudes, serie más enriquecedora para el ser humano que las alternativas ofrecidas por las sociedades desarrolladas. Esta idea se mantiene en la cultura hasta el día de hoy, formulada con distintas variantes: América Latina como el reservorio mundial de la imaginación y la creatividad literaria o artística en general, América Latina como el lugar donde las relaciones son más verdaderas y cálidas, América Latina como un hemisferio empobrecido pero nunca despersonalizado. Es el eco lejano de las teorías del buen salvaje rousseaunianas y una reverberación de las cualidades que pregonaba el colono español: el honor y la virtud por encima de todo: hay algo en el orden de lo natural como lo verdadero, pero transformado aquí en el acceso a lo sublime. Como propuesta se ha enraizado en el imaginario colectivo con la fuerza del sentimiento: es el argumento, con variantes, para que América Latina venza en la comparación con la América del Norte.

Esta idealización de América Latina como el espíritu encierra el interés de Rodó en la libertad de las clases medias y altas cultas, y no en las necesidades populares: su lucha es entre la zoocracia y aristocracia del espíritu. La suya es una literatura de tesis, llena de referencias cultas, donde el arte está por encima de todo, con una escritura muy elaborada o sobre-escrita al estilo modernista; tras la teoría de la belleza, la tolerancia, la razón, el ocio creativo, la delicadeza, la juventud heroica, está el temor a la democracia por su capacidad niveladora con las masas.

Contemporáneo de una generación impresionante de escritores uruguayos, cada uno con una propuesta estética definida, perdurable y distinta (*Julio Herrera y Reissig, Horacio Quiroga, Javier de Viana, Delmira Agustini*), José Enrique Rodó tuvo como proyecto el de superar criterios de nacionalismo que consideraba estrechos, accediendo a formas artísticas más universales.

Para Rodó la dimensión social no pasaba precisamente por una noción de la historia económica o racial, por ejemplo, sino que se definía siempre a partir de las cualidades sensibles del individuo: en los nueve años siguientes a la publicación del Ariel se dedica a formular una moral práctica y una filosofía de la vida, basada en las enseñanzas de los grandes hombres. Ya en plena celebridad y como desarrollo de estas obsesiones, publica Motivos de Proteo (*1909*). Su último libro será El Mirador de Próspero (*1913*); los amigos harán editar su correspondencia de viajes, en forma póstuma, en El camino de Paros (*1918*).

El Ariel *responde a una organización dicotómica (materialismo/espiritualismo) que se vale de citas abundantes de otros textos a modo de legitimación, y de la reconstrucción fragmentada y alterada de la historia. Así, traza una genealogía míticamente latina para el subcontinente: la civilización griega y el surgimiento del cristianismo. Autores citados, de diferentes épocas y disciplinas, se suman a un coro de voces en un mismo plano —como si hubieran sido vecinos de un mismo pueblo y época— para defender la tesis enunciada en la voz de Próspero, el maestro.*

Hay un dato interesante en la cuidada estructura del Ariel, *que confirma la dicotomía entera de contenido y escritura. El texto está dividido en ocho sectores: los cuatro primeros y sus dobles opuestos. De esta manera, se comienza con la imagen de Próspero llegando a hablar con sus discípulos y se termina con los discí-*

pulos alejándose del maestro para volver a la vida de la ciudad; el sector segundo y el séptimo se refieren a la juventud, uno la ensalza como potencial, el otro la dirige ya en su misión; el tercer sector demuestra la supremacía del ocio creador, mientras que en el sexto ataca a Estados Unidos por no valorar otra cosa que el trabajo; la parte cuarta ensalza la belleza como regla para la moral y en la siguiente, contrapone la mediocridad de la democracia. El texto no está formalmente numerado en ocho partes, pero sí conformado por ellas, operando como un espejo invertido o como la concepción de los opuestos tan cara a los modernistas. Nada de esto como estructura ha sido realmente estudiado, pese a que al final del Ariel y sin antecedentes para ello, el texto se cierra dándole la palabra a un personaje que sólo aparece en ese momento. Es un estudiante, un discípulo de Próspero, que cuando se aleja dice, confrontando claramente el arriba y el abajo, ensimismado dentro de su "templo interior": "Mientras la muchedumbre pasa, yo observo que, aunque ella no mira el cielo, el cielo la mira. Sobre su masa indiferente y oscura, como tierra del surco, algo desciende de lo alto. La vibración de las estrellas se parece al movimiento de unas manos de sembrador".

ARIEL

La concepción utilitaria, como idea del destino humano, y la igualdad en lo mediocre, como norma de la proporción social, componen, íntimamente relacionadas, la fórmula de lo que ha solido llamarse, en Europa, el espíritu de americanismo. Es imposible meditar sobre ambas inspiraciones de la conducta y la sociabilidad, y compararlas con las que le son opuestas, sin que la asociación traiga, con insistencia, a la mente, la imagen de esa democracia formidable y fecunda, que, allá en el Norte, ostenta las manifestaciones de su prosperidad y su poder como una deslumbradora prueba que abona en favor de la eficacia de sus instituciones y de la dirección de sus ideas. Si ha podido decirse del utilitarismo que es el verbo del espíritu inglés, los Estados Unidos pueden ser considerados la encarnación del verbo utilitario y el evangelio de ese verbo se difunde por todas partes a favor de los milagros materiales del triunfo. Hispanoamérica ya no es enteramente calificable con relación a él, de tierra de gentiles. La poderosa federación va realizando entre nosotros una suerte de conquista moral. La admiración por su grandeza y por su fuerza es un sentimiento que avanza a grandes pasos en el espíritu de nuestros hombres dirigentes y, aún más quizá, en el de las muchedumbres, fascinables por la impresión de la victoria. Y, de admirarla, se pasa, por una transición facilísima, a imitarla. La admiración y la creencia son ya modos pasivos de imitación para el psicólogo. "La tendencia imitativa de nuestra naturaleza moral —decía Bagehot— tiene su asiento en aquella parte del alma en que reside la credibilidad". El sentido y la experiencia vulgares serían suficientes para establecer por sí solos esa sencilla relación. Se imita a aquel en cuya superioridad o cuyo prestigio se cree. Es así como la visión de una América deslatinizada por propia voluntad, sin la extorsión de la conquista, y regenerada luego a imagen y semejanza del arquetipo del Norte, flota ya sobre los sueños de muchos sinceros interesados por nuestro porvenir, inspira la fruición con que ellos formulan a cada paso los más sugestivos paralelos, y se manifiesta por constantes propósitos de innovación y de reforma. Tenemos nuestra nordomanía. Es necesario oponerle los límites que la razón y el sentimiento señalan de consuno.

No doy yo a tales límites el sentido de una absoluta negación. Comprendo bien que se adquieran inspiraciones, luces, enseñanzas, en el ejemplo de los fuertes; y no desconozco que una inteligente atención fijada en lo exterior para reflejar de todas partes la imagen de lo beneficioso y de lo útil es singularmente fecunda cuando se trata de pueblos que aún forman y modelan su entidad nacional. Comprendo bien que se aspire a rectificar, por la educación perseverante, aquellos trazos de carácter de una sociedad humana que necesiten concordar con nuevas exigencias de la civilización y nuevas oportunidades de la vida, equilibrando así, por medio de una influencia innovadora, las fuerzas de la herencia y la costumbre. Pero no veo la gloria, ni en el propósito de desnaturalizar el carácter de los pueblos —su genio personal—, para imponerles la identificación con un modelo extraño al que ellos sacrifiquen la originalidad irremplazable de su espíritu ni en la creencia ingenua de que eso pueda obtenerse alguna vez por procedimientos artificiales e improvisados de imitación. Ese irreflexivo traslado de lo que es natural y espontáneo en una sociedad al seno de otra, donde no tenga raíces ni en la Naturaleza ni en la historia, equivalía para Michelet a la tentativa de incorporar, por simple agregación, una cosa muerta a un organismo vivo. En sociabilidad, como en literatura, como en arte, la imitación inconsulta no hará nunca sino deformar las líneas del modelo. El engaño de los que piensan haber reproducido en lo esencial el carácter de una colectividad humana, las fuerzas vivas de su espíritu, y, con ellos, el secreto de sus triunfos y su prosperidad, reproduciendo exactamente el mecanismo de sus instituciones y las formas exteriores de sus costumbres, hace pensar en la ilusion de los principiantes candorosos, que se imaginan haberse apoderado del genio del maestro cuando han copiado las formas de su estilo o sus procedimientos de composición.

En ese esfuerzo vano hay, además, no sé qué cosa de innoble. Género de snobismo político podría llamarse al afanoso remedo de cuanto hacen los preponderantes y los fuertes, los vencedores y los afortunados; género de abdicación servil como en la que algunos de los snobs encadenados para siempre a la tortura de la sátira por el libro de Táckeray, hace consumirse tristemente las energías de los ánimos no ayudados por la Naturaleza o la fortuna, en la imitación impotente de los caprichos y las volubilidades de los encumbrados de la sociedad. El cuidado de la independencia interior —la de la personalidad, la del criterio— es una principalísima forma del respeto propio. Suele, en los tratados de ética, comentarse un precepto moral de Cicerón, según

217

el cual forma parte de los deberes humanos el que cada uno de nosotros cuide y mantenga celosamente la originalidad de su carácter personal, lo que haya en él que lo diferencie y determine, respetando, en todo cuanto no sea inadecuado para el bien, el impulso primario de la Naturaleza, que ha fundado en la varia distribución de sus dones el orden y el concierto del mundo. Y aun me parecería mayor el imperio del precepto si se le aplicase, colectivamente, al cáracter de las sociedades humanas. Acaso oiréis decir que no hay un sello propio y definido, por cuya permanencia, por cuya integridad deba pugnarse, en la organizacion actual de nuestros pueblos. Falta tal vez, en nuestro carácter colectivo, el contorno seguro de la "personalidad". Pero en ausencia de esa índole perfectamente diferenciada y autonómica tenemos —los americanos latinos— una herencia de raza, una gran tradición étnica que mantener, un vínculo sagrado que nos une a inmortales páginas de la historia, confiando a nuestro honor su continuación en lo futuro. El cosmopolitismo, que hemos de acatar como una irresistible necesidad de nuestra formación, no excluye, ni ese sentimiento de fidelidad a lo pasado, ni la fuerza directriz y plasmante con que debe el genio de la raza imponerse en la refundición de los elementos que constituirán al americano definitivo del futuro.

Se ha observado más de una vez que las grandes evoluciones de la historia, las grandes épocas, los períodos más luminosos y fecundos, en el desenvolvimiento de la humanidad, son casi siempre la resultante de dos fuerzas distintas y co-actuales, que mantienen, por los concertados impulsos de oposición, el interés y el estímulo de la vida, los cuales desaparecerían, agotados, en la quietud de una unidad absoluta. Así, sobre los dos polos de Atenas y Lacedemonia se apoya el eje alrededor del cual gira el carácter de la más genial y civilizadora de las razas. América necesita mantener en el presente la dualidad original de su constitución, que convierte en realidad de su historia el mito clásico de las dos águilas soltadas simultáneamente de uno y otro polo del mundo, para que llegasen a un tiempo al límite de sus dominios. Esta diferencia genial y emuladora no excluye, sino que tolera y aún favorece en muchísimos aspectos, la concordia de la solidaridad. Y si una concordia superior pudiera vislumbrarse y desde nuestros días, como la fórmula de un porvenir lejano, ella no sería debida a la imitación unilateral —que diría Tarde— de una raza por otra, sino a la reciprocidad de sus influencias y al atinado concierto de los atributos en que se funda la gloria de las dos.

Por otra parte, en el estudio desapasionado de esa civilización que algunos nos ofrecen como único y absoluto modelo, hay razones no menos poderosas que las que se fundan en la indignidad y la inconveniencia de una renuncia a todo propósito de originalidad, para templar los entusiasmos de los que nos exigen su consagración idolátrica. Y llego, ahora, a la relacion que directamente tiene, con el sentido general de esta plática mía, el comentario de semejante espíritu de imitación.

Todo juicio severo que se formule de los americanos del norte debe empezar por rendirles, como se haría con altos adversarios, la formalidad caballeresca de un saludo. Siento fácil mi espíritu para cumplirla. Desconocer sus defectos no me parecería tan insensato como negar sus cualidades. Nacidos —para emplear la paradoja usada por Baudelaire a otro respecto— con la experiencia innata de la libertad, ellos se han mantenido fieles a la ley de su origen, y han desenvuelto, con la precisión y la seguridad de una progresión matemática, los principios fundamentales de su organización, dando a su historia una consecuente unidad que, si bien ha excluido las adquisiciones de aptitudes y méritos distintos tiene la belleza intelectual de la lógica. La huella de sus pasos, no se borrará jamas en los anales del derecho humano; porque ellos han sido los primeros en hacer surgir nuestro moderno concepto de la libertad, de las inseguridades del ensayo y de las imaginaciones de la utopía, para convertirla en bronce imperecedero y realidad viviente; porque han demostrado con su ejemplo la posibilidad de extender a un inmenso organismo nacional la inconmovible autoridad de una república; porque, con su organización federativa, han revelado —según la feliz expresión de Tocqueville— la manera como se pueden conciliar con el brillo y el poder de los Estados grandes la felicidad y la paz de los pequeños. Suyos son algunos de los rasgos más audaces con que ha de destacarse en la perspectiva del tiempo la obra de este siglo. Suya es la gloria de haber revelado plenamente —acentuando la más firme nota de belleza moral de nuestra civilización— la grandeza y el poder del trabajo; esa fuerza bendita que la Antigüedad abandonaba a la abyección de la esclavitud, y que hoy identificamos con la más alta expresión de la dignidad humana, fundada en la conciencia y la actividad del propio mérito. Fuertes, tenaces, teniendo la inacción por oprobio, ellos han puesto en manos del *mechanic* de sus talleres y el *farmer* de sus campos, la clava herculea del mito, y han dado al genio humano una nueva e inesperada belleza ciñéndole el mandil de cuero del forjador. Cada uno de ellos avanza a conquistar la vida como el desierto los primitivos puritanos. Perseverantes devotos de ese culto de la energía individual que hace de cada hombre el artífice de su destino, ellos han modelado su sociabilidad en un conjunto imaginario de ejemplares de Robinson, que después de haber fortificado rudamente su personalidad en la práctica de la ayuda propia, entrarán a componer los filamentos de una urdimbre firmísima. Sin sacrificarle esa soberana concepción del individuo, han sabido hacer al mismo tiempo, del espíritu de asociación, el más admirable instrumento de su grandeza y de su imperio; y han obtenido de la suma de las fuerzas humanas, subordinada a los propósitos de la investigación, de la filantropía, de la industria, resultados tanto más maravillosos, por lo mismo que se consiguen con la más absoluta integridad de la autonomía personal. Hay en ellos un instinto de curiosidad despierta e insaciable, una impaciente avidez de toda luz; y profesando el amor por la instrucción del pueblo con la obsesión de una monomanía gloriosa y fecunda, han hecho de la escuela el quicio más seguro de su prosperidad, y del alma del niño la más cuidada entre las cosas leves y preciosas. Su cultura, que está lejos de ser refinada ni espiritual, tiene una eficacia admirable siempre que se dirige prácticamente a realizar una finalidad inmediata. No han incorporado a las adquisiciones de la ciencia una sola ley general, un solo principio; pero la han hecho maga por las maravillas de sus aplicaciones, la han agigantado en los dominios de la utilidad, y han dado al mundo, en la caldera de vapor y en la dínamo eléctrica, billones de esclavos invisibles que centuplican, para servir al aladino humano, el poder de la lámpara maravillosa. El crecimiento de su grandeza y de su fuerza será objeto de perdurables asombros para el porvenir. Han inventado, con su prodigiosa aptitud de improvisación, un acicate para el tiempo; y al conjuro de su voluntad poderosa, surge en un día, del seno de la absoluta soledad, la suma de cultura acumulable por la obra de los siglos. La libertad puritana, que les envía su luz desde el pasado, unió a esta luz el calor de una piedad que aún dura. Junto a la fábrica y la escuela, sus fuertes manos han alzado también los templos de donde evaporan sus plegarias muchos millones de conciencias libres. Ellos han sabido salvar, en el naufragio de todas las idealidades la idealidad más alta, guardando viva la tradición de un sentimiento religioso que, si no levanta sus vuelos en alas del espiritualismo delicado y profundo, sostiene, en parte, entre las asperezas del tumulto utilitario, la rienda firme del sentido moral. Han sabido, también guardar, en medio de los refinamientos de la vida civilizada, el sello de cierta primitividad robusta. Tienen el culto pagano de la salud, de la destreza, de la fuerza; templan y afinan en el músculo el instrumento precioso de la voluntad; y, obligados por su aspiración insaciable de dominio a cultivar la energía de todas las actividades humanas, modelan el torso del atleta para el corazón del hombre libre. Y del concierto de su civilización, del acordado movimiento de su cultura, surge una dominante nota de optimismo, de confianza, de fe, que dilata los corazones impulsándolos al porvenir bajo la sugestión de una esperanza terca y arrogante; la nota del Excelsior y el Salmo de la vida con que sus poetas han señalado el infalible bálsamo contra toda amargura en la filosofía del esfuerzo y de la acción.

Su grandeza titánica se impone así, aun a los más prevenidos por las enormes desproporciones de su carácter o por las violencias recientes de su historia. Y por mi parte, ya veis que, aunque no les amo, les admiro. Les admiro, en primer término por su formidable capacidad de querer, y me inclino ante la "escuela de voluntad y de trabajo" que —como de sus progenitores nacionales dijo Philaréte-Chasles— ellos han instituido.

En el principio la acción era. Con estas célebres palabras del Fausto podría empezar un futuro historiador de la poderosa república, el Génesis, aún no concluido de su existencia nacional su genio podría definirse, como el universo de los dinamistas, la fuerza en movimiento. Tiene, ante todo y sobre todo, la capacidad, el entusiasmo, la vocación dichosa de la acción. La voluntad es el cincel que ha esculpido a ese pueblo en dura piedra. Sus relieves característicos son dos manifestaciones del poder de la voluntad: la originalidad y la audacia. Su historia es, toda ella el arrebato de una actividad viril. Su personaje representativo se llama Yo quiero, como el "superhombre" de Nietzsche. Si algo le salva colectivamente de la vulgaridad, es ese extraordi-

nario alarde de energía que lleva a todas partes y con el
que imprime cierto carácter de épica grandeza aun a las
luchas del interés y de la vida material. Así de los espe-
culadores de Chicago y de Minneápolis, ha dicho Paul
Bourget que son a la manera de combatientes heroicos
en los cuales la aptitud para el ataque y la defensa es
comparable a la de un *grognard* del gran Emperador. Y
esta energía suprema con la que el genio norteamericano parece obtener —hipnotizador audaz— el adormeci-
miento y la sugestión de los hados, suele encontrarse
aun en las particularidades que se nos presentan como
excepcionales y divergentes, de aquella civilización.
Nadie negará que Edgar Poe es una individualidad anó-
mala y rebelde dentro de su pueblo. Su alma escogida
representa una partícula inasimilable del alma nacional,
que no en vano se agitó entre las otras con la sensación
de una soledad infinita. Y sin embargo, la nota fundamental —que Baudelaire ha señalado profundamente—
en el carácter de los héroes de Poe, es, todavía, el temple sobrehumano, la indómita resistencia de la voluntad. Cuando ideó a Ligeia, la más misteriosa y adorable
de sus criaturas, Poe simbolizó en la luz inextinguible
de sus ojos, el himno de triunfo de la Voluntad sobre la
Muerte.

Adquirido, con el sincero reconocimiento de cuanto
hay de luminoso y grande en el genio de la poderosa
nación, el derecho de completar respecto a él la fórmula
de la justicia, una cuestión llena de interés pide expre-
sarse. ¿Realiza aquella sociedad, o tiende a realizar, por
lo menos, la idea de la conducta racional que cumple a
las legítimas exigencias del espíritu, a la dignidad intelectual y moral de nuestra civilización? ¿Es en ella
donde hemos de señalar la más aproximada imagen de
nuestra "ciudad perfecta"? Esa febricitante inquietud
que parece centuplicar en su seno el movimiento y la
intensidad de la vida, ¿tiene un objeto capaz de mere-
cerla y un estímulo bastante para justificarla?

Herbert Spencer, formulando con noble sinceridad su saludo a la democracia de América en un banquete de Nueva York, señalaba el rasgo fundamental de la vida de los norteamericanos, en esa misma desbordada inquietud que se manifiesta por la pasión infinita del trabajo y la porfía de la expansión material en todas sus formas. Y observa después que, en tan exclusivo predominio de la actividad subordinada a los propósitos inmediatos de la utilidad, se revelaba una concepción de la existencia, tolerable sin duda como carácter provisional de una civilización, como tarea preliminar de una cultura, pero que urgía ya rectificar, puesto que tendía a convertir el trabajo utilitario en fin y objeto supremo de la vida, cuando él en ningún caso puede significar racionalmente sino la acumulación de los elementos propios para hacer posible el total y armonioso desenvolvimiento de nuestro ser. Spencer agregaba que era necesario predicar a los norteamericanos el Evangelio del descanso o el recreo; e identificando nosotros la más noble significación de estas palabras con la del ocio tal cual lo dignificaban los antiguos moralistas, clasificaremos dentro del Evangelio en que debe iniciarse a aquellos trabajadores, sin reposo, toda preocupación ideal, todo desinteresado empleo de las horas, todo objeto de meditación levantado sobre la finalidad inmediata de la utilidad.

La vida norteamericana describe efectivamente ese círculo vicioso que Pascal señalaba en la anhelante persecución del bienestar, cuando él no tiene su fin fuera de sí mismo. Su prosperidad es tan grande como su imposibilidad de satisfacer a una mediana concepción del destino humano. Obra titánica, por la enorme tensión de voluntad que representa y por sus triunfos inauditos en todas las esferas del engrandecimiento material, es indudable que aquella civilización produce en su conjunto una singular impresión de insuficiencia y de vacío. Y es que si, con el derecho que da la historia de treinta siglos de evolución presididos por la dignidad del espíritu clásico y del espíritu cristiano, se pregunta cuál es en ella el principio dirigente, cuál su *substratum* ideal, cuál el propósito ulterior a la inmediata preocupación de los intereses positivos que estremecen aquella masa formidable, sólo se encontrará, como fórmula del ideal definitivo, la misma absoluta preocupación del triunfo material. Huérfano de tradiciones muy hondas que le orienten, ese pueblo no ha sabido sustituir la idealidad inspiradora del pasado con una alta y desinteresada concepción del porvenir. Vive para la realidad inmediata, del presente, y por ello subordina toda su actividad al egoísmo del bienestar personal y colectivo. De la suma de los elementos de su riqueza y su poder, podría decirse lo que el autor de Mesonges de la inteligencia del marqués de Norbert que figura en uno de sus libros: es un monte de leña al cual no se ha hallado modo de dar fuego. Falta la chispa eficaz que haga levantarse la llama de un ideal vivificante e inquieto sobre el copioso combustible. Ni siquiera el egoísmo nacional, a falta de más altos impulsos; ni siquiera el exclusivismo y el orgullo de raza, que son los que transfiguran y engrandecen, en la Antigüedad, la prosaica dureza de la vida de Roma, pueden tener vislumbres de idealidad y de hermosura en un pueblo donde la confusión cosmopolita y el atomismo de una mal entendida democracia impiden la formación de una verdadera conciencia nacional.

Diríase que el positivismo genial de la metrópoli ha sufrido, al transmitirse a sus emancipados hijos de América, una destilación que le priva de todos los elementos de idealidad que le templaban, reduciéndole, en realidad, a la crudeza que, en las exageraciones de la pasión o de la sátira, ha podido atribuirse al positivismo de Inglaterra. El espíritu inglés, bajo la áspera corteza de utilitarismo, bajo la indiferencia mercantil, bajo la severidad puritana, esconde, a no dudarlo, una virtualidad poética escogida, y un profundo venero de sensibilidad, el cual revela, en sentir de Taine, que el fondo primitivo, el fondo germánico de aquella raza, modificada luego por la presión de la conquista y por el hábito de la actividad comercial, fue una extraordinaria exaltación del sentimiento. El espíritu americano no ha recibido en herencia ese instinto poético ancestral, que brota, como surgente límpida, del seno de la roca británica, cuando es el Moisés de un arte delicado quien la toca. El pueblo inglés tiene, en la institución de su aristocracia —por anacrónica e injusta que ella sea bajo el aspecto del derecho político—, un alto e inexpugnable baluarte que oponer al mercantilismo ambiente y a la prosa invasora; tan alto e inexpugnable baluarte que es el mismo Taine quien asegura que desde los tiempos de las ciudades griegas, no presentaba la historia ejemplo de una condición de vida más propia para formar y enaltecer el sentimiento de la nobleza humana. En el ambiente de la democracia de América, el espíritu de vulgaridad no halla ante sí relieves inaccesibles para su fuerza de ascensión, y se extiende y propaga como sobre la llaneza de una pampa infinita.

Sensibilidad, inteligencia, costumbres, todo está caracterizado, en el enorme pueblo, por una radical ineptitud de selección, que mantiene, junto al orden mecánico de su actividad material y de su vida política, un profundo desorden en todo lo que pertenece al dominio de las facultades ideales. Fáciles son de seguir las manifestaciones de esa ineptitud, partiendo de las más exteriores y aparentes, para llegar después a otras más esenciales y más íntimas. Pródigo de sus riquezas —porque en su codicia no entra, según acertadamente se ha dicho, ninguna parte de Harpagón—, el norteamericano ha logrado adquirir con ellas, plenamente, la satisfacción y la vanidad de la magnificencia suntuaria; pero no ha logrado adquirir la nota escogida del buen gusto. El arte verdadero sólo ha podido existir, en tal ambiente, a título de rebelión individual. Emerson, Poe, son allí como los ejemplares de una fauna expulsada de su verdadero medio por el rigor de una catástrofe geológica. Habla Bourget, en *Out-Mer*, del acento concentrado y solemne con que la palabra arte vibra en los labios de los norteamericanos que ha halagado el favor de la fortuna; de esos recios y acrisolados héroes del *self-help* que aspiran a coronar, con la asimilación de todos los refinamientos humanos, la obra de su encubrimiento reñido. Pero nunca les ha sido dado concebir esa divina actividad que nombran con énfasis, sino como un nuevo motivo de satisfacerse su inquietud invasora y como un trofeo de su vanidad. La ignoran, en lo que ella tiene de desinteresado y de escogido; la ignoran, a despecho de la munificencia con que la fortuna individual suele emplearse en estimular la formación de un delicado sentido de belleza; a despecho de la esplendidez de los museos y las exposiciones con que se ufanan sus ciudades; a despecho de las montañas de mármol y de bronce que han esculpido para las estatuas de sus plazas públicas. Y si con su nombre hubiera de caracterizarse alguna vez un gusto de arte, él no podría ser otro que el que envuelve la negación del arte mismo: la brutalidad del efecto rebuscado, el desconocimiento de todo tono suave y de toda manera exquisita, el culto de una falsa grandeza, el sensacionismo que excluye la noble serenidad inconciliable con el apresuramiento de una vida febril.

La idealidad de lo hermoso no apasiona al descendiente de los austeros puritanos. Tampoco le apasiona la idealidad de lo verdadero. Menosprecia todo ejercicio del pensamiento que prescinda de una inmediata finalidad, por vano e infecundo. No le lleva a la ciencia un desinteresado anhelo de verdad, ni se ha manifestado ningún caso capaz de amarla por sí misma. La investigación no es para él sino el antecedente de la aplicación utilitaria. Sus gloriosos empeños por difundir los beneficios de la educación popular, están inspirados en el noble propósito de comunicar los elementos fundamentales del saber al mayor número; pero no nos revela que, al mimo tiempo que de ese acrecentamiento extensivo de la educación, se preocupe de seleccionarla y elevarla, para auxiliar el esfuerzo de las superioridades que ambicionen erguirse sobre la general mediocridad. Así, el resultado de su porfiada guerra a la ignorancia ha sido la semi-cultura universal y una profunda languidez de la alta cultura. En igual proporción que la ignorancia radical, disminuyen en el ambiente de esa gigantesca democracia, la superior sabiduría y el genio. He aquí por qué la historia de su actividad pensadora es una progresión decreciente de brillo y de originalidad. Mientras en el período de la independencia y la organización surgen para representar, lo mismo el pensamiento que la voluntad de aquel pueblo, muchos nombres ilustres, medio siglo más tarde Tocqueville puede observar, respecto a ellos, que los dioses se van. Cuando escribió Tocqueville su obra maestra, aún irradiaba, sin embargo, desde Boston, la ciudadela puritana, la ciudad de las doctas tradiciones, una gloriosa pléyade que tienen la historia intelectual de este siglo la magnitud de la universalidad. ¿Quiénes han recogido después la herencia de Channing, de Emerson, de Poe? La nivelación mesocrática, apresurando su obra desoladora, tiende a desvanecer el poco carácter que quedaba a aquella precaria intelectualidad. Las alas de sus libros ha tiempo que no llegan a la altura en que sería universalmente posible divisarlo. ¡Y hoy la más genuina representación del gusto norteamericano, en punto a letras, está en los lienzos grises de un diarismo que no hace pensar en el que un día suministró los materiales de *El Federalista*!

Con relación a los sentimientos morales, el impulso mecánico del utilitarismo ha encontrado el resorte moderador de una fuerte tradición religiosa. Pero no por eso debe creerse que ha cedido la dirección de la conducta a un verdadero principio de desinterés. La religiosidad de los americanos, como derivación extremada de la inglesa, no es más que una fuerza auxiliatoria de la legislación penal, que evacuaría su puesto el día que fuera posible dar a la moral utilitaria la autoridad religiosa que ambicionaba darle Stuart Mill. La más elevada cúspide de su moral es la moral de Franklin: una filosofía de la conducta, que halla su término en lo mediocre de la honestidad, en la utilidad de la prudencia; de cuyo seno no surgirán jamás ni la santidad, ni el heroísmo; y que, sólo apta para prestar a la conciencia en los caminos normales de la vida, el apoyo del bastón de manzano con que marchaba habitualmente su propagador, no es más que un leño frágil cuando se trata de subir las altas pendientes. Tal es la suprema cumbre; pero es en los valles donde hay que buscar la realidad. Aun cuando el criterio moral no hubiera de descender más abajo del utilitarismo probo y mesurado de Franklin, el término forzoso —que ya señaló la sagaz observación de Tocqueville— de una sociedad educada en semejante limitación del deber, sería, no por cierto una de esas decadencias soberbias y magníficas que dan la medida de la satánica hermosura del mal en la disolución de los imperios; pero sí una suerte de materialismo pálido y mediocre y, en último resultado, el sueño de una enervación sin brillo: por la silenciosa descomposición de todos los resortes de la vida moral. Allí donde el precepto tiende a poner las altas manifestaciones de la abnegación y la virtud fuera del dominio de lo obligatorio, la realidad hará retroceder indefinidamente el límite de la obligación. Pero la escuela de la prosperidad material, que será siempre ruda prueba para la austeridad de las repúblicas, ha llevado más lejos la llaneza de la concepción de la conducta racional que hoy gana los espíritus. Al código de Franklin han sucedido otros de más francas tendencias como expresión de la sabiduría nacional. Y no hace aún cinco años el voto público consagraba en todas las ciudades norteamericanas, con las más inequívocas manifestaciones de la popularidad y de la crítica, la nueva ley moral en que, desde la puritana Boston, anunciaba solemnemente el autor de cierto docto libro que se intitulaba *Pushing to the front,* * que el éxito debía ser considerado la finalidad suprema de la vida. La revelación tuvo eco aun en el seno de las comuniones cristianas y se citó una vez, a propósito del libro afortunado, la *Imitación* de Kempis, como término de comparación.

La vida pública no se sustrae, por cierto, a las consecuencias del crecimiento del mismo germen de desorganización que lleva aquella sociedad en sus entrañas. Cualquier mediano observador de sus costumbres políticas os hablará de cómo la obsesión del interés utilitario tiende progresivamente a enervar y empequeñecer en los corazones el sentimiento del derecho. El valor cívico, la virtud vieja de los Hamilton, es una hoja de acero que se oxida, cada día más, olvidada, entre las telarañas de las tradiciones. La venalidad, que empieza desde el voto público, se propaga a todos los resortes institucionales. El gobierno de la mediocridad vuelve vana la emulación que realza los caracteres y las inteligencias que los entona con la perspectiva de la efectividad de su dominio. La democracia, a la que no han sabido dar el regulador de una alta y educadora noción de las superioridades humanas, tendió siempre entre ellos a esa brutalidad abominable del número que menoscaba los mejores beneficios morales de la libertad y anula en la opinión el respeto de la dignidad ajena. Hoy, además, una formidable fuerza se levanta a contrastar de la peor manera posible el absolutismo del número. La influencia política de una plutocracia representada por los todopoderosos aliados de los *trusts*, monopolizadores de

* Por M. Orisson Swett Marden, Boston, 1895. (Nota del autor.)

la producción y dueños de la vida económica, es, sin duda, uno de los rasgos más merecedores de interés en la actual fisonomía del gran pueblo. La formación de esta plutocracia ha hecho que se recuerde, con muy probable oportunidad, el advenimiento de la clase enriquecida y soberbia que, en los últimos tiempos de la república romana, es uno de los antecedentes visibles de la ruina de la libertad y de la tiranía de los Césares. Y el exclusivo cuidado del engrandecimiento material —numen de aquella civilización— impone así la lógica de sus resultados en la vida política, como en todos los órdenes de la actividad, dando el rango primero al *strugglefor-lifer* osado y astuto, convertido en la brutal eficacia de su esfuerzo en la suprema personificación de la energía nacional —en el postulante a su representación emersoniana—, ¡en el personaje reinante de Taine!

Al impulso que precipita aceleradamente la vida del espíritu en el sentido de la desorientación ideal y el egoísmo utilitario, corresponde, físicamente, ese otro impulso, que en la expansión del asombroso crecimiento de aquel pueblo, lleva sus multitudes y sus iniciativas en dirección a la inmensa zona occidental que, en tiempos de la independencia, era el misterio, velado por las selvas del Mississipi. En efecto: es en ese improvisado Oeste, que crece formidable frente a los viejos estados del Atlántico, y reclama para un cercano porvenir la hegemonía, donde está la más fiel representación de la vida norteamericana en el actual instante de su evolución. Es allí donde los definitivos resultados, los lógicos y naturales frutos, del espíritu que ha guiado a la poderosa democracia desde sus orígenes, se muestran de relieve a la mirada del observador y le proporcionan un punto de partida para imaginarse la faz del inmediato futuro del gran pueblo. Al virginiano y al yanqui ha sucedido, como tipo representativo, ese dominador de las ayer desiertas praderas, refiriéndose al cual decía

Michel Chevalier, hace medio siglo, que "los últimos serían un día los primeros". El utilitarismo, vacío de todo contenido ideal, la vaguedad cosmopolita y la nivelación de la democracia bastarda alcanzarán, con él, su último triunfo. Todo elemento noble de aquella civilización, todo lo que la vincula a generosos recuerdos y fundamenta su dignidad histórica —el legado de los tripulantes del Flor de Mayo, la memoria de los patricios de Virginia y de los caballeros de la Nueva Inglaterra, el espíritu de los ciudadanos y los legisladores de la emancipación—, quedarán dentro de los viejos estados donde Boston y Filadelfia mantienen aún, según expresivamente se ha dicho, "el palládium de la tradición washingtoniana". Chicago se alza a reinar. Y su confianza en la superioridad que lleva sobre el litoral iniciador del Atlántico, se funda en que le considera demasiado reaccionario, demasiado europeo, demasiado tradicionalista. La historia no da títulos cuando el procedimiento de elección es la subasta de la púrpura.

A medida que el utilitarismo genial de aquella civilización asume así caracteres más definidos, más francos, más estrechos, aumentan, con la embriaguez de la prosperidad material, las impaciencias de sus hijos por propagarla y atribuirle la predestinación de un magisterio romano. Hoy, ellos aspiran manifiestamente al primado de la cultura universal, a la dirección de las ideas, y se consideran a sí mismos los forjadores de un tipo de civilización que prevalecerá. Aquel discurso semi-irónico que Laboulaye pone en boca de un escolar de su París americanizado para significar la preponderancia que concedieron siempre en el propósito educativo a cuanto favorezca el orgullo del sentimiento nacional, tendría toda la seriedad de la creencia más sincera en labios de cualquier americano viril de nuestros días. En el fondo de su declarado espíritu de rivalidad hacia Europa, hay un menosprecio que es ingenuo, y hay la profunda convicción de que ellos están destinados a oscurecer, en breve plazo, su superioridad espiritual y su gloria, cumpliéndose, una vez más, en las evoluciones de la civilización humana, la dura ley de los misterios antiguos en que el iniciado daba muerte al iniciador. Inútil sería tender a convencerles de que, aunque la contribución que han llevado a los progresos de la libertad y la utilidad haya sido, indudablemente, cuantiosa, y aunque debiera atribuírsele en justicia la significación de una obra universal, de una obra humana, ella es insuficiente para hacer transmudarse, en dirección al nuevo Capitolio, el eje del mundo. Inútil sería tender a convencerles de que la obra realizada por la perseverante genialidad del ario europeo, desde que, hace tres mil años, las orillas del Mediterráneo, civilizador y glorioso, se ciñeron jubilosamente la guirnalda de las ciudades helénicas; la obra que aún continúa realizándose y de cuyas tradiciones y enseñanzas vivimos, es una suma con la cual no puede formar ecuación la fórmula Washington más Edison. ¡Ellos aspirarían a revisar el Génesis para ocupar esa primera página! Pero además de la relativa insuficiencia de la parte que les es dado reivindicar en la educación de la humanidad, su carácter mismo les niega la posibilidad de la hegemonía. Naturaleza no les ha concedido el genio de la propaganda ni la vocación apostólica. Carecen de ese don superior de amabilidad —en alto sentido—, de ese extraordinario poder de simpatía, con que las razas que han sido dotadas de un cometido providencial de educación, saben hacer de su cultura algo parecido a la belleza de la Helena clásica, en la que todos creían reconocer un rasgo propio. Aquella civilización puede abundar, o abunda indudablemente, en sugestiones y en ejemplos fecundos; ella puede inspirar admiración, asombro, respeto; pero es difícil que cuando el extranjero divisa de alta mar su gigantesco símbolo: la Libertad de Bartholdi, que yergue triunfalmente su antorcha sobre el puerto de Nueva York, se despierta en su ánimo la emoción profunda y religiosa con que el viajero antiguo debía ver surgir, en las noches diáfanas de Atica, el toque luminoso que la lanza de oro de la Atenea del Acrópolis dejaba notar a la distancia en la pureza del ambiente sereno.

Y advertid que cuando, en nombre de los derechos del espíritu, niego al utilitarismo norteamericano ese carácter típico con que quiere imponérsenos como suma y modelo de civilización, no es mi propósito afirmar que la obra realizada por él haya de ser enteramente perdida con relación a lo que podríamos llamar los intereses del alma. Sin el brazo que nivela y construye, no tendría paz el que sirve de apoyo a la noble frente que piensa. Sin la conquista de cierto bienestar material, es imposible en las sociedades humanas el reino del espíritu. Así lo reconoce el mismo aristocrático idealismo de Renan, cuando realza, del punto de vista de los intereses morales de la especie y de su selección espiritual en lo futuro, la significación de la obra utilitaria de este siglo. "Elevarse sobre la necesidad —agrega el maestro— es redimirse". En lo remoto del pasado, los efectos de la prosaica e interesada actividad del mercader que por primera vez pone en relación a un pueblo con otros, tienen un incalculable alcance idealizador; puesto que contribuyen eficazmente a multiplicar los instrumentos de la inteligencia, a pulir y suavizar las costumbres, y a hacer posibles, quizá, los preceptos de una moral más avanzada. La misma fuerza positiva aparece propiciando las mayores idealidades de la civilización. El oro acumulado por el mercantilismo de las repúblicas italianas "pagó —según Saint-Victor— los gastos del Renacimiento". Las naves que volvían de los países de Las mil y una noches, colmadas de especias y marfil, hicieron posible que Lorenzo de Médicis renovara, en las lonjas de los mercaderes florentinos, los convites platónicos. La historia muestra en definitiva una inducción recíproca entre los progresos de la actividad utilitaria y la ideal. Y así como la utilidad suele convertirse en fuerte escudo para las idealidades, ellas provocan con frecuencia (a condición de no proponérselo directamente) los resultados de lo útil. Observa Bagehot, por ejemplo, como los inmensos beneficios positivos de la navegación no existirían acaso para la humanidad, si en las edades primitivas no hubiera habido soñadores y ociosos —¡seguramente, mal comprendidos de sus contemporáneos!— a quienes interesase la contemplación de lo que pasaba en las esferas del cielo. Esta ley de armonía nos enseña a respetar el brazo que labra el duro terruño de la prosa. La obra del positivismo norteamericano servirá a la causa de Ariel, en último término. Lo que aquel pueblo de cíclopes ha conquistado directamente para el bienestar material, con su sentido de lo útil y su admirable aptitud de la invención mecánica, lo convertirán otros pueblos, o él mismo en lo futuro, en eficaces elementos de selección. Así, la más preciosa y fundamental de las adquisiciones del espíritu —el alfabeto, que da alas de inmortalidad a la palabra—, nace en el seno de las factorías cananeas y es el hallazgo de una civilización mercantil, que, al utilizarlo con fines exclusivamente mercenarios, ignoraba que el genio de razas superiores lo transfiguraría convirtiéndolo en el medio de propagar su más pura y luminosa esencia. La relación entre los bienes positivos y los bienes intelectuales y morales es, pues, según la adecuada comparación de Fouillée, un nuevo aspecto de la cuestión de la equivalencia de las fuerzas que, así como permite transformar el movimiento en calórico, permite también obtener, de las ventajas materiales, elementos de superioridad espiritual.

Pero la vida norteamericana no nos ofrece aún un nuevo ejemplo de esa relación indudable, ni nos lo anuncia como gloria de una posterioridad que se vislumbre. Nuestra confianza y nuestros votos deben inclinarse a que, en un porvenir más inaccesible a la inferencia, esté reservado a aquella civilización un destino superior. Por más que, bajo el acicate de su actividad vivísima, el breve tiempo que la separa de su aurora haya sido bastante para satisfacer el gasto de vida requerido por una evolución inmensa, su pasado y su actualidad no pueden ser sino un introito con relación a lo futuro. Todo demuestra que ella está aún muy lejana de su fórmula definitiva. La energía asimiladora que le ha permitido conservar cierta uniformidad y cierto temple genial, a despecho de las enormes invasiones de elementos étnicos opuestos a los que hasta hoy han dado el tono a su carácter tendrá que reñir batallas cada día más difíciles, y en el utilitarismo proscriptor de toda idealidad no encontrará una inspiración suficientemente poderosa para mantener la atracción del sentimiento solidario. Un pensador ilustre, que comparaba al esclavo de las sociedades antiguas con una partícula no digerida por el organismo social, podría quizá tener una comparación semejante para caracterizar la situación de ese fuerte colono de procedencia germánica que, establecido en los Estados del centro y del Far-West, conserva intacta, en su naturaleza, en su sociabilidad, en sus costumbres, la impresión del genio alemán que, en muchas de sus condiciones características más profundas y enérgicas, debe ser considerado una verdadera antítesis del genio americano. —Por otra parte, una civilización que esté destinada a vivir y a dilatarse en el mundo; una civilización que no haya perdido, momificándose a la manera de los imperios asiáticos, la aptitud de la variabilidad, no puede prolongar indefinidamente la direccion de sus energías y de sus ideas en un único y exclusivo sentido.

Esperemos que el espíritu de aquel titánico organismo social, que ha sido hasta hoy *voluntad* y *utilidad* solamente, sea también algún día inteligencia, sentimiento, idealidad. Esperemos que, de la enorme fragua, surgirá, en último resultado, el ejemplar humano, generoso, armónico, selecto, que Spencer, en un ya citado discurso, creía poder augurar como término del costoso proceso de refundición. Pero no lo busquemos, ni en la realidad presente de aquel pueblo ni en la perspectiva de sus evoluciones inmediatas; y renunciemos a ver el tipo de una civilización ejemplar donde sólo existe un boceto tosco y enorme, que aún pasará necesariamente por muchas rectificaciones sucesivas, antes de adquirir la serena y firme actitud con que los pueblos que han alcanzado un perfecto desenvolvimiento de su genio presiden al glorioso coronamiento de su obra como en *el sueño del cóndor* que Leconte de Lisle ha descrito con su soberbia majestad, terminando, en olímpico sosiego, ¡la ascensión poderosa, más arriba de las cumbres de la Cordillera!

VI

Ante la posteridad, ante la historia, todo gran pueblo debe aparecer como una vegetación cuyo desenvolvimiento ha tendido armoniosamente a producir un fruto en el que su savia acrisolada ofrece al porvenir la idealidad de su fragancia y la fecundidad de su simiente. —Sin este resultado duradero, *humano*, levantado sobre la finalidad transitoria de lo *útil*, el poder y la grandeza de los imperios no son más que una noche de sueño en la existencia de la Humanidad; porque, como las visiones personales del sueño, no merecen contarse en el encadenamiento de los hechos que forman la trama activa de la vida.

Gran civilización, gran pueblo —en la acepción que tiene valor para la historia— son aquellos que, al desaparecer materialmente en el tiempo, dejan vibrante para siempre la melodía surgida de su espíritu y hacen persistir en la posteridad su legado imperecedero —según dijo Carlyle del alma de sus "héroes"—: *como*

237

una nueva y divina porción de la suma de las cosas.
Tal, en el poema de Goethe, cuando la Elena evocada
del reino de la noche vuelve a descender al Orco sombrío, deja a Fausto su túnica y su velo. Estas vestiduras
no son la misma deidad; pero participan, habiéndolas
llevado ella consigo, de su alteza divina, y tienen la virtud de elevar a quien las posee por encima de las cosas
vulgares.

Una sociedad definitivamente organizada que limi-
te su idea de la civilización a acumular abundantes elementos de prosperidad, y su idea de la justicia a distri-
buirlos equitativamente entre los asociados, no hará de
las ciudades donde habite nada que sea distinto, por
esencia, del hormiguero o la colmena. No son bastantes
ciudades populosas, opulentas magníficas, para probar
la constancia y la intensidad de una civilización. La
gran ciudad es, sin duda, un organismo necesario de la
alta cultura. Es el ambiente natural de las más altas manifestaciones del espíritu. No sin razón ha dicho Quinet
que "el alma que acude a beber fuerzas y energías en la
íntima comunicación con el linaje humano, esa alma
que constituye el grande hombre, no puede formarse y
dilatarse en medio de los pequeños partidos de una ciudad pequeña". —Pero así la grandeza cuantitativa de la
población como la grandeza material de sus instrumentos, de sus armas, de sus habitaciones, son sólo *medios*
del genio civilizador, y en ningún caso resultados en los
que él pueda detenerse. —De las piedras que compusie-
ron a Cartago, no dura una partícula transfigurada en
espíritu y en luz. La inmensidad de Babilonia y de Ní-
nive no representa en la memoria de la Humanidad el
hueco de una mano si se la compara con el espacio que
va desde la Acrópolis al Pireo. —Hay una perspectiva
ideal en la que la ciudad no aparece grande sólo porque
prometa ocupar el área inmensa que había edificada en
torno a la torre de Nemrod; ni aparece fuerte sólo porque sea capaz de levantar de nuevo ante sí los muros

238

babilónicos sobre los que era posible hacer pasar seis carros de frente; ni aparece hermosa sólo porque, como Babilonia, luzca en los paramentos de sus palacios losas de alabastro y se enguirnalde con los jardines de Semíramis.

Grande es en esa perspectiva la ciudad, cuando los arrabales de su espíritu alcanzan más allá de las cumbres y los mares, y cuando, pronunciado su nombre, ha de iluminarse para la posteridad toda una jornada de la historia humana, todo un horizonte del tiempo. La ciudad es fuerte y hermosa cuando sus días son algo más que la invariable repetición de ser un mismo eco, reflejándose indefinidamente de uno en otro círculo de una eterna espiral; cuando hay algo en ella que flota por encima de la muchedumbre; cuando entre las luces que se encienden durante sus noches está la lámpara que acompaña la soledad de la vigilia inquietada por el pensamiento y en la que se incuba la idea que ha de surgir al sol del otro día convertida en el grito que congrega y la fuerza que conduce las almas.

Entonces sólo la extensión y la grandeza material de la ciudad pueden dar la medida para calcular la intensidad de su civilización. —Ciudades regias, soberbias aglomeraciones de casas, son para el pensamiento un cauce más inadecuado que la absoluta soledad del desierto, cuando el pensamiento no es el señor que las domina. —Leyendo el *Maud*, de Tennyson, hallé una página que podría ser el símbolo de este tormento del espíritu allí donde la sociedad humana es para él un género de soledad. —Presa de angustioso delirio, el héroe del poema se sueña muerto y sepultado, a pocos pies dentro de tierra, bajo el pavimento de una calle de Londres. A pesar de la muerte, su conciencia permanece adherida a los fríos despojos de su cuerpo. El clamor confuso de la calle, propagándose en sorda vibración hasta la estrecha cavidad de la tumba, impide en ella todo sueño de paz. El peso de la multitud indiferente gravita a toda hora sobre la triste prisión de aquel espíritu, y los cascos de los caballos que pasan parecen empeñarse en estampar sobre él un sello de oprobio. Los días se suceden con lentitud inexorable. La aspiración de Maud consistiría en hundirse más dentro, mucho más dentro, de la tierra. El ruido ininteligente del tumulto, sólo sirve para mantener en su conciencia desvelada el pensamiento de su cautividad.

Existen ya, en nuestra América latina, ciudades cuya grandeza material y cuya suma de civilización aparente, las acercan con acelerado paso a participar del primer rango en el mundo. Es necesario temer que el pensamiento sereno que se aproxime a golpear sobre las exterioridades fastuosas, como sobre un cerrado vaso de bronce, sienta el ruido desconsolador del vacío. Necesario es temer, por ejemplo, que ciudades cuyo nombre fue un glorioso símbolo en América: que tuvieron a Moreno, a Rivadavia, a Sarmiento; que llevaron la iniciativa de una inmortal Revolución; ciudades que hicieron dilatarse por toda la extensión de un continente, como en el armonioso desenvolvimiento de las ondas concéntricas que levanta el golpe de la piedra sobre el agua dormida, la gloria de sus héroes y la palabra de sus tribunos, puedan terminar en Sidón, en Tiro, en Cartago.

A vuestra generación toca impedirlo; a la juventud que se levanta, sangre y músculo y nervio del porvenir. Quiero considerarla personificada en vosotros. Os hablo ahora figurándome que sois los destinados a guiar a los demás en los combates por la causa del espíritu. La perseverancia de vuestro esfuerzo debe identificarse en vuestra intimidad con la certeza del triunfo. No desmayéis en predicar el Evangelio de la delicadeza a los escitas, el Evangelio de la inteligencia a los beocios, el Evangelio del desinterés a los fenicios.

Basta que el pensamiento insista en ser —en demostrar que existe, con la demostración que daba Dió-

240

genes del movimiento—, para que su dilatación sea ine-
luctable y para que su triunfo sea seguro.

El pensamiento se conquistará, palmo a palmo, por
su propia espontaneidad, todo el espacio de que necesi-
te para afirmar y consolidar su reino, entre las demás
manifestaciones de la vida. El, en la organización individual, levanta y engrandece, con su actividad conti-
nuada, la bóveda del cráneo que le contiene. Las razas
pensadoras revelan en la capacidad creciente de sus
cráneos, ese empuje del obrero interior. El, en la organización social, sabrá también engrandecer la capacidad
de su escenario, sin necesidad de que para ello inter-
venga ninguna fuerza ajena a él mismo. Pero tal persua-
sión que deben defenderos de un desaliento cuya única
utilidad consistiría en eliminar a los mediocres y los pequeños, de la lucha, debe preservaros también de las
impaciencias que exigen vanamente del tiempo la alte-
ración de su ritmo imperioso.

Todo el que se consagre a propagar y defender, en
la América contemporánea, un ideal desinteresado del
espíritu —arte, ciencia, moral, sinceridad religiosa, política de ideas—, debe educar su voluntad en el culto
perseverante del porvenir. El pasado perteneció todo
entero al brazo que combate; el presente pertenece, casi
por completo también, al tosco brazo que nivela y construye; el porvenir —un porvenir tanto más cercano
cuanto más enérgicos sean la voluntad y el pensamiento
de los que le ansían ofrecerá, para el desenvolvimiento
de superiores facultades del alma, la estabilidad, el escenario y el ambiente.

¿No la veréis vosotros, la América que nosotros so-
ñamos: hospitalaria para las cosas del espíritu, y no tan
sólo para las muchedumbres que se amparen a ella;
pensadora, sin menoscabo de su aptitud para la acción;
serena y firme a pesar de sus entusiasmos generosos
resplandeciente con el encanto de una seriedad temprana y suave, como la que realza la expresión de un rostro

infantil cuando en él se revela, al través de la gracia intacta que fulgura, el pensamiento inquieto que despierta?... Pensad en ella a lo menos; el honor de vuestra historia futura depende de que tengáis constantemente ante los ojos del alma la visón de esa América regenerada, cerniéndose de lo alto sobre las realidades del presente, como en la nave gótica el vasto rosetón que arde en luz sobre lo austero de los muros sombríos. No seréis sus fundadores, quizá; seréis los precursores que inmediatamente la precedan. En las sanciones glorificadoras del futuro, hay también palmas para el recuerdo de los precursores. Edgar Quinet, que tan profundamente ha penetrado en las armonías de la historia y la naturaleza, observa que para preparar el advenimiento de un nuevo tipo humano, de una nueva unidad social, de una personificación nueva de la civilización, suele precederles de lejos un grupo disperso y prematuro, cuyo papel es análogo en la vida de las sociedades al de las especies proféticas de que a propósito de la evolución biológica habla Héer. El tipo nuevo empieza por significar, apenas, diferencias individuales y aisladas; los individualismos se organizan más tarde en "variedad", y por último, la variedad encuentra para propagarse un medio que la favorece, y entonces ella asciende quizá al rango específico: entonces —digámoslo con las palabras de Quinet— el grupo se hace muchedumbre, y reina.

He aquí por qué vuestra filosofía moral en el trabajo y el combate debe ser el reverso del *carpe diem* horaciano; una filosofía que no se adhiera a lo presente sino como al peldaño donde afirmar el pie o como a la brecha por donde entrar en muros enemigos. No aspiraréis, en lo inmediato, a la consagración de la victoria definitiva, sino a procuraros mejores condiciones de lucha. Vuestra energía viril tendrá con ello un estímulo más poderoso, puesto que hay la virtualidad de un interés dramático mayor, en el desempeño de ese papel, activo esencialmente, de renovación y de conquista, propio para acrisolar las fuerzas de una generación heroicamente dotada, que en la serena y olímpica actitud que suelen las edades de oro del espíritu imponer a los oficiantes solemnes de su gloria. "No es la posesión de los bienes —ha dicho profundamente Taine, hablando de las alegrías del Renacimiento—; no es la posesión de bienes, sino su adquisición, lo que da a los hombres el placer y el sentimiento de su fuerza".

Acaso sea atrevida y candorosa esperanza creer en un aceleramiento tan continuo y dichoso de la evolución, en una eficacia tal de vuestro esfuerzo, que baste el tiempo concedido a la duración de una generación humana para llevar en América las condiciones de la vida intelectual, desde la incipiencia en que las tenemos ahora, a la categoría de un verdadero interés social y a una cumbre que de veras domine. Pero, donde no cabe la transformación total, cabe el progreso; y aun cuando supiérais que las primicias del suelo penosamente trabajado, no habían de servirse en vuestra mesa jamás, ello sería, si sois generosos, si sois fuertes, un nuevo estímulo en la intimidad de vuestra conciencia. La obra mejor es la que se realiza sin las impaciencias del éxito inmediato; y el más glorioso esfuerzo es el que pone la esperanza más allá del horizonte visible; y la abnegación más pura es la que se niega en lo presente no ya la compensación del lauro y el honor ruidoso, sino aún la voluptuosidad moral que se solaza en la contemplación de la obra consumada y el término seguro.

Hubo en la Antigüedad altares para los "dioses ignorados". Consagrad una parte de vuestra alma al porvenir desconocido. A medida que las sociedades avanzan, el pensamiento del porvenir entra por mayor parte como uno de los factores de su evolución y una de las inspiraciones de sus obras. Desde la imprevisión oscura del salvaje, que sólo divisa del futuro lo que falta para terminar de cada período de sol y no concibe cómo los días que vendrán pueden ser gobernados en parte desde el presente, hasta nuestra preocupación solícita y previsora de la posteridad, media un espacio inmenso, que acaso aparezca breve y miserable algún día. Sólo somos capaces de progreso en cuanto lo somos de adaptar nuestros actos a condiciones cada vez más distantes de nosotros, en el espacio y en el tiempo. La seguridad de nuestra intervención en una obra que haya de sobrevivirnos, fructificando en los beneficios del futuro, realza nuestra dignidad humana, haciéndonos triunfar de las limitaciones de nuestra naturaleza. Si, por desdicha, la humanidad hubiera de desesperar definitivamente de la inmortalidad de la conciencia individual, el sentimiento más religioso con que podría sustituirla sería el que nace de pensar que, aún después de disuelta nuestra alma en el seno de las cosas, persistiría en la herencia que se transmiten las generaciones humanas lo mejor de lo que ella ha sentido y ha soñado, su esencia más íntima y más pura, al modo como el rayo lumínico de la estrella extinguida persiste en lo infinito y desciende a acariciarnos con su melancólica luz.

El porvenir es en la vida de las sociedades humanas el pensamiento idealizador por excelencia. De la veneración piadosa del pasado, del culto de la tradición, por una parte, y por la otra del atrevido impulso hacia lo venidero, se compone la noble fuerza que levantando el espíritu colectivo sobre las limitaciones del presente comunica a las agitaciones y los sentimientos sociales un sentido ideal. Los hombres y los pueblos trabajan en el sentir de Fouillée, bajo la inspiración de las ideas, como los irracionales bajo la inspiración de los instintos; y la sociedad que lucha y se esfuerza, a veces sin saberlo, por imponer una idea a la realidad, imita, según el mismo pensador, la obra instintiva del pájaro que, al construir el nido bajo el imperio de una imagen interna que le obsede, obedece a la vez a un recuerdo inconsciente del pasado y a un presentimiento misterioso del porvenir.

244

Eliminando la sugestión del interés egoísta de las almas, el pensamiento inspirado en la preocupación por destinos ulteriores a nuestra vida, todo lo purifica y serena, todo lo ennoblece: y es un alto honor de nuestro siglo el que la fuerza obligatoria de esa preocupación por lo futuro, el sentimiento de esa elevada imposición de la dignidad del ser racional, se hayan manifestado tan claramente en él, que aun en el seno del más absoluto pesimismo, aun en el seno de la amarga filosofía que ha traído a la civilización occidental, dentro del loto de Oriente, el amor de la disolución y la nada, la voz de Hartmann ha predicado, con la apariencia de la lógica, el austero deber de continuar la obra del perfeccionamiento, de trabajar en beneficio del porvenir, para que, acelerada la evolución por el esfuerzo de los hombres, llegue ella con más rápido impulso a su término final, que será el término de todo dolor y toda vida.

Pero no, como Hartmann, en nombre de la muerte, sino en el de la vida misma y la esperanza, yo os pido una parte de vuestra alma para la obra del futuro. Para pedíroslo, he querido inspirarme en la imagen dulce y serena de mi Ariel. El bondadoso genio en quien Shakespeare acertó a infundir, quizá con la divina inconsciencia frecuente en las adivinaciones geniales, tan alto simbolismo, manifiesta claramente en la estatua su significación ideal, admirablemente traducida por el arte en líneas y contornos. Ariel es la razón y el sentimiento superior. Ariel es este sublime instinto de perfectibilidad, por cuya virtud se magnifica y convierte en centro de las cosas, la arcilla humana a la que vive vinculada su luz —la miserable arcilla de que los genios de Arimanes hablaban a Manfredo—, Ariel es, para la Naturaleza, el excelso coronamiento de su obra, que hace terminarse el proceso de ascensión de las formas organizadas, con la llamarada del espíritu. Ariel triunfante, significa idealidad y orden en la vida, noble inspiración en el pensamiento, desinterés en moral, buen gusto en arte, heroísmo en la acción, delicadeza en las costumbres. Él es el héroe epónimo en la epopeya de la especie; él es el inmortal protagonista; desde que con su presencia inspiró los débiles esfuerzos de racionalidad del hombre prehistórico, cuando por primera vez dobló la frente oscura para labrar el pedernal o dibujar una grosera imagen en los huesos de reno; desde que con sus alas avivó la hoguera sagrada que el ario primitivo, progenitor de los pueblos civilizadores, amigo de la luz, encendía en el misterio de las selvas del Ganges, para forjar con su fuego divino el cetro de la majestad humana, hasta que, dentro ya de las razas superiores, se cierne deslumbrante sobre las almas que han extralimitado las cimas naturales de la humanidad: lo mismo sobre los héroes del pensamiento y el ensueño que sobre los de la acción y el sacrificio; lo mismo sobre Platón en el promontorio de Súnium que sobre San Francisco de Asís en la soledad de Monte Albernia. Su fuerza incontrastable tiene por impulso todo el movimiento ascendente de la vida. Vencido una y mil veces por la indomable rebelión de Calibán, proscrito por la barbarie vencedora, asfixiado en el humo de las batallas, manchadas las alas transparentes al rozar el "eterno estercolero de Job", Ariel resurge inmortalmente, Ariel recobra su juventud y su hermosura, y acude ágil, como al mandato de Próspero, al llamado de cuantos le aman e invocan en la realidad. Su benéfico imperio alcanza, a veces, aun a los que le niegan y le desconocen. Él dirige a menudo las fuerzas ciegas del mal y la barbarie para que concurran, como las otras, a la obra del bien. Él cruzará la historia humana, entonando, como en el drama de Shakespeare, su canción melodiosa, para animar a los que trabajan y a los que luchan, hasta que el cumplimiento del plan ignorado a que obedece le permita —cual se liberta, en el drama, del servicio de Próspero romper sus lazos materiales y volver para siempre al centro de su lumbre divina.

Aun más que para mi palabra, yo exijo de vosotros un dulce e indeleble recuerdo para mi estatua de Ariel. Yo quiero que la imagen leve y graciosa de este bronce se imprima desde ahora en la más segura intimidad de vuestro espíritu.

Recuerdo que una vez que observaba el monetario de un museo, provocó mi atención en la leyenda de una vieja moneda la palabra Esperanza, medio borrada sobre la palidez decrépita del oro. Considerando la apagada inscripción, yo meditaba en la posible realidad de su influencia. ¿Quién sabe qué activa y noble parte sería justo atribuir, en la formación del carácter y en la vida de algunas generaciones humanas, a ese lema sencillo actuando sobre los ánimos como una insistente sugestión? ¿Quién sabe cuántas vacilantes alegrías persistieron, cuántas generosas empresas maduraron, cuántos fatales propósitos se desvanecieron, al chocar las miradas con palabra alentadora, impresa, como un gráfico grito, sobre el disco metálico que circuló de mano en mano?... Pueda la imagen de este bronce —troquelados vuestros corazones con ella— desempeñar en vuestra vida el mismo inaparente pero decisivo papel. Pueda ella, en las horas sin luz del desaliento, reanimar en vuestra conciencia el entusiasmo por el ideal vacilante, devolver a vuestro corazón el calor de la esperanza perdida. Afirmado primero en el baluarte de vuestra vida interior, Ariel se lanzará desde allí a la conquista de las almas. Yo le veo, en el porvenir sonriéndoos con gratitud, desde lo alto, al sumergirse en la sombra vuestro espíritu. Yo creo en vuestra voluntad, en vuestro esfuerzo; y más aún, en los de aquellos a quienes daréis la vida y transmitiréis vuestra obra. Yo suelo embriagarme con el sueño del día en que las cosas reales harán pensar que ¡la cordillera que se yergue sobre el suelo de América ha sido tallada para ser el pedestal definitivo de esta estatua, para ser el ara inmutable de su veneración!

11
Clorinda Matto de Turner
"Las obreras del pensamiento"
[1902]

Grimanesa Martina Matto Usandivares (1852-1909), conocida como Clorinda Matto de Turner, es precursora de las protestas humanitarias en la literatura en defensa del indio peruano y de los derechos de la mujer. Activa periodista, Matto de Turner ha trascendido sobre todo por su novela Aves sin nido *(1889), relato esquemático en su división civilización-barbarie y un tanto paternalista en la actitud hacia el indígena, fuerte crítica anticlerical cuyo valor reside en gran parte en haber insertado la problemática indígena en el espacio literario y de representación nacional, además de ser antecedente de la larga tradición de novelas de denuncia que se producirá en la primera mitad del siglo XX.*

Es autora también de otras novelas, como Indole *(1891) y* Herencia *(1893), además de crónicas, retratos y ensayos recopilados en* Tradiciones cuzqueñas *(1886),* Bocetos a lápiz de americanos célebres *(1890),* Leyendas y recortes *(1893),* Boreales, miniaturas y porcelanas *(1902) y* Viaje de recreo *(1909), textos donde —a través de las contradicciones del naturalismo y el costumbrismo que profesaba— fue trazando su crítica contra la injusticia social en general y su intenso alegato feminista, construyendo una obra inaugural de otra voz (de otras voces no hegemónicas) en América Latina.*

LAS OBRERAS DEL PENSAMIENTO
EN LA AMÉRICA DEL SUD

(Lectura hecha por la autora en el Ateneo
de Buenos Aires, el 14 de diciembre de 1895)

I

Caballeros, señoras:

La bondad, que da alientos tan gratos como aroma los juncos de la pampa, y no el merecimiento científico ó literario, me franquea los escalones de esta tribuna, desde donde se han desarrollado temas ilustrativos para la humanidad y de vital interés para el adelanto intelectual argentino.

Invitada por el muy digno presidente del Ateneo, señor Carlos Vega Belgrano, para dar una conferencia pública, no podía responder a tan honrosa distinción de otra manera que, aceptándola con la expresión de una voluntad diligente.

Nada nuevo traigo.

Mujer, é interesada en todo lo que atañe a mi sexo, he de consagrarle el contingente de mis esfuerzos que, seguramente, en el rol de la ilustración que la mujer ha alcanzado en los postrimeros días del siglo llamado admirable, será un grano de incienso depositado en el fuego sacro que impulsa el carro del progreso, y, aunque éste no producirá la columna de luz que se levanta en los Estados Unidos del Norte, pretendiendo abarcar la América, él dará, siquiera, la blanquecina espiral que perfuma el santuario.

II

A semejanza de los Sannyassis-Nirwanys de los Vedas, que enseñaban en voz baja, en las criptas de los templos, plegarias y evocaciones que jamás se escribieron, la mujer, silenciosa y resignada, cruzó barreras de siglos repitiendo apenas, con miedoso sigilo, las mágicas palabras: libertad, derecho.

Así como del choque de la piedra pedernal y el acero brota la chispa, al golpe de dos martillazos, uno en el Gólgota, otro en la Bastilla, centelló la luz para la causa de la mujer, quedando en la ceniza del obscurantismo las cadenas que sujetaban su cuerpo y embrutecían su alma.

El cristianismo, con su antorcha novadora, despidió las tinieblas, y en las róseas claridades de la nueva era, apareció Jesús, quien, no permitiendo que se prosternara a sus pies la pecadora de Naim, practica la doctrina que enseña. El filósofo Dios de la dulce mirada y de túnica inconsútil, patrocina los derechos de la mujer, destinada a ser la compañera del varón, y, como la llama Jacolliot, descanso del trabajo; consuelo de la desgracia.*

Su causa, empero, ¿quedaba triunfante al pié del árbol simbólico donde cayeron, como perlas de Oriente, las lágrimas de la enamorada de Magdala?

¡No!

Los obscurantistas, los protervos y los egoístas interesados en conservar á la mujer como instrumento del placer y de obediencia pasiva, acumulan el contingente opositor; la cámara obscura para lo que ya brilla con

_____

* Bible dans l'Inde.

luz propia, sin fijarse en qué, de la desigualdad absoluta entre el hombre y la mujer, nace el divorcio del alma y del cuerpo en lo que llaman matrimonio, esa unión mónstruo cuando no existe el amor.

La lucha se inició.

Por una parte batalla el Egoísmo, vestido con las ya raídas telas de la reyecía y el feudalismo; por otra, la Razón, engalanada con los atavíos de la Libertad y alentada por la Justicia.

Lucha heróica entre lo viejo y lo nuevo: de la noche con la alborada, bajo el cielo republicano.

El último martillazo dado por los hombres de blusa rayada en los alcázares monárquicos, decidió el asunto, echando por tierra el carcomido edificio, y, de entre las ruinas del pasado oprobioso, aparece la figura de la mujer con los arreos de la victoria, alta la frente, alumbrada por los resplandores de la inteligencia consciente; fuerte el brazo por el deber y la personería.

Surgen también espíritus retemplados con el vigor de los cuerpos sanos, que, estudiando la naturaleza y condiciones sociales de la época, comprendieron que postergar la ilustración de la mujer es retardar la ilustración de la humanidad ; y nobles, se lanzan como paladines de la cruzada redentora.

En nuestro planeta, todo tiene que regirse por las leyes de la Naturaleza; por ellas el débil busca la protección del fuerte. La gota de agua vive de la nube; la nube de la mar. "La endeble enredadera busca la tapia para trepar, el tronco del árbol para circundarlo". La mujer necesitaba el concurso del cerebro masculino para que, sirviéndole de guía, la condujera a la meta anhelada.

Ya tenía apoyo en el corazón del hombre ilustrado. La nube negra que escondía el astro de la personalidad de la mujer, vino a disiparse con la proclamación del principio sociológico: el trabajo con libertad, dignifica; el trabajo con esclavitud, humilla.

Las palabras del erudito tuvieron eco de repercusión simpática en la patria donde se rinde culto á esa libertad invocada en el altar de la igualdad.

Si queréis reinar sobre cuerpos de esclavos y sobre conciencias embrutecidas —dice el autor que cité antes— hay un medio de sencillez sin igual que nos muestra la historia de las épocas vergonzosas: degradad á la mujer, pervertid su sentido moral y pronto habréis hecho del hombre un ser envilecido, sin fuerzas para luchar contra los más sombríos despotismos, porque la mujer es el alma de la humanidad!

Pero bién.

La redención de toda esclavitud, el triunfo de toda idea grandiosa, han necesitado de sangre, como si el licor de la vida del hombre fuese el abono que los fructificara; sólo la causa de la ilustración de la mujer no ha necesitado más que paciencia, con el heroísmo del silencio, y después, audacia sobre el pedestal de la perseverancia.

En estas condiciones se sembró la semilla que, germinando durante tan enorme lapso de tiempo, brotó y se desarrolla, con proporciones gigantescas en el terreno fértil de nuestra América.

Hoy, puede afirmarse que es ya el árbol fuerte como los cedros bíblicos, bajo cuya fronda trabajan millares de mujeres productoras que, no sólo dan hijos á la patria, sino, prosperidad y gloria!

Estas son LAS OBRERAS DEL PENSAMIENTO, de quienes voy a ocuparme en seguida.

III

No buscaremos en la patria de Washington el lago plácido para beber las noticias sobre el progreso intelectual de la mujer americana; que allá todo es grandioso, y, más de cuatro mil empleadas en el servicio civil del gobierno, más de tres mil periodistas, escritoras y traductoras; cerca de cuatro mil empleadas en las notarías, en los bancos y casas comerciales, y todo el cuerpo docente educacionista del estado, fuera de las que ejercen la cirugía y la medicina, nos dirían, parafraseando a Miss Alice Mc. Guilleway: el puente levadizo que cerraba la entrada de la mujer al palacio encantado del saber, del trabajo y de la fortuna, ha caído derribado para siempre por las exigencias de la época y la protección de los hombres.

El ilustre Bolet Peraza agregaría: escuelas, talleres, universidades, académias, cortes, tribunales: por todas partes la mujer en actividad fecunda. No hay que alarmarse por ese estallido de la antigua costra social que se resquebraja.

Es que la mujer toma posesión de sus derechos.

Es la sociedad que se perfecciona.

Es la humanidad que se completa.

Concentremos nuestras miradas hácia las repúblicas de sur y centro de América: son las que más de cerca interesan á nuestra raza y á nuestro idioma.

Para ocuparnos, de una vez, del estado de la ilustración de la mujer americana, la buscaremos en aquellas que, porta-estandartes de la legión empeñada en la gran evolución social, han desafiado, desde la ira alta, hasta el ridículo bajo, para ir siempre adelante con la enseña civilizadora.

Me refiero á las mujeres que escriben, verdaderas heroínas que, con el valor de Policarpa Salavarrieta, aceptando la muerte antes que delatar los secretos de su patria y con la convicción de los mártires en la verdad de la obra, luchan, día á día, hora tras hora, para producir el libro, el folleto, el periódico, encarnados en el ideal del progreso femenino.

Y ¿con qué aliciente?

La gloria. Oh! la gloria, que casi siempre arroja sus laureles sobre el ataúd, donde han caído derribadas por el hambre del cuerpo ó los supremos dolores del alma!

No importa!

Con la planta herida por los abrojos del camino y la frente iluminada por los resplandores de la fé en los destinos humanos, ellas, las obreras del pensamiento, continuarán laborando.

IV

La República Argentina, que tiene héroes de la guerra magna, porque sus madres supieron amamantarlos con el seno de las espartanas, habrá de enorgullecerse también de ser la patria de Juana Manuela Gorriti, muerta hace tres años, después de haber ilustrado su época con multitud de libros cuyo número me excusa de la enumeración. Juana Manuela, rodeada del respeto y de la admiración, no por haber sido esposa y madre de presidentes de una república, sino por haber sido escritora.

Eduarda Mansilla de García, la fantástica Eduarda, hermana de un general, madre de un marino distinguido, no vivirá en la posteridad por ellos, sino por sus obras.

Las de mayor notoriedad son, el libro de viajes y la novela titulada *El médico de San Luis*.

Josefina Pelliza de Sagasta, la noble dama de elevados pensamientos que escribió por la mujer y para la mujer; arrebatada á la vida en horas preciosas, dejó un volúmen de *Conferencias* educacionistas filosóficas; y la señora Juana Manso, cuya labor sobre educación fué tan fecunda en resultados, son las mujeres argentinas que ya entregaron á Dios su espíritu abrillantado por la ilustración y purificado en el crisol del heroísmo, porque ellas, más que las de la presente generación, tuvieron que sostener lucha tenaz contra las preocupaciones, pues lo que en Europa y América del Norte constituye una profesión honrosa y lucrativa, en América del Sur es casi un defecto.

Los nombres que he mencionado bastarían para la gloria literaria de un pueblo; no obstante, aún tengo otros que agregar: Ana Pintos, que tan galanamente maneja el idioma, escondida tras el seudónimo de *Amelia Palma*; Amalia Solano, de las nutridas revistas; Carlota Garrido de la Peña, autora de las novelas *Mundana* y *Tila*; María Emilia Passicót, Eufrasia Cabral, Aquilina Vidal de Bruss, María E. Cordero, Adela A. Quiroga, Isabel Coronado, María Luisa Garay, Elena Jurado, María Brown Arnold de González, Benita Campos, Elía M. Martínez, Yole Zolezzi, Macedonia Amavet, C. Espinosa, la señora de Fúnes y algunas otras que tal vez no he alcanzado á conocer, son, pues, las que hoy forman la legión de honor en la patria de Alberdi y de Sarmiento, con la particularidad de que las más de ellas son de provincias, muy pocas de esta gran Buenos Aires, con propiedad llamada la Nueva York del sur.

En la patria uruguaya, donde se guarda la bandera de los Treinta y Tres y se hace memoria de los héroes que "tomaron a ponchazos" los cañones del enemigo, pulsan la lira de Apolo dos hermanas en la sangre y en el arte: Dorila Castell de Orozco y Adela Castell. Tierna como paloma la primera, canta para las almas sedientas de consuelo, y si abandona esa entonación, es cuando el patriotismo la exalta. Las composiciones tituladas *Un día más, Anhelos, Dudas, La campesina*, son las más popularizadas; pero las mejores formarán un volumen próximo á publicarse, cuyos originales deleitaron las horas que pasé en la culta Montevideo.

Más asimilada al modernismo, Adela, burila sobre planchas de concha madre, estrofas filosóficas, como las siguientes que tomo del perfumado manojo, siempre al alcance del gusto:

> ¿Cómo tu imágen fué a quedar grabada
> Cual con buril de acero

En mi intranquila y soñadora mente?
No ves que no lo entiendo....

¿Cómo en nerviosa célula es que pudo
Fijarse tu recuerdo?
Si tu recuerdo es sol ¿cómo engarzado
Quedó en marco de nervio?

No comprendo por más que me lo expliques
Ni llegaré a entenderlo,
Corriente cerebral que sea el cariño....
Materia el pensamiento!....

¡Ah, qué extraño problema! Me parece
que no he de resolverlo;
Renunciar á creer que tengo un alma
Si con otra yo sueño....
....

Junto á las dos poetisas ya de renombre americano, están como capullos que se abren llenos de perfume y colores, Ernestina Méndez Reissig y María Vaz Ferreyra, presuntas glorias uruguayas; y como pensadora elegante y concisa, Casiana Flores.*

No olvidaré á Lola Larrosa de Ansaldo, autora de las novelas *El lujo, Los esposos, Hija mía*, así como de trabajos sueltos, unos reunidos en un tomo con el nombre de *Ecos del corazón*, esparcidos otros en diarios y revistas. Lola, que apenas á los 38 años de existencia, el 25 de Septiembre último, vistió el sudario de la muerte, en condiciones dolorosas que no es del caso recordar.

Carezco de noticias sobre la república del Paraguay y cambiaremos de rumbo.

No detendrá nuestra atención Sor Ursula Suárez. La

* Ya falleció esta escritora.

ilustre Mercedes Marín del Solar, autora de la magistral oda *A la muerte de Diego Portales*, y de cincelados sonetos. Luisa Montt de Montt, delicada, afectuosa, con flores primaverales en búcaro de alabastro; Delfina María Hidalgo de Marín, Carlota Joaquina Bustamante y Rosario Orrego de Uribe, son las que, entre otras, han sobresalido en Chile, así en la prosa seria como en el verso fluído.

Bolivia, la patria de las mujeres de Cochabamba, tiene á Mercedes Belzu de Dorado, la ferviente traductora de los *Salmos de David*, autora de composiciones magníficas como el canto *Al Misti*, hecho después de contemplar el volcán a cuyas faldas se encuentra la ciudad de Arequipa, del territorio peruano.

María Josefa Mujía, la pobre ciega que conmueve el alma cuando nos dice:

"Todo es noche, noche obscura!
Ya no veo la hermosura
De la luna refulgente;
Del astro resplandeciente
Tan solo siento el calor!"
....

Las inteligentes Adela Zamudio, Natalia Palacios y la señora de Campero,* completan las noticias que de aquella república tengo.

La desventurada Dolores Veintemilla de Galindo; Dolores Sucre, la democrática cantora del *Carpintero*; Marieta Veintemilla, autora de *Páginas del Ecuador*, libro que levantó ardiente polémica histórica; Rita Lecumberri, Angela Caamaño de Vivero, Carmen Pérez de Rodríguez y la señora de González, representan á la patria de Olmedo, y en Colombia encontramos espíritus

---

* La señora Lindaura A. de Campero falleció en el año de 1898.

preparados como el de Soledad Acosta de Samper, laboriosa prosadora que acaba de completar sus obras con el libro *La mujer*, publicado en París. Agripina Samper de Ancísar, muerta en la plenitud de la fuerza creadora, enriqueció el parnaso colombiano bajo el anagrama de "Pía Rigan", Elena Miralla Zuleta, espíritu batallador, reverso de la medalla, con Silveria Espinosa de Rendón, la mística poetisa que cantó á la Cruz y murió en esa cruz esperando. Agripina Montes del Valle y la aplaudida Mercedez Alvarez de Flores, la de los versos de fuego en tarde de tempestad. Sus estrofas en *Sueño* á *El* y otras, son hechas con saeta eléctrica para exaltar los corazones fríos. A este nombre agregaremos los de Josefa Acevedo, Isabel B. de Cortés, Waldina Dávila de Ponce y la señora Párraga de Quijarro.

México es la nación que ha dado mayor número de escritoras. A noventa y cinco llega la cifra de poetisas en la colección publicada el año 93 por Vigil, bajo la protección de Carmen Rubio de Díaz, la esclarecida y simpática protectora de las ideas nobles en la tierra del Anahuac.

Enumerarlas sería extender mucho este bosquejo, así es que, sin remontarnos hasta Sor Juana Inés de la Cruz, poetisa de los sublimes histerismos de Teresa de Jesús, recordaremos á Sther Tápia de Castellanos, Dolores Guerrero, Severa Aróstegui y Laura Méndez de Cuenca. Esta última es una poetisa de un vigor sorprendente. Sus estrofas parecen hechas con el escalpelo anatómico que tritura la carne mórbida de igual manera que los nervios crispados ó en tensión. Si Laura Méndez de Cuenca no tuviese tantas composiciones y rico bagaje literario en el periodismo, la que titula *¡Oh corazón!* le bastaría para renombre como poetisa de primer orden.

La república de San Salvador, tan fecunda en hombres de letras, acaba de perder á la genial poetisa Antonia Galindo, que era de las pocas mujeres que allá han publicado algo.

Otro tanto diré de Venezuela, citando a Carmen Brige, donde la espiritual Polita de Lima, al frente de la "Sociedad Alegría", de Coro, trabaja por el brillo de las letras venezolanas y persigue con tesón la verdadera y recíproca ilustración del hombre y de la mujer.

Y en verdad que si la mujer se ocupase más de estudiar las aficiones y el carácter del esposo para colmarlo de las complacencias del hogar, desaparecería esa rivalidad que existe entre la casa y el club, nacida sólo de la preocupación de muchas que, erradamente, creen que el pretendiente cuando deja de ser tal, entra en el rol de siervo.

El simpático y querido nombre de Rafaela de Darío responde galanamente á la historia literaria contemporánea de Guatemala; en Nicaragua parece que impulsan las letras las hermanas Selva; y en Nueva Granada, Dolores Haro.

En las repúblicas de Costa Rica, Dominicana y de Honduras, sólo podría citar seudónimos como "Sther", "María" y otros que, unas veces son el velo de la natural timidez y otros originan chascos literarios, como el de *Edda*, con el que escribió Rafael Pombo; *Leonor Manrique* seudónimo de Vicente Holguín, escritor colombiano, y el de *Rebeca*, de Fernando Guachalla, boliviano.

Tócame, en fin, ocuparme del Perú, mi amada patria, cuyo pabellón blanco y rojo, hecho con la sangre de los héroes de la independencia y el velo de las vírgenes del sol, fué glorificado por mujeres de la talla de Francisca Zubiaga, esposa del generalísimo Agustín Gamarra.

Carolina Freyre de Jaimes, poetisa y prosadora elegante, hija de la ciudad, de Tacna una de las cautivas de la guerra del Pacífico, ha hecho paseo triunfal hollando palmas desde el teatro con sus dramas *Pizarro, María de Vellido* y *Blanca de Silva*, hasta las columnas del semanario pulcro y el diario vertiginoso.

El periodismo femenino debe á Carolina Freyre de Jaimes páginas como las de *El Album*, que fundó en el Perú y continuó en Bolivia, y, en el bagaje literario de la galana escritora, encontramos, no sólo las novelas cortas tituladas *El regalo de boda* y *Memorias de una reclusa*, sino también el poema *Sin Esperanza* y la colección de versos *A la memoria de mi hijo Federico*, donde brillan las filigranas del alma y las mariposas de oro que revolotean junto á la cuna del hijo, ese supremo bién, pedazo de nuestro propio ser, para quien guardamos todo cuanto de dulce, de noble y de tierno atesora el amor maternal.

Dice la poetisa madre:

A FEDERICO

Como pálido lirio tronchado
    Dobló la cabeza.
Y el fulgor se apagó que animaba
    Tan dulce existencia.

De pulido marfil parecía
    Su forma hechicera,
Sus pupilas dos astros opacos
    Tras nube ya densa,
Y sus lábios sin vida, la rosa
    Que el estío quema!....

Rota estátua de mármol vencida
    Por ruda tormenta,
Solo quedan de tí los despojos
    Tras muros de piedra.

Mercedes Cabello de Carbonera, natural de la ciudad de Moquegua, la renombrada novelista y pensadora, dejó la lira que pulsaba con la entonación de *Aurora* para dedicarse á la novela.

Tiene publicadas en este género: *Sacrificio y recompensa, Blanca Sol, Los amores de Hortensia,* y *El conspirador.*

Un estudio crítico del ruso León Tolstoï, y los folletos *La religión de la humanidad,* y *La novela moderna,* le han conquistado, también, más laureles sobre los que ostenta su frente de reina.

Teresa González, viuda del marino Fanning, muerto gloriosamente en la guerra con Chile, después que vió disiparse la felicidad del hogar junto con la existencia de su esposo, se dedicó al magisterio y á la literatura. Ha hecho algunos versos, muchos magníficos cuadros de costumbres, varios textos de Geografía é Historia, y un tomo titulado *Lucesitas* cuyo modesto rubro dice mal con el mérito de la obra.

Juana Rosa de Amézaga ya tenía conquistado renombre como poetisa de estro vibrante cuando entregó a la prensa su libro *Pensamientos y Máximas,* donde resalta una labor filosófica y proficua en beneficio de la mujer peruana: sus ideales educacionistas están cristalizados con mano maestra.

Carolina García de Bambaren, poetisa de las dulcedumbres del hogar, acariñada de la lira modulada en el tono melancólico; y á esta escuela pertenecen también Justa García Robledo, talentosa é inspirada é Isabel de la Fuente.

Juana Manuela Lazo de Eléspuru y su hija Mercedes, cultivan la gaya ciencia con inspiración; y entre las que han dado el vigor de su cerebro al periodismo, descuella Lastenia Larriva de Llona, directora de *El tesoro del hogar,* autora de las novelitas *Oro y escoria, Oro y oropel* y *Luz.*

Amalia Puga de Losada, la juvenil musa del parnaso peruano, conquistó los laureles de la popularidad como poetisa, y en la prosa ha descollado con donosura y buen juicio.

Margarita Práxedes Muñoz, tiene publicados trabajos científicos sueltos y un libro con el título de *La evolución de Paulina*. Grimanesa Masías, pensadora delicada, que de vez en cuando entrega al público una florecita velada por el seudónimo; y Rosalía Zapata, cuyo porvenir promete; Adriana Buendía, la donosa niña de la lira de oro, ha derramado profusamente las flores de su ingenio en el camino de la gloria. Para muestra, recordaré la que titula *Flores y perlas*, dirigida á una amiga de la infancia:

En el cáliz de plata
de una azucena,
cierto día la aurora
vertió una perla;
y el sol ardiente
consumió esa preciosa
gota de nieve.

De tus ojos azules
brotó una lágrima,
y del mar en el fondo
quedó guardada.
¡Qué feliz reina
será la que consiga
tan linda perla!

Fabiana de Dianderas, alma poética, consagrada sólo á la musa del hogar, ha cantado á su madre, á su hermano, á sus hijas, y ha llorado en la muerte de Daniel Matto con la espontaneidad del ruiseñor que gorjea notas ora dulces, ora tristes.

La gentil Matilde Guerra de Miró Quesada, cuya pluma ostenta la fluidez del estilo en prosa correcta y atrayente.

Angela Carbonell, la picaresca y festiva escritora que tanto lustre dió á *La Alborada* y á *La perla del Rimac*, ha obsequiado á la prensa sus magistrales traducciones francesas con todo el galano decir de Victor Hugo ó el incisivo lenguaje de Balzac.

Estas son las que actualmente sostienen el torneo intelectual dentro y fuera de la república; tal vez he olvidado á algunas con el deseo de recordar, cuanto antes, á las que temprano murieron, dejando en las filas claros de luz.

Manuela Villarán de Plasencia fué una poetisa festiva é ingeniosa. Sobre su frente parpadeaba siempre el astro de la mañana.

La composición *En un campanario*, es un modelo del género que cultivó; pero cuando el plomo de la guerra del 79 le quitó á su hijo Ernesto, esa alma desbordante de amargura lloró sobre la lira enlutada y de sus quejidos brotaron las magistrales estrofas *A Ernesto*. Madre, esposa modelo, amiga incomparable; su muerte fué un duelo patrio.

Leonor Saury, la dulce Leonor, de la lira de marfil, pulsada siempre con los ojos levantados hácia el cielo. Todos sus versos son filigranas de plata con fondo azul; su vida, comparable con la de una gardenia, fué todo un perfume y duró tan sólo una mañana.

Manuela Antonia Márquez, poetisa de sangre, escribió poco, pero bueno, y la música acompañó á su musa. Compuso una zarzuela, cuyo libreto, con el título de *La novia del colegial*, hizo su hermano Luis Márquez. Murió en la plenitud de la vida; su nombre es una gloria de familia.

Carmen Póts de Pérez Uribe y María Natividad Cortés, también pertenecían al número de las escritoras con los nobles anhelos femeninos; así como Trinidad María Enríquez, cuzqueña audaz, fué la primera que en el Perú acometió las aulas universitarias en la facultad de jurisprudencia.

Escribió en prosa correcta, fundó un colegio para señoritas y una escuela para artesanos donde ella misma daba lecciones á los obreros.

La estrechez del escenario tal vez asfixió esa alma generosa: el vendaval del infortunio la arrastró, despiadado, hácia temprana sepultura; pero su nombre está escrito en el corazón del pueblo y no la olvida el país nativo.

V

Bastante he fatigado ya vuestra atención y os pido excusa.

La enumeración, aunque incompleta, que he hecho, sirva de recuerdo agradecido para las obreras del pensamiento en América del Sur; verdaderas heroínas, repito, que no sólo tienen que luchar contra la calumnia, la rivalidad, el indiferentismo y toda clase de dificultades para obtener elementos de instrucción, sino hasta correr el peligro de quedarse para tías, porque, si algunos hombres de talento procuran acercarse á la mujer ilustrada, los tontos le tienen miedo.

¡Ah, no es tan desgraciado el ciego de nacimiento, sin idea de luz y color; como aquel que, en hora triste, sintió hundirse en la noche eterna la vida de las pupilas!

Consideremos por este símil la situación de la mujer que está en lucha abierta entre la ceguera que amenaza y la luz que es preciso dilatar.

12
Manuel González Prada
"Nuestros indios"
[1904]

Manuel González Prada (1844-1918) completa el ciclo del centenario de la proclamación de la Independencia en América Latina e inicia varios de los temas u obsesiones claves en la escritura del siglo XX. En él sigue en pie el ánimo totalizador del ensayista del XIX —ánimo que se prolongará más allá de la segunda mitad de este siglo—, el impulso de responder a las grandes preguntas acerca de la identidad, la cultura, la historia o el futuro. Pero con él se abre formalmente la corriente indigenista en la literatura, una corriente que encuentra la razón de la nacionalidad en el indio y que se opone a los discursos paternalistas o filantrópicos que han mantenido a millones de habitantes en absoluta marginación. Lo indio es con él, no un tema "típico", no un personaje exótico para animar la idea de lo americano, sino esencia misma de lo popular. Y con él se abre también claramente lo que hoy llamamos un "escritor comprometido": aquel donde las fronteras entre literatura y política no son tales. Para González Prada, acaso como reacción a las quejas de los decadentistas de fin de siglo que defendían el arte por el arte y lamentaban su propio desclasamiento, tiene una visión muy clara acerca del rol del escritor en la sociedad: la función de la escritura es "propaganda y ataque".

Su lucha político-cultural comenzó en Lima luego de su participación en la guerra contra Chile; la unión del orden "político" y "cultural" fue tan real que el Círculo literario fundado en 1891 justamente con el lema de "Propaganda y ataque" se terminó convirtiendo en un partido político: la Unión Nacional. Los objetivos: combatir la tradición y el colonialismo, ideas centrales en su conocida invocación a la juventud en el "Discurso en el Politeama". El escritor debía encontrar sus fuentes en el pueblo; estas ideas ya estaban esbozadas en Baladas peruanas, escritas entre 1871 y 1879, pero gran parte de estos poemas permanecieron inéditos hasta su muerte.

Según González Prada había que recuperar el contacto perdido por las clases dirigentes con el pueblo y denunciar la cruel realidad de los indígenas —sometidos por el juez, el gobernador y el cura, como escribirá en Páginas libres— y que eran, de hecho, la mayor parte de la población del Perú. La reforma social fue su bandera, sustentada en la ciencia y la educación: pero esta fe positivista —y esto lo diferencia de sus contemporáneos— nunca lo llevó a anteponer la educación científica al proyecto político. Para él, el Perú llegaría a ser una nación sólo si los indios se integraban a la vida del país como ciudadanos plenos.

Pese a que sus postulados siguen siendo centrales casi un siglo después, a González Prada se le suele reprochar su intermitencia como militante y escritor. Hijo de terratenientes y miembro de la clase alta, pasó los primeros treinta años de vida como diletante; luego, cuando ya había iniciado su lucha política, se retiró más de una vez de la arena pública: una de esas

268

retiradas fueron los años de París, luego de la fundación de la Unión Nacional. Pero en París no perdió el tiempo: estudió con Renan, comenzó su identificación con los obreros anarquistas y publicó sus Páginas libres (1894), allí donde afirma: "De las canciones, refranes i dichos del vulgo brotan la palabras originales, las frases gráficas, las construcciones atrevidas. Las multitudes transforman las lenguas, como los infusorios modifican los continentes". En 1900 publica Minúsculas, en 1908 Horas de lucha y en 1910 Exóticas.

Entre los reproches que se le hacen es que su poesía no logró estar a la altura de sus predicamentos estéticos, puesto que no supo llevar a la práctica de la escritura la novedad ni lo popular. Pero sus ensayos corrieron otra suerte: sus textos incidieron fuertemente en José Carlos Mariátegui, en Víctor Raúl Haya de la Torre, en el APRA y la Acción Popular y, además, en toda escritura que se acerca al Otro (al indio) no para domesticarlo, congelarlo o traducirlo a un esquema racional y ordenado, sino para hablar de su dolor y darle voz a un punto de vista que lo incluye no sólo como parte del paisaje nacional. Aún más importante, desplazó la discusión teórica, amparada en criterios sociológicos, historiográficos y etnológicos que tras la fachada científica sólo buscan defender los privilegios del hombre blanco europeo. El bárbaro es el que no tiene pellejo blanco, dice. Pero en verdad el problema del indio es económico: la codicia del blanco lo ha sometido a la servidumbre, a la ignorancia, a la soldadesca, al alcohol. Es lo que luego otros ensayistas, como José Carlos Mariátegui, verbalizarán como una lucha de clases. Manuel González Prada no lo expresa así, pero pone a la economía en el centro del problema. E introduce otra nueva categoría: la del encastado, traidor a su raza (podía ser cholo, mestizo, mulato o zambo). En el Perú hay pocos europeos y blancos, dice, el resto son encastados o dominadores e indígenas o dominados. El indigenismo, entonces no era tanto una reivindicación étnica propiamente dicha cuanto un reclamo moral, que explica al país a través de la relación entre dominadores y dominados: se trata de devolverle a la mayoría de la población su dignidad. Se debía instruir no para la resignación, sino para que se sepa reclamar lo que a cada quien corresponde; era necesario dar también pan y propiedad.

Como dice Manuel González Prada al final de "Nuestros indios": "El indio se redimirá merced a su esfuerzo propio, no por la humanización de sus opresores. Todo blanco es, más o menos, un Pizarro, un Valverde o un Areche".

NUESTROS INDIOS

I

Los más prominentes sociólogos consideran la Sociología como una ciencia en formación y claman por el advenimiento de su Newton, de su Lavoisier o de su Lyll; sin embargo, en ningún libro pulula tanta afirmación dogmática o arbitraria como en las obras elaboradas por los herederos o epígones de Comte. Puede llamarse a la Sociología no sólo el arte de dar nombres nuevos a las cosas viejas sino la ciencia de las afirmaciones contradictorias. Si un gran sociólogo enuncia una proposición, estemos seguros que otro sociólogo no menos grande aboga por la diametralmente opuesta. Como algunos pedagogos recuerdan a los preceptores de Scribe, así muchos sociólogos hacen pensar en los médicos de Moliére: Le Bon y Tarde no andan muy lejos de Diafoirus y Purgón.

Citemos la raza como uno de los puntos en que más divergen los autores. Mientras unos miran en ellos el principal factor de la dinámica social y resumen la historia en una lucha de razas, otros reducen a tan poco el radio de las acciones étnicas que repiten con Durkheim:

"no conocemos ningún fenómeno social que se halle colocado bajo la dependencia incontestable de la raza". Novicow, sin embargo de juzgar exagerada la opinión de Durkheim, no vacila en afirmar que "la raza, como la especie, es hasta cierto punto, una categoría subjetiva de nuestro espíritu, sin realidad exterior"; y exclama en un generoso arranque de humanidad: "Todas esas pretendidas incapacidades de los amarillos y los negros son quimeras de espíritus enfermos. Quién se atreve a decir a una raza: aquí llegarás y de aquí no pasarás, es un ciego y un insensato".

¡Cómoda invención la Etnología en manos de algunos hombres! Admitida la división de la Humanidad en razas superiores, reconocida la superioridad de los blancos y por consiguiente su derecho a monopolizar el gobierno del Planeta, nada más natural que la supresión del negro en Africa, del piel roja en Estados Unidos, del tágalo en Filipinas, del indio en el Perú. Como en la selección o eliminación de los débiles e inadaptables se realiza la suprema ley de la vida, los eliminadores o supresores violentos no hacen más que acelerar la obra lenta y perezosa de la Naturaleza: abandonan la marcha de la tortuga por el galope del caballo. Muchos no lo escriben, pero lo dejan leer entre líneas, como Pearson cuando se refiere "a la solidaridad entre los hombres civilizados de la raza europea frente a la Naturaleza y la barbarie humana". Donde se lee barbarie humana tradúzcase hombres sin pellejo blanco.

Mas, no sólo se decreta la supresión de negros y amarillos: en la misma raza blanca se opera clasificaciones de pueblos destinados a engrandecerse y vivir y pueblos condenados a degenerar y morir. Desde que Damolins publicó su libro "A quoi tient la súpériorite des Anglo-Saxons" ha recrudecido la moda de ensalzar a los anglosajones y deprimir a los latinos. (Aunque algunos latinos pueden llamarse tales como Atahualpa, Gallego y Montezuma provenzal). En Europa y América asistimos a la florescencia de muchas Casandras que viven profetizando el incendio y la desaparición de la nueva Troya. Algunos pesimistas creyéndose los Decauliones del próximo diluvio y hasta los superhombres de Nietzsche, juzgan la desaparición de su propia raza como sí se tratara de seres prehistóricos o de la luna. No se ha formulado pero se sigue un axioma: crímenes y vicios de ingleses o norteamericanos son casos inherentes a la especie humana y no denuncian la decadencia de un pueblo; en cambio, crímenes y vicios de franceses o italianos son anomalías y acusan degeneración de raza. Felizmente Oscar Wilde y el general Mac Donald no nacieron en París ni la mesa redonda del Emperador Guillermo tuvo sus sesiones en Roma.

Nos parece inútil decir que no tomamos en serio a los dilettanti como Paul Bourget ni a los fumistes como Maurice Barrés, cuando fulminan rayos sobre el cosmopolitismo y lloran la decadencia de la noble raza francesa, porque la hija de un conde sifilítico y de una marquesa pulmoníaca se deja seducir por un mocetón sano y vigoroso pero sin carteles de nobleza. Respecto a Monsieur Gustave Le Bon, le debemos admirar por su vastísimo saber y su gran elevación moral, aunque representa la exageración de Spencer, como Max Nordeau la de Lombroso y Haeckel la de Darwin. Merece llamarse el Bossuet de la Sociología, por no decir el Torquemada ni el Herodes. Si no se hiciera digno de consideración por sus observaciones sobre la luz negra, diríamos que es a la Sociología como el doctor Sangredo es a la Medicina.

Le Bon nos avisa que "de ningún modo toma el término de raza en el sentido antropológico, porque, desde hace mucho tiempo, las razas puras han desaparecido casi, salvo en los pueblos salvajes", y para que tengamos un camino seguro por donde marchar, decide: "En los pueblos civilizados, no hay más que razas históricas, es decir, creadas del todo por los acontecimientos de la Historia. Según el dogmatismo leboniano, las naciones hispanoamericanas constituyen ya una de esas razas, pero una raza tan singular que ha pasado vertiginosamente de la niñez a la decrepitud, salvando en menos de un siglo la trayectoria recorrida por otros pueblos en tres, cuatro, cinco y hasta seis mil años". Las veintidós repúblicas latinas de América, dice en su "Psichologie du Socialisme", aunque situadas en las comarcas más ricas del Globo, son incapaces de aprovechar sus inmensos recursos... El destino final de esta mitad de América es regresar a la barbarie primitiva, a menos que los Estados Unidos le presten el inmenso servicio de conquistarla... Hacer bajar las más ricas comarcas del Globo al nivel de las repúblicas negras de Santo Domingo y Haití: he ahí lo que la raza latina ha realizado en menos de un siglo con la mitad de América.

A Le Bon le podrían argüir que toma la erupción cutánea de un niño por la gangrena senil de un nonagenario, la hebrefenia de un mozo por la locura homicida de un viejo. ¿Desde cuándo las revoluciones anuncian decrepitud y muerte? Ninguna de las naciones hispanoamericanas ofrece hoy la miseria política y social que reinaba en Europa del feudalismo; pero a la época feudal se la considera como una etapa de la evolución, en tanto que a la era de las revoluciones hispanoamericanas se la mira como un estado irremediable y definitivo. También le podríamos argüir colocando a Le Bon el optimista frente a Le Bon el pesimista, como quien dice a San Agustín el obispo contra San Agustín el pagano. "Es posible, afirma Le Bon, tras una serie de calamidades profundas, de trastornos casi nunca vistos en la Historia, los pueblos latinos, aleccionados por la experiencia... tienten la ruda empresa de adquirir las cualidades que les falta, para de allí adelante lograr buen éxito en la vida... Los apóstoles pueden mucho porque logran transformar la opinión, y la opinión es hoy reina... La

Historia se halla tan llena de imprevisto, el mundo anda en camino de sufrir modificaciones tan profundas, que es imposible preveer hoy el destino de los imperios". Si no cabe preveer la suerte de las naciones ¿cómo anuncia la muerte de las repúblicas hispanoamericanas? ¿Lo que pueden realizar en Europa los imperios latinos, no podrán tentarlo en el Nuevo Mundo las naciones de igual origen? O ¿habrán dos leyes sociológicas, una para los latinos de América y otra para los latinos de Europa? Quizá; pero, felizmente, las afirmaciones de Le Bon se parecen a los clavos, los unos sacan a los otros.

Se ve pues, que si Augusto Comte pensó hacer de la Sociología una ciencia eminentemente positiva, algunos de sus herederos la van convirtiendo en un cúmulo de divagaciones sin fundamento científico.

II

En *La lucha de Razas*, Luis Gumplowicz, dice: "Todo elemento étnico esencial potente busca para hacer servir a sus fines todo elemento débil que se encuentra en su radio de potencia o que penetre en él". Primero los Conquistadores; en seguida sus descendientes, formaron en los países de América un elemento étnico bastante poderoso para subyugar y explotar a los indígenas. Aunque se tache de exageradas las afirmaciones de Las Casas, no puede negarse que merced a la avarienta crueldad de los explotadores, en algunos pueblos americanos el elemento débil se halla próximo a extinguirse. Las hormigas que domestican pulgones para ordenarles, no imitan la imprevisión del blanco, no destruyen a su animal productivo.

A la fórmula de Gumplowicz conviene agregar una ley que influye mucho en nuestro modo de ser: cuando un individuo se eleva sobre el nivel de su clase social, suele convertirse en el peor enemigo de ella. Durante la esclavitud del negro, no hubo caporales más feroces que los mismos negros; actualmente, no hay quizá opresores tan duros del indígena como los mismos indígenas españolizados e investidos de alguna autoridad.

El verdadero tirano de la masa, el que se vale de unos indios para esquilmar y oprimir a los otros es el encastado, comprendiéndose en esta palabra tanto al cholo de la sierra o mestizo como al mulato y al zambo de la costa. En el Perú vemos una superposición étnica: excluyendo a los europeos y al cortísimo número de blancos nacionales o criollos, la población se divide en dos fracciones muy desiguales por la cantidad, los encastados o dominadores y los indígenas o dominados. Cien o doscientos mil individuos se han sobrepuesto a tres millones.

Existe una alianza ofensiva y defensiva, un cambio de servicios entre los dominadores de la capital y los de provincia: si el gamonal de la sierra sirve de agente político al señorón de Lima, el señorón de Lima defiende al gamonal de la sierra cuando abusa bárbaramente del indio. Pocos grupos sociales han cometido tantas iniquidades ni aparecen con rasgos tan negros como los españoles y encastados en el Perú. Las revoluciones, los despilfarros y las bancarrotas parecen nada ante la codicia glacial de los encastados para sacar el jugo a la carne humana. Muy poco les ha importado el dolor y la muerte de sus semejantes, cuando ese dolor y esa muerte les han rendido unos cuantos soles de ganancia. Ellos diezmaron al indio con los repartimientos y las mitas; ellos importaron al negro para hacerle gemir bajo el látigo de los caporales; ellos devoraron al chino, dándole un puñado de arroz por diez y hasta quince horas de trabajo; ellos extrajeron de sus islas al canaca para dejarle morir de nostalgia en los galpones de las haciendas; ellos pretenden introducir hoy al japonés...El negro parece que disminuye, el chino va desapareciendo, el canaca no ha dejado huella, el japonés no da señales de prestarse a la servidumbre; mas, queda el indio, pues, 300 a 400 años de crueldad no han logrado exterminarle ¡el infame se encapricha en vivir!

Los Virreyes del Perú no cesaron de condenar los atropellos ni ahorraron diligencias para lograr la conservación, buen tratamiento y alivio de los indios; los Reyes de España, cediendo a la conmiseración de sus nobles y católicas almas, concibieron medidas humanitarias o secundaron las iniciadas por los Virreyes. Sobraron los buenos propósitos en las Reales Cédulas. Ignoramos si las Leyes de Indias forman una pirámide tan elevada como el Chimborazo: pero sabemos que el mal continuaba lo mismo, aunque algunas veces hubo castigos ejemplares. Y no podía suceder de otro modo: oficialmente se ordenaba la explotación del vencido y se pedía humanidad y justicia a los ejecutores de la explotación; se pretendía que humanamente se cometiera iniquidades o equitativamente se consumara injusticias. Para extirpar los abusos, habría sido necesario abolir los repartimientos y las mitas, en dos palabras, cambiar todo el régimen colonial. Sin las faenas del indio americano, se habrían vaciado las arcas del tesoro español. Los caudales enviados de las colonias a la Metrópoli no eran más que sangre y lágrimas convertidas en oro.

La República sigue las tradiciones del Virreynato. Los Presidentes en sus mensajes abogan por la redención de los oprimidos y se llaman protectores de la raza indígena; los congresos elaboran leyes que dejan atrás a la Declaración de los Derechos del Hombre; los ministros de Gobierno expiden decretos, pasan notas a los prefectos y nombran delegaciones investigadoras, todo con el noble propósito de asegurar las garantías de la clase desheredada; pero mensajes, leyes, decretos, notas y delegaciones se reducen a jeremiadas hipócritas, a palabras sin eco, a expedientes manoseados. Las autoridades que desde Lima imparten órdenes conminatorias a los departamentos, saben que no serán obedecidas; los prefectos que reciben las comunicaciones de la Capital saben también que ningún mal les resulta de no cumplirlas. Lo que el año 1648 decía en su memoria el Marqués de Mancera, debe repetirse hoy, leyendo gobernadores y hacendados en lugar de corregidores y caciques: "Tienen por enemigos estos pobres indios la codicia de sus Corregidores, de sus Curas y de sus Caciques, todos atentos a enriquecer de su sudor; era menester el celo y autoridad de un Virrey para cada uno; en fe de la distancia se trampea la obediencia y ni hay fuerza ni perseverancia para proponer segunda vez la quexa". El trampear la obediencia vale mucho en boca de un virrey; pero vale más la declaración escapada a los defensores de los indígenas de Chucuito.

No faltan indiófilos que en sus iniciativas individuales o colectivas proceden como los gobiernos en su acción oficial. Las agrupaciones formadas para libertar a la raza irredenta no han pasado de contrabandos políticos abrigados con bandera filantrópica. Defendiendo al Indio se ha explotado la conmiseración, como invocando a Tacna y Arica se negocia hoy con el patriotismo. Para que los redentores procedieran de buena fe, se necesitaría que de la noche a la mañana sufrieran una transformación moral, que se arrepintieran al medir el horror de sus iniquidades, que tomaran el inviolable propósito de obedecer a la justicia, que de tigres se quisieran volver hombres. ¿Cabe en lo posible?

Entre tanto, y por regla general, los dominadores se acercan al indio para engañarle, oprimirle o corromperle. Y debemos rememorar que no sólo el encastado nacional procede con inhumanidad o mala fe: cuando los europeos se hacen rescatadores de lana, mineros o hacendados, se muestran buenos exactores y magníficos extorsionarios, rivalizan con los antiguos encomenderos y los actuales hacendados. El animal de pellejo blanco, nazca donde naciere, vive aquejado por el mal del oro: al fin y al cabo cede al instinto de rapacidad.

III

Bajo la República ¿sufre menos el indio que bajo la dominación española? Si no existen corregimientos ni encomiendas, quedan los trabajos forzosos y el reclutamiento. Lo que le hacemos sufrir basta para descargar sobre nosotros la excecración de las personas humanas. Le conservamos en la ignorancia y la servidumbre, le envilecemos en el cuartel, le embrutecemos con el alcohol, le lanzamos a destrozarse en las guerras civiles y de tiempo en tiempo organizamos cacerías y matanzas como las de Amantani, Ilave y Huanta.

No se escribe pero se observa el axioma de que el indio no tiene derechos sino obligaciones. Tratándose de él, la queja personal se toma por insubordinación, el reclamo colectivo por conato de sublevación. Los realistas españoles mataban al indio cuando pretendía sacudir el yugo de los conquistadores, nosotros los republicanos nacionales le exterminamos cuando protesta de las contribuciones onerosas o se cansa de soportar en silencio las iniquidades de algún sátrapa.

Nuestra forma de gobierno se reduce a una gran mentira, porque no merece llamarse república democrática un estado en que dos o tres millones de individuos viven fuera de la ley. Si en la costa se divisa un vislumbre de garantías bajo un remedo de república, en el interior se palpa la violación de todo derecho bajo un verdadero régimen feudal. Ahí no rigen códigos ni imperan tribunales de justicia, porque hacendados y gamonales dirimen toda cuestión arrogándose los papeles de jueces y ejecutores de las sentencias. Las autoridades políticas, lejos de apoyar a débiles y pobres, ayudan casi siempre a ricos y fuertes. Hay regiones donde jueces de paz y gobernadores pertenecen a la servidumbre de la hacienda. ¿Qué gobernador, qué subprefecto ni qué prefecto osaría colocarse frente a frente de un hacendado?

Una hacienda se forma por la acumulación de pequeños lotes arrebatados a sus legítimos dueños, un patrón ejerce sobre sus peones la autoridad de un barón normando. No sólo influye en el nombramiento de gobernadores, alcaldes y jueces de paz, sino hace matrimonios, designa herederos, reparte las herencias y para que los hijos satisfagan las deudas del padre, les somete a una servidumbre que suele durar toda la vida. Impone castigos tremendos como la corma, la flagelación, el cepo de campaña y la muerte; risibles, como el rapado de cabello y enemas de agua fría. Quien no respeta vidas ni propiedades realizaría un milagro si guardara miramientos a la honra de las mujeres; toda india, soltera o casada, puede servir de blanco a los deseos brutales del señor. Un rapto, una violación y un estupro no significan mucho cuando se piensa que a las indias se les debe poseer de viva fuerza. Y a pesar de todo, el indio no habla con el patrón sin arrodillarse ni besarle la mano. No se diga que por ignorancia o falta de cultura los señores territoriales proceden así: los hijos de algunos hacendados van niños a Europa, se educan en Francia o Inglaterra y vuelven al Perú con todas las apariencias de gentes civilizadas; mas, apenas se confinan en sus haciendas, pierden el barniz europeo y proceden con más inhumanidad y violencia que sus padres: con el sombrero, el poncho y las roncadoras, reaparece la fiera. En resumen: las haciendas constituyen reinos en el corazón de la República, los hacendados ejercen el papel de autócratas en medio de la democracia.

IV

Para cohonestar la incuria del Gobierno y la inhumanidad de los expoliadores, algunos pesimistas a lo Le Bon marcan en la frente del indio un estigma infamatorio: le acusan de refractario a la civilización. Cualquiera se imaginaría que en nuestras poblaciones se levantan espléndidas escuelas, donde bullen eximios profesores instruídos y que las aulas permanecen vacías porque los niños, obedeciendo las órdenes de sus padres, no acuden a recibir educación. Se imaginaría también que los indígenas no siguen los moralizadores ejemplos de las clases dirigentes o crucifican sin el menor escrúpulo a todos los predicadores de ideas levantadas y generosas. El indio recibió lo que le dieron: fanatismo y aguardiente.

Veamos ¿qué se entiende por civilización? Sobre la industria y el arte, sobre la erudición y la ciencia, brilla la moral como punto luminoso en el vértice de una gran pirámide. No la moral teológica fundada en una sanción póstuma, sino la moral humana, que no busca sanción ni la buscaría lejos de la Tierra. El sumun de la moralidad, tanto para los individuos como para las sociedades, consiste en haber transformado la lucha de hombre contra hombre en el acuerdo mutuo para la vida. Donde no hay justicia, misericordia ni benevolencia, no hay civilización; donde se proclama ley social la struggle for life, reina la barbarie. ¿Qué vale adquirir el saber de un Aristóteles cuando se guarda el corazón de un tigre? ¿Qué importa poseer el don artístico de un Miguel Ángel cuando se lleva el alma de un cerdo? Más que pasar por el mundo derramando la luz del arte o de la ciencia, vale ir destilando la miel de la bondad. Sociedades altamente civilizadas merecerían llamarse aquellas donde practicar el bien ha pasado de obligación a costumbre, donde el acto bondoso se ha convertido en arranque instintivo. Los dominadores del Perú ¿han adquirido ese grado de moralización? ¿Tienen derecho de considerar al indio como un ser incapaz de civilizarse?

La organización política y social del antiguo imperio incaico admira hoy a reformadores y revolucionarios europeos. Verdad, Atahualpa no sabía el padrenuestro ni Calcuchimac pensaba en el misterio de la Trinidad; pero el culto del Sol era quizá menos absurdo que la religión católica, y el gran sacerdote de Pachacamac no vencía tal vez en ferocidad al padre Valverde. Si el súbdito de Huaina-Capac admitía la civilización, no encontramos motivo para que el indio de la República la rechace, salvo que toda la raza hubiera sufrido una irremediable decadencia fisiológica. Moralmente hablando, el indígena de la República se muestra inferior al indígena hallado por los conquistadores; más represión moral a causa de servidumbre política no equivale a imposibilidad absoluta para civilizarse por constitución orgánica. En todo caso ¿sobre quién gravitaría la culpa?

Los hechos desmienten a los pesimistas. Siempre que el indio se instruye en colegios o se educa por el simple roce con personas civilizadas, adquiere el mismo grado de moral y cultura que el descendiente del español. A cada momento nos rozamos con amarillos que visten, comen, viven y piensan como los melífluos caballeros de Lima. Indios vemos en Cámaras, municipios, magistratura, universidades y ateneos, donde se manifiestan ni más venales ni más ignorantes que los de otras razas. Imposible deslindar responsabilidades en el totum revolutis de la política nacional para decir qué mal ocasionaron los mestizos, los mulatos y los blancos. Hay tal promiscuidad de sangres y colores, representa cada individuo tantas mezclas lícitas o ilícitas, que en presencia de muchísimos peruanos quedaríamos perplejos para determinar la dósis de negro y amarillo que encierran en sus organismos: nadie merece el calificativo de blanco puro, aunque lleve azules los ojos y rubio el cabello. Sólo debemos recordar que el mandatario con mayor amplitud de miras perteneció a la raza indígena, se llamaba Santa Cruz. Lo fueron cien más, ya valientes hasta el heroísmo como Cahuide; ya fieles hasta el martirio como Olaya.

Tiene razón Novicow al afirmar que las pretendidas incapacidades de los amarillos y los negros no son más que quimeras de espíritus enfermos. Efectivamente, no hay acción generosa que no pueda ser realizada por algún negro ni por algún amarillo, como no hay acto infame que no pueda ser cometido por algún blanco. Durante la invasión de China en 1900, los amarillos del Japón dieron lecciones de humanidad a los blancos de Rusia y Alemania. No recordamos si los negros de África las dieron alguna vez a los boers del Transvaal o a los ingleses del Cabo. Sabemos sí, que el anglosajón Kitchener se muestra tan feroz en el Sudán como Behanzín en el Dahomey. Si en vez de comparar una muchedumbre de piel blanca con otras muchedumbres de piel oscura, comparamos un individuo con otro individuo, veremos que en medio de la civilización blanca abundan cafres y pieles rojas por dentro. Como flores de razas u hombres representativos, nombremos al Rey de Inglaterra y al Emperador de Alemania: Eduardo VII y Guillermo II ¿merecen compararse con el indio Benito Juárez y con el negro Booker Washington? Los que antes de ocupar un trono vivieron en la taberna, el garito y la mancebía, los que desde la cima de un imperio ordenan la matanza sin perdonar a niños, ancianos ni mujeres, llevan lo blanco en la piel, mas esconden lo negro en el alma.

¿De sólo la ignorancia depende el abatimiento de la raza indígena? Cierto, la ignorancia nacional parece una fábula cuando se piensa que en muchos pueblos del interior no existe un solo hombre capaz de leer ni de escribir, que durante la guerra del Pacífico los indígenas miraban la lucha de las dos naciones como una contienda civil entre el general Chile y el general Perú, que no hace mucho los emisarios de Chucuito se dirigieron a Tacna figurándose encontrar ahí al Presidente de la República.

Algunos pedagogos (rivalizando con los vendedores de panaceas) se imaginan que sabiendo un hombre los afluentes del Amazonas y la temperatura media de Berlín, ha recorrido la mitad del camino para resolver todas las cuestiones sociales. Si por un fenómeno sobrehumano, los analfabetos nacionales amanecieran mañana, no sólo sabiendo leer y escribir, sino con diplomas universitarios, el problema del indio no habría quedado resuelto: al proletariado de los ignorantes, sucedería el de los bachilleres y doctores. Médicos sin enfermos, abogados sin clientela, ingenieros sin obras, escritores sin público, artistas sin parroquianos, profesores sin discípulos, abundan en las naciones más civilizadas formando el innumerable ejército de cerebros con luz y estómagos sin pan. Donde las haciendas de la costa suman cuatro o cinco mil fanegadas, donde las estancias de la sierra miden treinta y hasta cincuenta leguas, la nación tiene que dividirse en señores y siervos.

Si la educación suele convertir al bruto impulsivo en un ser razonable y magnánimo, la instrucción le enseña y le ilumina el sendero que debe seguir para no extraviarse en las encrucijadas de la vida. Más divisar una senda no equivale a seguirla hasta el fin: se necesita firmeza en la voluntad y vigor en los piés. Se requiere también poseer un ánimo de altivez y rebeldía, no de sumisión y respeto como el soldado y el monje. La instrucción puede mantener al hombre en la bajeza y la servidumbre: instruídos fueron los eunucos y gramáticos de Bizancio. Ocupar en la tierra el puesto que le corresponde en vez de aceptar el que le designan; pedir y tomar su bocado; reclamar su techo y su pedazo de terruño, es el derecho de todo ser racional.

Nada cambia más pronto ni más radicalmente la psicología del hombre que la propiedad: al sacudir la esclavitud del vientre, crece en cien palmos. Con sólo adquirir algo, el individuo asciende algunos peldaños en la escala social, porque las clases se reducen a grupos clasificados por el monto de la riqueza. A la inversa del globo aerostático, sube más el que más pesa. Al que diga: la escuela, respóndasele: la escuela y el pan.

La cuestión del indio, más que pedagógica, es económica, es social. ¿Cómo resolverla? No hace mucho que un alemán concibió la idea de restaurar el Imperio de los Incas: aprendió el quechua, se introdujo en las indiadas del Cuzco, empezó a granjearse partidarios, tal vez habría intentado una sublevación, si la muerte no le hubiera sorprendido al regreso de un viaje por Europa. Pero ¿cabe hoy semejante restauración? Al intentarla, al querer realizarla, no se obtendría más que el empequeñecido remedo de una grandeza pasada.

La condición del indígena puede cambiar de dos maneras: o el corazón de los opresores se conduele al extremo de reconocer el derecho de los oprimidos o el ánimo de los oprimidos adquiere la virilidad suficiente para escarmentar a los opresores. Si el indio aprovechara en rifles y cápsulas todo el dinero que desperdicia en alcohol y fiestas; si en un rincón de su choza o en el agujero de una peña o cueva escondiera un arma, cambiaría de condición, haría respetar su propiedad y su vida. A la violencia respondería con la violencia, escarmentando al patrón que le arrebata las lanas, al soldado que le recluta en nombre del gobierno, al montonero que le roba ganado y bestias de carga.

Al indio no se le predique humildad y resignación sino orgullo y rebeldía. ¿Qué ha ganado con 300 o 400 años de conformidad y paciencia? Mientras menos autoridades sufra, de mayores daños se liberta. Hay un hecho revelador: reina mayor bienestar en las comarcas más distantes de las grandes haciendas, se disfruta de más orden y tranquilidad en los pueblos menos frecuentados por las autoridades.

En resumen: el indio se redimirá merced a su esfuerzo propio, no por la humanización de sus opresores. Todo blanco es, más o menos, un Pizarro, un Valverde o un Areche.

BIBLIOGRAFIA

BIBLIOGRAFIA

Fuentes primarias

Alberdi, Juan Bautista. "Bases y comentarios de la Constitución Argentina", *Obras selectas*, tomo X. Edición de Joaquín V. González. Buenos Aires: Librería "La Facultad" de Juan Roldán, 1920.
— *Las bases*. Buenos Aires: Sudamericana, 1969.
— *Bases y puntos de partida para la organización política de la República Argentina*. Buenos Aires: Plus Ultra, 1980.
— *Biografías y autobiografías*. Buenos Aires: La Facultad, 1924.
— *Escritos póstumos*. Buenos Aires: Imprenta Europa, 1895-1901.
— *Escritos sobre estética y problemas de literatura*. Buenos Aires: La Rosa Blindada, 1965.
— *Estudios económicos de Juan Bautista Alberdi*. Prólogos de Luis Víctor Anastasia y Alejandro Vegh Villegas. Montevideo: Fundación Prudencio Vázquez y Vega, 1989.
Bello, Andrés. *Obra literaria*. Prólogo de Pedro Grases. Caracas: Biblioteca Ayacucho, 50, 1979.

— *Andrés Bello: el centenario de su nacimiento.* Washington: OEA, 1982/ Caracas: Editorial Arte, 1982.

— *Calendario manual y guía universal de forasteros en Venezuela para el año 1810.* Estudio de Pedro Grases. Caracas: Academia Nacional de la Historia, 1959.

— *Gramática de la lengua castellana.* Buenos Aires: Sopena, 1945.

— *Homenaje a Andrés Bello en el bicentenario de su nacimiento.* Amsterdam: Rodopi, 1982.

Bilbao, Francisco. *El pensamiento vivo de Francisco Bilbao.* Santiago: Nascimiento, 1940.

— *El evangelio americano.* Edición de Alejandro Wiker. Caracas: Biblioteca Ayacucho, 129, 1988.

— *La América en peligro, evangelio americano, sociabilidad chilena.* Santiago: Ercilla, 1941.

Bolívar, Simón. *Doctrina del libertador.* Introducción de Augusto Mijares, compilación de Manuel Pérez Vila. Caracas: Biblioteca Ayacucho,1, 1976.

— *Para nosotros la patria es América.* Introducción de Arturo Uslar Pietri, notas de Manuel Pérez Vila. Caracas: Biblioteca Ayacucho, colección Claves de América, 1991.

— *Bolívar. Ideas de un espíritu visionario.* Introdución de Luis Herrera Campins, selección de Edgardo Mondolfi. Caracas: Monte Ávila, 1990.

— *Bolívar el reformador americano.* México: Centro de estudios históricos del agrarismo en México, 1982.

— *Escritos políticos.* Edición de Graciela Soriano. Madrid: Alianza, 1969.

— *La juventud combatiente. Simón Bolívar 1783-1815.* Edición de Francisco Cuevas Cancino. México: Secretaría de Educación Pública, 1986.

Del Valle, José Cecilio. *Obras.* Guatemala: Tipografía Sánchez y De Guise.

— *Obra escogida*. Edición de Mario García Laguardia. Caracas: Biblioteca Ayacucho, 96, 1982.

Echeverría, Esteban. *Obras completas de Esteban Echeverría*. Compilación de Juan María Gutiérrez. Buenos Aires: Antonio Zamora, 2a. ed. 1972.

— *Prosa literaria*. Buenos Aires: Estrada, 1944.

Gaos, José. *Antología del pensamiento de lengua española en la edad contemporánea*. México: Séneca, 1945.

González Prada, Manuel. *Páginas libres. Horas de lucha*. Edición de Luis Alberto Sánchez. Caracas: Biblioteca Ayacucho, 14, 1976.

— *Horas de lucha*. Callao: Lux, 1924.

Hostos y Bonilla, Eugenio María de. *Sociólogo y maestro*. Río Piedras: Antillana, 1981.

— *Diario*. Prólogo de Gabriela Mora. Río Piedras: Editorial Universitaria de Puerto Rico, 1990.

— *Moral social*. Apreciación de Rufino Blanco Fombona. Nueva York: Las Américas, 1964.

— *Moral social- Sociología*. Prólogo de Manuel Maldonado Denis. Caracas: Biblioteca Ayacucho, 97, 1982.

— *Obra literaria selecta*. Edición de Julio César López. Caracas: Biblioteca Ayacucho, 136, 1988.

— *La peregrinación de Bayoán*. Prólogo de José Emilio González. Río Piedras: Editorial Universitaria, 1988.

Lastarria, José Victorino. *Obras completas de Don J. V. Lastarria*, 14 vol. Santiago: 1906-1932.

— *Recuerdos literarios*. Santiago: Librería de M. Sevat, 1805, 2a. ed. revisada por el autor.

Martí, José. *Obras completas*. La Habana: Editora Nacional, 1963-1965.

— *Nuestra América*. Introducción de Juan Marinello, edición de Hugo Achugar. Caracas: Biblioteca Ayacucho, 15, 1977.

— *Obra literaria*. Edición de Cintio Vitier. Caracas: Biblioteca Ayacucho, 40, 1980.

— *Textos. Mi tiempo: un mundo nuevo. Una antología general*. Edición de Jaime Labastida. México: SEP/ UNAM, 1982.

— *Ideario*. Edición de Luis Alberto Sánchez. Santiago de Chile: Ercilla, 1942.

— *En las entrañas del monstruo*. La Habana: Centro de Estudios Martianos, 1984.

Matto de Turner, Clorinda. *Boreales miniaturas y porcelanas*. Buenos Aires: Juan Alsina, 1902.

— *Tradiciones cuzqueñas completas*. Edición de Estuardo Núñez. Lima: Peisa, 1976.

Mier Noriega y Guerra, Fray José Servando Teresa de. *Escritos y memorias*. Edición de Edmundo O'Gorman. México: UNAM, 1945.

— *Historia de la Revolución de la Nueva España*. México: Instituto Cultural Helénico y Fondo de Cultura Económica, 1986.

— *Ideario político*. Edición de Edmundo O'Gorman. Caracas: Biblioteca Ayacucho, 43, 1978.

— *El increíble Fray Servando*. México: Jus, 1959.

— *Memorias*. Edición de Antonio Castro Leal. México: Porrúa, 1988.

— *Obras completas*. Edición de Edmundo O'Gorman. México: UNAM, 1981.

Montalvo, Juan. *Capítulos que se le olvidaron a Cervantes*. Barcelona: Montaner y Simon, 1898.

— *Montalvo en su epistolario: 362 cartas íntimas y cartas sobre asuntos públicos entre Juan Montalvo y grandes personalidades del Ecuador, América, España y Europa*. Edición de Roberto Agramonte. Río Piedras: Editorial Universitaria de Puerto Rico, 1982.

— *Páginas escogidas*. Ed. Arturo Giménez Pastor. Buenos Aires: A. Estrada, 1952.

— *Siete tratados. Réplica a un sofista seudocatólico*. Edición de José L. Abellan. Madrid: Editora Nacional, 1977.

— *Las catilinarias. El Cosmopolita. El Regenerador*. Edición de Benjamín Carrión. Caracas: Biblioteca Ayacucho, 22, 1977.

Moreno, Mariano. *Plan revolucionario de operaciones*. Buenos Aires: Plus Ultra, 1965.

Rodó, José Enrique. *Ariel. Motivos de Proteo*. Edición de Angel Rama, prólogo de Carlos Real de Azúa. Caracas: Biblioteca Ayacucho, 3, 1976.

— *Obras completas*. Edición de Emir Rodríguez Monegal. Madrid: Aguilar, 1957.

Rodríguez, Simón. *Obras completas*, 2 vol. Caracas: Universidad Simón Rodríguez, 1975.

— *Inventamos o erramos*. Caracas: Monte Avila, 1982.

Romero, José Luis, edición y prólogo. *Pensamiento conservador (1815- 1898)*. Caracas: Biblioteca Ayacucho, 31, 1978.

— y Luis Alberto Romero, editores. *Pensamiento político de la emancipación*, 2 vol. Caracas: Biblioteca Ayacucho, 23 y 24, 1977.

Rama, Carlos, editor. *Utopismo socialista (1830-1893)*. Caracas: Biblioteca Ayacucho 26, 1977.

Sanín Cano, Baldomero. *El oficio de lector*. Edición de Juan Gustavo Cobo Borda. Caracas: Biblioteca Ayacucho, 48, 1978.

Sarmiento, Domingo Faustino. *Facundo*. Prólogo de Noé Jitrik. Caracas: Biblioteca Ayacucho, 12, 1977. También se ha usado Espasa Calpe, referida como EC. Otra versión anotada es la de Roberto Yahni, Madrid: Cátedra, 1990.

— *Prosa de ver y de pensar*. Edición de Eduardo Mallea. Buenos Aires: Emecé, 1943.

— *Páginas confidenciales*. Buenos Aires: Elevación, 1944.

— *Textos fundamentales*, 2 vol. Edición de Luis Franco y Ovidio Amar Amaya. Buenos Aires: Compañía General Fabril Editora, 1959.

Sierra, Justo. *Obras completas*. México: UNAM, 1948.

— *Ensayos y textos elementales de historia*. México: UNAM, 1948.

— *Evolución política del pueblo mexicano*. Edición de Edmundo O'Gorman. México: UNAM, 1977.

— *Juárez: su obra y su tiempo*. México: Porrúa, 1970.

— *México, su evolución social: síntesis de la historia política de la organización administrativa*. Barcelona, México: Ballesca, 1902.

— *Periodismo político*. México: UNAM, 1948.

Varona, Enrique José. *En voz alta*. La Habana: Prueba, 1916.

— "El sentimiento de solidaridad como fundamento de la moral" y "Aforismos" en *La filosofía latinoamericana contemporánea*. Edición de Aníbal Sánchez Reulet. Washington: Unión Panamericana,s/f.

Zea, Leopoldo, editor. *Precursores del pensamiento latinoamericano contemporáneo*. México: Sep Diana, 1979.

— , editor. *Pensamiento positivista latinoamericano*, 2 vol. Caracas: Biblioteca Ayacucho, 71 y 72, 1980.

Fuentes secundarias

Abrams, M. H. *Natural Supernaturalism. Tradition and Revolution in Romantic Literature*. New York London: W. W. Norton & Co., 1971.

— *El espejo y la lámpara. Teoría romántica y tradición crítica* [1953]. Traducción de Meliton Bustamante. Barcelona: Barral, 1975.

Adorno, T. W. "The Essay as Form". Traducción de B. Hullot-Kentor, traslator. *New German Critique* (Spring-Summer, 1984): 151-175. Publicado en español como "El ensayo como forma", en *Notas de literatura*. Barcelona: Ariel, 1962.

Aguilar, Antonio. *Algo sobre el ensayo*. Argentina: Sanjuanina, 1974.

Ahmad, Aijaz. "Jameson's Rhetoric of Otherness and

the National Allegory". *Social Text*, n° 17 (Fall 1987): 3-25.

Alazraki, Jaime. "Tres formas del ensayo contemporáneo: Borges, Paz, Cortázar". *Revista Iberoamericana*, 118-119 (enero-junio 1982).

Anderson, Benedict. *Imagined Communities : Reflections on the Origin and Spread of Nationalism [1983]*. London: Verso, reprinted 1991.

Anderson, Chris, editor. *Literary Non-Fiction*. Carbondale and Edwardsville: Southern Illinois University Press, 1989.

Arciniegas, Germán. "El ensayo en nuestra América". *Cuadernos del Congreso por la Libertad de la Cultura*. París, n° 19 (julio-agosto, 1956).

Aullón de Haro, Pedro. *El ensayo en los siglos XIX y XX*. Madrid: Playor, 1984.

Bhabah, Homi, ed. *Nation and Narration*. London and New York: Routledge, 1990.

Bakhtin, M. M. *The Dialogic Imagination*. C. Emerson and M. Holquist, translators. Austin : Texas University Press, 1981.

— *Estética de la creación verbal*. México: Siglo XXI, 1982.

— *Problems of Dostoevsky's Poetics*. C. Emerson, translator. Minneapolis: Minnesota University Press, 1984.

Balibar, Etienne and Immanuel Wallerstein. *Race, Nation, Class. Ambiguous Identities*. London, New York: Verso, 1992.

Barthes, Roland. *El grado cero de la escritura. Seguido de Nuevos ensayos críticos*. Traducción de Nicolás Rosa. Buenos Aires: Siglo XXI, 1973.

— y Maurice Nadeau. "¿A dónde va la literatura?", en *Escribir... ¿Por qué? ¿para quién?*, de varios autores. Caracas: Monte Avila, 1974, pp. 9-38.

Bénichou, Paul. *El tiempo de los profetas. Doctrina de la época romántica* [1974]. Traducción de Aurelio

295

Garzón del Camino. México: Fondo de Cultura Económica, 1984.

Berger Peter y Thomas Luckmann. *La construcción social de la realidad*. Traducción de S. Zuleta. Buenos Aires: Amorrortu, 9a. reimp.,1989.

Blanco Fombona, Rufino. *Ensayos históricos*. Introducción de José Sanoja Hernández. Caracas: Biblioteca Ayacucho, 36, 1981.

Bleznick, Donald W. *El ensayo español del siglo XVI al XX*. México: Colección Studium, 1964.

Boon, James A. *Other Tribes Other Scribes. Symbolic Anthropology in the Comparative Study of Cultures Histories, Religions, and Texts*. Cambridge: Cambridge University Press, 1982.

Booth, Wayne. *Rhetoric of Fiction*. Chicago: University of Chicago Press, 1961.

Bradford Burns, E. *The Poverty of Progress*. Berkeley: University of California Press, 1980.

Brading, David A. *Orbe indiano. De la monarquía católica a la república criolla, 1492-1867*. Traducción de Juan José Utrilla. México: Fondo de Cultura Económica, 1991.

Bretz, Mary Lee. *Voices Silences and Echoes: A Theory of The Essay and The Critical Reception of Naturalism in Spain*. London: Támesis, 1992.

Brown, Gerardo y William Jassey, compiladores. *Introducción al Ensayo Hispanoamericano*. Nueva York: Las Américas Publishing Co., 1988.

Butor, Michel. *Essai sur les Essais*. París: Gallimard, 1965.

Castoriadis. *L'institution imaginaire de la société*. París: Seuil, 1975

Chabod, Federico. *La idea de Nación* [1961]. Traducción de S. Mastrángelo. México: Fondo de Cultura Económica, 1987.

Champigny, Robert. *Pour une esthétique de l'essai*. París: Lettres Modernes, 1968.

Chatterjee, Partha. *Nationalist Thought and the Colonial World. A Derivative Discourse*. Minneapolis: University of Minnesota Press, 1986.

Chiaramonte, José Carlos, editor. *Pensamiento de la Ilustración. Economía y sociedad iberoamericanas en el siglo XVIII*. Caracas: Biblioteca Ayacucho, 51, 1979.

Concejo, Pilar. "El origen del ensayo hispánico y el género epistolar". *Cuadernos hispanoamericanos* 373 (1981): 158-164.

Crane, R. S. *The Language of Criticism and the Structure of Poetry*. Toronto: University of Toronto Press, 1953.

Culler, Jonathan. *On Deconstruction*. Ithaca: Cornell University Press, 1982.

— *Structuralist Poetics*. Ithaca: Cornell University Press, 1975.

Davis, Harold Eugene. *Latin American Thought*. Baton Rouge: Louisiana State University Press, 1972.

Derrida, Jacques. *Of Grammatology*. Gayatri Spivak, translator. Baltimore: John Hopkins University Press, 1976.

— *Writing and Difference*. A. Bass, translator. Chicago: University of Chicago Press, 1978.

— "The Law of Genre", in *Glyph: Johns Hopkins Textual Studies*. Baltimore: John Hopkins University Press, 1980, vol. 7, pp. 202-29.

— *Dissemination*. B. Johnson, translator. Chicago: University of Chicago Press, 1981.

Dillion, George. *Constructing Texts: Elements of a Theory of Composition and Style*. Bloomington: Indiana University Press, 1981.

Dussel, Enrique D., compilador *América Latina: Dependencia y Liberación*. Buenos Aires: Fernando García Cambeiro, 1975.

Eagleton, Terry. *Literary Theory*. Minneapolis: University of Minnesota, 1983.

297

— "Text, Ideology, Realism", in *Literature and Society*. Edward Said, compiler. Baltimore: The John Hopkins University Press, 1980.

Elbanz, Robert. "Autobiography, Ideology, and Genre Theory". *Orbis Litterarium* 383 (1983): 187-204.

— *El ensayo: Reunión de Málaga de 1977*. Málaga: Diputación Provincial de Málaga, 1980.

— *Etudes litteraires*. Edición especial sobre el ensayo. 5. 1 (1972)

Ewell, Judith and William H. Beezley. *The Human Tradition in Latin America. The Nineteenth Century*. Willmington, Delaware: SR Books, 1989.

Foster, David William. *Para una lectura semiótica del ensayo latinoamericano*. Madrid: P. Turanzas, 1983.

Fowler, Roger. *Literature as Social Discourse: the Practice of Linguistic Criticism*. Bloomington: Indiana University Press, 1981.

Foucault, Michel. *Las palabras y las cosas*. Traducción de E. C. Frost. México: Siglo XXI, 1968.

— *La arqueología del saber*. Traducción de A. Garzón del Camino. México, Siglo XXI, 1970

— *Language Counter-Memory, Practice : Selected Essays and Inter views*. D. F. Bouchard and S. Simon, translators. Ithaca y Londres: Cornell University Press, 1977.

Fowler, Roger. *Literature as Social Discourse. The Practice of Linguistic Criticism*. Bloomington: Indiana University Press, 1981.

— et al. *Language and control*. London, Boston and Henley: Routledge & Kegan Paul, 1979.

Franco, Jean. *Historia de la literatura hispanoamericana. A partir de la Independencia*. Traducción de Carlos Pujol. Barcelona: Ariel, 1983.

Gass, William H. *Habitations of the World*. New York: Simon and Schuster, 1984.

Gellner, Ernest. *Naciones y nacionalismo*. Traducción de Javier Setó. Madrid: Alianza, 1988.

Genette, Gérard. "Genres, types, modes", *Poétique*, n° 32, (Novembre 1977).

— *Figures I; Figures II; Figures III*. París: Seuil, 1966, 1969, 1972.

— *Introduction à l'architexte*. París: Seuil, 1979.

Gerbi, Antonello. *La disputa del nuevo mundo. Historia de una polémica*. México: Fondo de Cultura Económica, 1960.

Gerou, Katherine Fullerton. "An Essay on Essays". *The North American Review*, (December 1935): 409-418.

Gómez Martínez, José Luis. *Teoría del ensayo*. Salamanca: Universidad de Salamanca, 1981.

González Stephan, Beatriz. *La historiografía literaria del liberalismo hispanoamericano del siglo XIX*. La Habana: Casa de las Américas, 1987.

Gossman, Lionel. "History as Decipherment: Romantic Historiography and the Discovery of the Other", *New Literary History*, vol 18, (1986-1987): 402.

Grases, Pedro, editor. *Pensamiento político de la emancipación venezolana*. Caracas: Biblioteca Ayacucho, 133, 1988.

Gross, John and Carpenter, editors. *The Examined Life: Four Centuries of the Essay*. Cleveland: World Publishing Co., 1967.

Guillén, Claudio. *Literature as System*. Princeton: Princeton University Press, 1971.

Habermas, Jürgen. *Theory and Practice*. J. Viertal, translator. London: Heinemann, 1973.

Halperin Donghi, Tulio. *Historia contemporánea de América Latina*. Madrid: Alianza, 6a. ed., 1977.

— *Revolución y guerra. Formación de una elite dirigente en la Argentina criolla*. México: Siglo XXI, 2a. ed., 1979.

Harari, Josué V., editor. *Textual Strategies: Perspectives in Post-Structuralist Criticism*. Ithaca: Cornell University Press, 1979.

Hernadi, Paul. *Teoría de los géneros*. Traducción de Carlos Agustín. Barcelona: Antoni Bosck, 1978.

Hobsbawm, Eric. *Nations and Nationalism*. Cambridge: Cambridge University Press, 1991.

— *Bandits* [1969]. New York: Pantheon, revised edition, 1981.

— *Primitive Rebels. Studies in Archaic Forms of Social Movement in the 19th and 20th Centuries*. New York, London: W. W. Norton & Co., 1959.

— and Terence Ranger. *The Invention of Tradition*. Cambridge: Cambridge University Press, 1983.

Jameson, Fredric. *The Political Unconscious. Narrative as a Socially Symbolic Act*. Ithaca and London: Cornell University Press, 1981.

— "Third-World Literature in the era of multinational capital", *Social Text*, 15 (Otoño 1986): 65-88.

Iser, Wolfgang. *The Act of Reading*. Baltimore: Johns Hopkins University Press, 1978.

— *The Implied Reader*. Baltimore: Johns Hopkins University Press, 1974.

Iñigo Madrigal, Luis, coordinador. *Historia de la literatura hispanoamericana, tomo II. Del neoclasismo al modernismo*. Madrid: Cátedra, 1987.

Kaplan, Marcos. *Formación del estado nacional en América Latina [1969]*. Buenos Aires: Amorrortu, 1ª reimpresión corregida, 1983.

Kedourie, Elie. *Nationalism*. Essex: Anchor Press, 1960.

Kohn, Hans. *Historia del nacionalismo* [1944]. Traducción de S. Cossio Villegas. México: Fondo de Cultura Económica, 1984.

Kristeva, Julia. *Semeiotikè. Recherche pour une sémanalyse*. París: Seuil, 1969.

— *La révolution du langage poétique*. París: Seuil, 1975.

Kumar, Krishan. *Utopia & Anti-Utopia in Modern Times*. Cambridge, Mass.: Basil Blackwell [1987], paperback 1991.

LaCapra, Dominick, editor. *The Bounds of Race. Perspectives on Hegemony and Resistance*. Ithaca and London: Cornell University Press, 1991

— *Rethinking Intellectual History: Texts, Contexts, Language*. Ithaca and London: Cornell University Press, 1983.

— *Soundings in Critical Theory*. Ithaca: Cornell University Press, 1989.

Lash, Scott and Jonathan Friedman, editors. *Modernity & Identity*. Oxford UK, Cambridge USA: Blackwell, 1992.

Levy, Kurt L. y Keith Ellis, compiladores. *El ensayo y la crítica literaria en Iberoamérica*. Toronto: Instituto Internacional de Literatura Iberoamericana, Universidad de Toronto, 1970.

Loveluck, Juan. "El ensayo hispanoamericano y su naturaleza", en *Los ensayistas*, I, 1 (marzo 1976).

Ludmer, Josefina. *El género gauchesco. Un tratado sobre la patria*. Buenos Aires: Sudamericana,1988.

Lukacs, Georg. "El alma y las formas" [1971], en *El alma y las formas. Teoría de la novela. Ensayos*. Traducción de M. Sacristán. México: Grijalbo, 1985.

Macherey, Pierre. *A Theory of Literary Production*. Geoffrey Wall, translator. New York: Routledge and Kegan Paul, 1986.

Manuel, Frank, compilador. *Utopías y Pensamiento Utópico*. Traducción de Magda Mora. Madrid: Espasa-Calpe, 1982.

— and Fritzie P. Manuel. *Utopian Thought in the Western World*. Cambridge, Mass.: The Belknap Press of Harvard Press, 1979.

Manzano, Juan Francisco. *Autobiografía de un esclavo*. Edición de Iván Schulman. Madrid: Guadarrama, 1975.

Marichal, Juan. *Teoría e historia del ensayismo hispánico*. Madrid: Alianza, 1984.

Martínez, José Luis. "Pensamiento hispanoamericano del siglo XIX" en *Historia de la Literatura Hispanoamericana. Del neoclasicismo al modernismo tomo II.* Luis Iñigo Madrigal, coordinación. Madrid: Cátedra, 1987, pp. 399-415.

— "Introducción", en *El ensayo mexicano moderno*, vol. I. México: Fondo de Cultura Económica, 1971.

Mattelard, Armand. "Introduction", *Communications and Class Struggle*, vol. 2. New York: International General, 1983.

Mead, Robert G. *Breve historia del ensayo hispanoamericano.* México: Andrea, 1956. Edición actualizada, en colaboración con Peter G. Earle, con el título de *Historia del ensayo hispanoamericano* (1973).

Mejía Sánchez, Ernesto, compilador. "Prólogo", en *El ensayo actual latinoamericano.* México: Andrea, 1971.

Mignolo, Walter. "Discurso ensayístico y tipología textual", en *Textos, modelos y metáforas.* México: Universidad de Veracruz, 1984.

— *Teoría del texto e interpretación de textos.* México: UNAM, 1986.

Mora, Gabriela. "Hostos feminista: ensayos sobre la educación de la mujer". *Revista de Estudios Hispánicos*, tomo XXIV, n° 2 (mayo 1990): 143-160.

Moraña, Mabel. *Literatura y Cultura Nacional en Hispanoamérica (1910-1940).* Minneapolis, Minnesota: Institute for the Study of Ideologies and Literatures, 1984.

O'Leary, R. D. *The Essay.* New York: Thomas Y. Crowell, 1928.

Ortega y Gasset, José. "Lector", prólogo a *Meditaciones del Quijote. Ideas sobre la novela.* Madrid: Espasa-Calpe, 1964.

Oviedo, José Miguel. *Breve historia del ensayo hispanoamericano.* Madrid: Alianza, 1991.

Picón Salas, Mariano. "En torno al ensayo". *Cuadernos del Congreso por la libertad de la cultura*. París, n° 8 (septiembre-octubre 1954).

Portuondo, José Antonio. "El ensayo y la crítica". *Universidad de la Habana*, 186-188 (1967).

Poulantzas, *Estado poder y socialismo*. Traducción de T. Claudin. México: Siglo XXI, 1979.

Prieto, Adolfo. *El discurso criollista en la formación de la Argentina moderna*. Buenos Aires: Sudamericana, 1988.

Rama, Angel. *La ciudad letrada*. Hanover: Ediciones del Norte, 1984.

— "El área cultural andina (hispanismo, mesticismo, indigenismo)", *Cuadernos Americanos*, vol. CXCVII, (noviembre-diciembre 1974): 163-73.

Ramos, Julio. *Desencuentros de la modernidad en América Latina. Literatura y política en el siglo XIX*. México: Fondo de Cultura Económica, 1989.

Renan, Ernest. "Qu'est-ce qu'une nation?". *Œuvres Complètes*, 1. París: Calmann-Lévy, 1947-61.

Reyes, Alfonso. "El deslinde. Prolegómenos a la teoría literaria" y "Las nuevas artes", en *Obras completas*, tomo XV. México: Fondo de Cultura Económica, 1959 y 1963.

Rey de Guido, Clara. *Contribución al estudio del ensayo en Hispanoamérica*. Caracas: Biblioteca de la Academia Nacional de la Historia, 1985.

Ricaurte Soler. *Idea y cuestión nacional latinoamericanas. De la independencia a la emergencia del imperialismo*. México: Siglo XXI, 1980.

Ricoeur, Paul. "Civilization and national cultures", in *History and Truth*. Evanston, Illinois: Northwestern University Press, 1965.

Ripoll, Carlos. "Introducción -Los ensayistas", *Conciencia intelectual de América. Antología del ensayo hispanoamericano (1836-1959)*. Nueva York: Las Américas Publishing Co., 1970.

Roig, Arturo Andrés. *Teoría y crítica del pensamiento latinoamericano*. México: Fondo de Cultura Económica, 1981.

Romero, José Luis. *Situaciones e ideologías en Latinoamérica*. México: UNAM, 1981.

—— *Latinoamérica: las ciudades y las ideas*. México: Siglo XXI, 4ª edición, 1986.

Rotker, Susana. *La invención de la crónica*. Buenos Aires: Letra Buena, 1992. Para una versión más amplia, véase: *Fundación de una escritura: las crónicas de José Martí*. La Habana: Casa de las Américas, 1992.

Sacoto, Antonio. *Del ensayo hispanoamericano del siglo XIX*. QUito: Casa de la Cultura Ecuatoriana, 1988.

Said, Edward. *Culture and Imperialism*. New York: Alfred E. Knopf, 1993.

—— *The World, the Text and the Critic*. Cambridge, Mass.: Harvard University Press, 1983.

—— *Orientalism*. New York: Vintage, 1979.

Safford, Frank. "Politics, Ideology and Society in Post-Independence Spanish America", en *The Cambridge History of Latin America*. Leslie Bethell, edition. Cambridge University Press, 1985, vol. 3.

Sánchez Reulet, Aníbal. *La filosofía latinoamericana contemporánea*. México: Unión Panamericana, Washington, s/f.

Seton-Watson, Hugh. *National and States: an Enquiry into the Origins of Nations and the Politics of Nationalism*. Baulder, Col.: Westview Press, 1977.

Scholes, Robert. *Elements of Literature*. New York: Oxford University Press, 1978.

Shunway, Nicolas. *The Invention of Argentina*. Berkeley, Los Angeles: University of California Press, 1991.

Skirius, John, compilador. *El ensayo hispanoamericano del siglo XX*. México: Fondo de Cultura Económica, 1981.

Stabb, Martin S. *In Quest of Identity - Patterns in Spanish American Essay of Ideas, 1890-1960*. Chapell Hill: University of North Carolina, 1967.

Sommer, Doris. *Foundational Fictions. The National Romances of Latin America*. Berkeley: University of California Press, 1991.

Terdiman, Richard. *Discourse/Counter-Discourse. The Theory and Practice of Symbolic Resistance in Nineteenth-Century France*. Ithaca and London: Cornell University Press, 1985.

Tirkkonen-Condit, Sonja. *Argumentative Text Structure and Translation*. Jyvaskyla: Universidad de Jyvaskyla, 1985.

Uribe Echevarría, Juan, compilador. *El ensayo*. Universidad de Chile, Instituto Pedagógico, 1958.

Véliz, Claudio. *La tradición centralista de América Latina*. Barcelona: Ariel, 1984.

Vidal, Hernán. *Literatura hispanoamericana e ideología liberal: surgimiento y crisis*. Buenos Aires: Hispanoamérica, 1976.

Vitier, Medardo. *Apuntes literarios*. La Habana: Minerva, 1935.

— *Ensayo y crítica literaria en Iberoamérica*. Memoria del XIV Congreso Internacional de Literatura Iberoamericana. Toronto: University of Toronto, 1970.

White, Hayden. *The Content of the Form. Narrative Discourse and Historical Representation*. Baltimore: The John Hopkins University Press, 1985.

Zea, Leopoldo. *América como conciencia*. México: Cuadernos Americanos, 1953.

— *Dependencia y liberación en la cultura latinoamericana*. México: Joaquín Mortiz, 1964.

— "Introducción", en *Antología del pensamiento social y político de América Latina*. Edición de Abelardo Villegas. Washington, DC: Unión Panamericana, 1974.

Zum Felde, Alberto. *Indice crítico de la literatura hispanoamericana. Los ensayistas*. México: Guadarrama, 1954.

SOBRE LA AUTORA

De origen venezolano, la profesora Susana Rotker residió durante seis años en la ARgentina; desde 1991 vive en los Estados Unidos, donde se desempeña como profesora permanente de Literatura Latinoamericana en Rutgers University, New Jersey. Licenciada en Comunicación Social (Universidad Católica Andrés Bello, Caracas, 1975), se destacó en sus comienzos como crítica cinematográfica, para dedicarse luego a la literatura, graduándose en esta orientación en la University of Maryland (M.A., 1986; Ph.D., 1989). Durante su permanencia en la Argentina trabajó en la Cátedra de Literatura Latinoamericana II (Facultad de Filosofía y Letras, Universidad de Buenos Aires, 1986-1991).

Ha publicado José Martí: *Crónicas. Antología crítica* (Madrid, ALianza, 1993; LB/1620); *La invención de la crónica* (Buenos AIres, Letra Buena, 1992; en versión ampliada, este libro fue publicado como *Fundación de una escritura: las crónicas de José Martí* en La Habana, Casa de las Américas, 1992); *Los transgresores de la literatura venezolana. (Reflexiones sobre la identidad judía)* (Caracas, Fundarte, 1991); también ha prolongado y seleccionado los textos de *José Martí. Versos sencillos y otros poemas* (Buenos Aires, Centro Editor de América Latina, 1987) y prolongado, junto con Tomás Eloy Martínez (ed.) la *Historia de la conquista y población de Venezuela*, de José de Oviedo y Baños

(Caracas, Biblioteca Ayacucho, 1992) y escrito un capítulo en el libro colectivo *Ensayos sobre judaísmo latinoamericano* (Buenos Aires, Milá, 1990). Artículos y ensayos de Susana Rotker pueden leerse en *Hispamérica, Estudios, Inti, Imagen, Crisis, Hojas de Calicanto*, el "Papel literario" de *El Nacional* de Caracas, el *Diario de Caracas* y *Página/12* de Buenos Aires. Ediciones del Norte, de Hanover, publicará en los próximos meses un volumen sobre *El futuro de la novela en América Latina*, con una importante colaboración de ella. A mediados de este año (1994), Rotker dio una notable conferencia en la sala Ángel Rama del Instituto de Literatura Latinoamericana (UBA) sobre Simón Rodríguez, ensayista incluido en la presente antología (tomo I), que es su actual tema de investigación.*

N. del E.

ÍNDICE

TOMO II

BIBLIOTECA CLÁSICA Y CONTEMPORÁNEA

De los escritores cuyos textos integran los dos tomos de *Ensayistas de Nuestra América* pueden leerse en esta misma colección:

BIBLIOTECA CLÁSICA Y CONTEMPORÁNEA

El jorobadito (n° 59)
Aguafuertes porteñas (n° 67)
Nuevas aguafuertes (n° 425)
Los lanzallamas (n° 437)
El criador de gorilas y otros relatos (n° 473)
El amor brujo (n° 474)

ASCASUBI, HILARIO — Santos Vega (n° 416)
(véase HIDALGO, BARTOLOMÉ)

ASTURIAS, MIGUEL
ÁNGEL — Leyendas de Guatemala (n° 112)
El alhajadito (n° 317)
El Señor Presidente (n° 343)

AZORÍN — La ruta de Don Quijote (n° 13)
Clásicos y modernos (n° 37)
Doña Inés (n° 52)
Los pueblos (n° 65)
Al margen de los clásicos (n° 93)
Madrid (n° 241)

BAROJA, PÍO — Zalacaín el aventurero (n° 41)
BARRIOS, EDUARDO — El hermano asno (n° 187)
El niño que enloqueció de amor (n° 207)
Los hombres del hombre (n° 414)

BAUDELAIRE, CHARLES — Las flores del mal (n° 214)
El spleen de París. Los paraísos artificiales (n° 493)

BÉCQUER, GUSTAVO
ADOLFO — Rimas (n° 460)
Leyendas (n° 484)

BERNÁRDEZ, FRANCIS-
CO LUIS — La ciudad sin Laura. El buque (n° 202)
Himnos del Breviario Romano (n° 243)

BLANCO-FOMBONA,
RUFINO — El pensamiento vivo de Bolívar (n° 497)
BORGES, JORGE LUIS y
BIOY CASARES, ADOLFO — Cuentos breves y extraordinarios (n° 408)
Los orilleros. El paraíso de los creyentes (n° 426)

BOUSOÑO, CARLOS — Oda en la ceniza. Las monedas contra la losa (n° 427)

CABRAL, MANUEL DEL — Antología clave (1930-1956) (n° 273)
CALDERÓN DE LA BAR-
CA, PEDRO — La vida es sueño. El alcalde de Zalamea. El mágico prodigioso (n° 307)

CAMPO, ESTANISLAO
DEL — Fausto (n° 416)
(véase HIDALGO, BARTOLOMÉ)

Se terminó de imprimir en el mes de
diciembre de 1994 en Imprenta de los
Buenos Ayres S.A.I.C., Carlos Berg 3449
Buenos Aires - Argentina